JOSÉF

LA DÉC

Premier Mille

E LIBRO LUX

PARIS

G. ÉDINGER, ÉDITEUR

34, RUE DE LA MONTAGNE-SAINTE-GENEVIEVE, 34

—

M DCCC LXXXVIII

À mon Ami
Maurice Barrès
de Cœur & d'esprit

LA DÉCADENCE LATINE

ÉTHOPÉE

QUATRIÈME ROMAN

A Cœur perdu

Joséphin Péladan

JOSÉPHIN PÉLADAN

LA DÉCADENCE LATINE (ÉTHOPÉE)

I LE VICE SUPRÊME (préface de B. d'Aurévilly), nouvelle édition
in-16 . . . . I vol. 2 fr.
II. CURIEUSE, nouvelle édition in-16 . . . . I vol. 2 fr.
III. L'INITIATION SENTIMENTALE, édit in.-16 (5e mille) I vol. 2 fr.
— édition in-8º . . . . I vol. 3 fr. 50
— édition de luxe in-16, avec une épreuve du
frontispice avant la lettre de Félicien Rops,
Hollande. . . . . I vol. 5 fr.
— dº (épuisé)
Whatman. . . . . I vol. 7 fr. 50
— dº
Chine. . . . . I vol. 10 fr.
— dº
Japon. . . . . I vol. 15 fr.
— édition de luxe in-8º, avec deux épreuves du
frontispice dont l'une sur grandes marges,
signée par l'artiste (épuisé) Hollande,
I vol. . . . . 7 fr. 50
— dº (épuisé)
Whatman. . . . . I vol. 15 fr.
— dº (épuisé)
Chine . . . . I vol. 20 fr.
— dº (épuisé)
Japon . . . . I vol. 25 fr.
— exemplaire unique sur papier à la forme des
manufactures impériales du Japon. 50 fr.
— exemplaire unique sur parchemin . 200 fr.
IV. A CŒUR PERDU, édition in-16. . . . . I vol. 3 fr.

Sous presse :

V. ISTAR. Mars 1888.

F. Rops

Edmond ou Editeur   J. Dulutre imp.

JOSÉPHIN PÉLADAN

LA DÉCADENCE LATINE

ÉTHOPÉE — IV

A
Cœur perdu

Eros, roi des cœurs vagis-
sants.....
Eros, roi des cœurs bat-
tants.....
Eros, roi des cœurs mou-
rants.....

L'*Initiation Sentimentale*,
pag. 24—28.

PARIS
G. ÉDINGER, ÉDITEUR
34, RUE DE LA MONTAGNE-SAINTE-GENEVIÈVE, 34

—

1888

Il a été tiré de **A CŒUR PERDU**
dans le format in-8°

5 exemplaires (1 à 5) sur papier des manufactures impériales du Japon, avec deux épreuves du frontispice avant la lettre, dont l'une sur grandes marges signée par l'artiste . . . . 25 fr.

5 exemplaires (6 à 10), sur papier de Chine, avec deux épreuves du frontispice avant la lettre, dont l'une sur grandes marges signée par l'artiste . . . . 20 fr.

10 exemplaires (11 à 20) sur papier Whatman, avec deux épreuves du frontispice avant la lettre, dont l'une sur grandes marges signée par l'artiste . . . . 15 fr.

100 exemplaires (21 à 120) sur papier de Hollande, avec épreuves du frontispice avant la lettre . . . . 7 fr. 50

Il a été tiré de **A CŒUR PERDU**
dans le format in-16

5 exemplaires (1 à 5) sur papier du Japon, avec épreuves du frontispice avant la lettre . . . . 15 fr.

5 exemplaires (6 à 10) sur papier de Chine, avec épreuves du frontispice avant la lettre . . . . 10 fr.

10 exemplaires (11 à 20) sur papier Whatman, avec épreuves du frontispice avant la lettre . . . . 7 fr. 50

150 exemplaires (21 à 170) sur papier de Hollande, avec épreuves du frontispice . . . . 5 fr.

VIVES

UNGUIBUS ET MORSU

TABLE DES CHAPITRES

LIVRE II.

LE BAISER

LIVRE III.

LE RiTUEL D'AMOUR

LIVRE IV.

EROTIKON

LIVRE V.

L'EMPRISE DE LA FEMME

EPILOGUE

A ARMAND HAYEM

MON CHER AMI,

A qui dédier mon Erotikon, sinon au métaphysicien de l'Amour? A celui qui, sous la double forme analytique du DON JUANISME, *dramatique de* Don Juan d'Armana, *a le mieux déterminé et animé l'arcane sexuel. Cette étude, amèrement lynque de la Passion, revient de droit au très prochain auteur du* TRAITÉ DE L'AMANT.

Vous avez l'heur, mon cher Armand, d'écrire encore la langue abstraite des Larochefoucauld, et Vous voyez d'un œil qu'aucun prisme sectique ou sceptique n'offusque, double originalité et double dandysme d'écrivain, qui Vous valent l'estime des pairs et ma louange.

Faut-il parler d'estime quand on s'aime?

Les amis m'apparaissent les saints du cœur et, comme l'Église donne toujours un élu pour patron à son moindre édicule, en imitation, soyez l'éponyme du mien.

Votre descendance lévitique Vous fera comprendre mon plaisir à écrire sur ce quaternaire de la Décadence latine, le nom de l'ami cubique; — nulle autre expression ne dirait la belle stabilité de Votre affection.

Et fidèle, Vous êtes encore charmant, Vous qui auriez droit aux rubans verts et à l'humeur.

Ouvrant ce livre, à la cantonade, *qui contient trop de ciguë pour être publié, au titre* Les héros en disponibilité, *Votre nom de lui-même s'écrivit. Je ne songeais pas à l'homme d'état de l'Être social, de* Démocratie représentative *du principe des nationalités : Théocrate à moyens occultes, je nie tout ce qui n'a pas ses racines dans le mystère et son expansion vers la charité.*

Je Vous appliquais simplement le mot de Votre ami de Gobineau : « Kalender, fils de roi » ; Ariste préféreur d'une mort de lumière à une vie marchée, susceptible de grand aussi simplement que d'autres ne sont capables que de petit. « Il y a des hommes d'amour », avez-Vous écrit. A Vous connaître, j'écrirais : « Il y a des hommes de gouvernement.

Las ! rien de collectif, n'est digne d'un dévouement à cette heure, pour Vous du moins, qui n'êtes ni de Rome, ni du Temple.

Restez donc en disponibilité, mon héros — et en dédain ! — à l'exemple de notre Grand Ami, J. B d'A.

Le bien social devenu impossible, efforçons-nous vers le beau ; et faisant le silence intérieur, satisfaits d'être aimés des beaux cœurs, et salués des hauts esprits, donnons, cher Don Juan d'amitié, un démenti à ce temps de perdition :

A cœur imperdable,
Joséphin PELADAN

Paris, mai 1887.

CONTEXTE

Le livre des *Rhythmes* a été supprimé et détruit. Reconnaissant à l'Etat devenu dérisoire, un simple droit de voirie; au public le seul veto de son mauvais goût, l'écrivain, unique censeur de son œuvre, doit sacrifier toute intensité qui transfigurerait le péché et fausserait une notion.

Pour ces paroles hardies, ces fermes expressions qui violent la niaiserie émasculée ou la tartuferie bienséante, l'art les condamnerait-il, le Catholicisme les veut!

Ici, Michel-Ange et Shakespeare sont les papes, et qui oserait donc prétendre à plus de décence et de délicatesse ?

La civilisation latine meurt d'une lâcheté double : Rome a subi la semonce bourgeoise de Luther, la France a subi le talon du Corse : ces deux incarnations de Typhon datent notre laideur et notre brutalité.

L'aboutissement olchlocratique n'a plus qu'un pas vers le néant, c'est-à-dire vers l'Amérique.

Depuis la Réforme, on a sacrifié les grands cœurs pour conserver les béguines et les cuistres : prône bref, la morale littéraire aujourd'hui s'idiotise.

Six péchés jusqu'en leurs noirceurs sont de peinture convenable; seul le sein de Dorine suscite le saint mouchoir de la Bazilerie.

Dites une femme orgueilleuse, avare, envieuse, gourmande, colère et paresseuse, sa réputation demeure.

Dites-la amoureuse, elle est déshonorée. Ainsi de l'œuvre d'art. Or, si les curés ouvrent le catéchisme, ils y verront que *l'envie des grâces du prochain* insulte au Saint-Esprit, péché irrémissible, et qui met au-dessous des prostituées, la plupart de leurs dames d'œuvres.

La canaille hurle à l'idée que des cardinaux assistaient à la *Mandragore*; et la mondainaille accepte la montée sur la scène et la mimique du lupanar et de l'assassinat; on a vu les mêmes pudibonds qui se signent devant Balzac et d'Aurevilly, applaudir la guillotine et palpiter à la descente du couperet, au théâtre devenu répétiteur du crime.

Eh bien! puisque ceux qui ont mission de directeurs de la conscience humaine perdent qualité, le romancier psychologue, plus profond que le confesseur, déclarera que beaucoup de lymphe et l'absence d'imagination ne constituent pas l'honnête femme; que le devoir féminin ne se borne pas au sixième commandement : les œuvres de haine damnent plus encore que toutes les œuvres d'amour.

Au vingtième siècle, on s'apercevra peut-être du grand effort de l'auteur, vers la négation sexuelle ou du moins vers la sublimation de l'Amour. S'il considère non plus les Aristes de l'humanité, seuls lecteurs souhaités, mais les âmes moyennes, quel que soit son cortège de désordre et de maux la passion reste la levure nécessaire qui empêche l'inertie. Généralement la femme ne sait être que haineuse ou amoureuse.

Celle-ci a eu six amants; celle-là a bavé sur six cents personnes. Entre la calomnie et la galanterie, hésiterait-on ?

La province immonde masque sa scélératesse si habilement que Paris seul semble mécréant.

En peignant l'assassinat à coups de calomnie de Madame ISTAR, l'auteur se flatte de découvrir, hors de la *ville* d'Isis si diffamée, des fumiers d'âme babyloniens, en province sinon en Provence.

Quand on voit toute une cité payer un tribut de déshonneur à l'honneur de quelques pecques, on serait chrétien de pousser un amant vers ces enragées.

Mieux vaut aimer quelqu'un que détester tout le monde ;
les séminaires dussent-ils s'émouvoir, la bouche où fleurissent les baisers, même coupables, ne sera pas, au châtiment, remplie de la même terre que le cloaque de fiel de
l'envieuse Madame Basile.

Quant à l'héroïne d'*A Cœur Perdu*, elle n'est que le côté
fixe et jaloux de la passionnalité féminine, l'héroïne de la
VICTOIRE DU MARI sera le côté volatil et infixable ; leur
réunion prétend à un essai synthétique.

Elenctiquement, l'éthopoëte croit être resté, ferme et semblable, sur les points RÉVÉLÉS ET ROMAINS, en ces quatre pre-
miers tomes,

Devant le trentain de romans à écrire encore, s'il y a lici-
tation œlohimique, il s'avoue, sur tous les autres points, en
étude, en recherche, en vibration : la vie le pousse.

L'époque aussi ; en un temps hiérarchisé, il y aurait une
raison d'Etat à respecter !

Acta est fabula. La comédie latine est jouée, puisque deux
hommes de marque ont osé, l'un ce sacrilège : donner le
nom de N. S. J. C. à une vivante charogne, l'autre ce crachat :
le mot idiot sur sa majesté Will. Enfin, puisque la sœur de
charité a été chassée du chevet des souffrants, au pays de
Jeanne d'Arc, dans la cité de Saint-Louis !

Elle fut divine cette comédie latine ! Voilà les slaves en
scène ; mais on ne succède ni aux latins, ni aux grecs, ni aux
juifs ; on les continue, si l'on est de taille à faire suite à ces
géants de gloire.

L'œuvre politico-économique de l'Occident sera russe.
Cependant, cet aigle pour deux têtes n'a qu'une seule couronne ; il recevra l'autre au double gironnement romain et
latin.

Tout l'avenir de la civilisation est suspendu aux lèvres de la femme slave. Aura-t-elle le baiser intelligent?

Kunrath s'est fait représenter, sur une planche de son *Amphitheatrum sapientiæ*, écrasant un grouillis de bestiaire vile, scorpions, fourmis, serpents et rats: il avait peut-être droit à cet orgueil.

Aujourd'hui, l'intellectuel traité par les lois comme un roulier, par les mœurs comme un histrion, n'a plus qu'une façon d'ariste devant l'Olchlocratie de cette fin de siècle:

Déplaire au grand nombre.

A qui demanderait-il sa propre confirmation?

A ses pairs? Le sang bleu les lie.

A ses frères et à ses sœurs? ils s'aiment en lui.

On ne sait qu'on porte du feu qu'à l'effarement des hiboux. Au cri de la menade, l'orphique prend conscience de lui-même, et l'Argonaute, oublie toutes les douleurs cholchidiennes, en voyant la bave des monstres sur ses cnémides d'or.   J. P.

LA DÉCADENCE LATINE

IV

A CŒUR PERDU

PROLOGUE

I

L'INCUBE

Elle s'endort à peine et le jour va venir.

A-t-elle longuement confié ses secrets à la nuit?

Dans la chambre tiède, la lune poudroie encore son argent lumineux, bleuissant le blanc satin des tentures aux bandes gris de lin.

Ses secrets sont amers; le désarroi du lit témoigne d'une âme tourmentée.

Ses secrets sont d'amour; la moiteur de l'air révèle un corps en émoi.

Ses secrets sont impurs; une odeur de péché plane sur ce sommeillement.

Les robes claires, les roses peignoirs, drapeaux froissés dune virginité morte, et qui ne .flotteront plus ; les transparentes batistes, les soies bruissantes, semblables à des pudeurs dispersées, traînent et pendent, avec des plis tristes, des cassures moroses, sur les meubles bousculés.

On dirait des traces de colère et le champ d'une lutte.

Oh ! terrible, cette colère contre soi-même, où les serpents de Laocoon resserrent leurs froids anneaux au plus profond de l'être, sans que la main puisse les tordre ; oh ! atroce cette lutte contre son propre cœur, où la victoire saigne aussi cruellement que la défaite.

Baigné d'un clair-obscur étrange, le lit évapore de luxurieuses senteurs qui flottent dans le silence angoissé, aromales émanations du désir qui se sèvre, pollen flottant des reins rebellionnés.

La courte-pointe est à terre : l'oreiller de dentelles a glissé et sur les mules bleues pend le drap débordé.

Elle dort, pesamment ; sa pose repliée tend la fine toile sur la croupe précise ; les cheveux écroulés gerbent d'or l'oreiller, et le dos nu, au poli vermeil, s'adamantine des gouttelettes d'une sueur parfumée.

Qui percera le mystère de l'Invisible ? Quand l'humanité cesse son œuvre, la daïmonialité ne commence-t-elle pas la sienne ? Il y a un labeur dans la nuit ; si la lumière se décompose, nul n'a dit encore le prisme de l'ombre !

Que voïent les yeux fermés ? Qu'embrassent les

bras immobiles? Où va l'esprit quand il ouvre ses ailes immortelles au-dessus du corps harassé et dormant?

Elle a gémi, elle a frémi; un tressaut l'a secouée; son bras nu rame dans l'air, puis retombe. Quelle chauve-souris écarte-t-elle ainsi?

Brusquement, elle se convulse toute, comme pour tourner le dos à quelqu'un ou ne plus voir un spectacle obsédant : l'épaulette de la batiste casse et jaillit un sein jeune et battant, que l'imagination durcit.

Maintenant le rayon de lune frappe la vitre d'un portrait singulier.

De face, les mains jointes sous le menton qui s'y appuie, l'œil béant et fasciné, tous les traits attentifs, en une excessive tension de l'entendement, l'admirable tête, allégorie d'une stupeur céleste, semble spectatrice du cauchemar qui torture cette femme endormie.

Car elle souffre; ses gestes se défendent; ses poses se dérobent; sa poitrine halète.

Elle se rabat sur le dos, palpitante, avec un rictus de suffocation; des deux mains elle ouvre sa chemise qui crie en se déchirant. La voilà presque nue; quel Sélénus prend un baiser à cette Diane qui se cabre? La pure jeune fille, certes, se débat.

O résistance vertueuse, vaine cependant!

Des ondes vibratoires semblent parcourir sa jambe nue, monter jusqu'aux hanches et la ceindre de hantise.

Oh! voyez-la, ses mains se joignent et supplient; un nom qui avoue, un nom qui la dompte a jailli de ses lèvres séchées. Comment fermer les bras au fantôme du Bien-Aimé? Elle les ouvre du geste sublime de la vierge qui se donne.

Dans la pénombre des rideaux, on a chuchoté très doucement.

Très doucement on a ri.

Ces bras ouverts sur le vide se renferment sur un coussin qu'ils étreignent! elle plonge sa tête dans la plume comme au giron de l'Aimé! Horrible rencontre de la douleur du désir et du grotesque de la chair.

Un cri s'étouffe, de volupté foudroyée par le réveil.

D'une main, elle lance le coussin qui va briser le cristal où des roses blanches agonisent; de l'autre elle touche son flanc; et dressée, farouche, dans l'auréole de ses cheveux emmêlés, la dormeuse fouille la claire chambre et s'étonne : la lune seule est entrée.

Écartant ses cheveux, d'un geste d'Ophélie, elle passe ses mains sur son front. Un rêve, cela? Mais son corps ne rêve pas et la sensation organique vibre encore, détestablement.

La vierge s'épouvante d'avoir été étreinte par l'intangible, de s'être donnée à l'inconnu; et d'un élan peureux du diable, elle se précipite à son prie-Dieu.

« O Marie, sauvez-moi du Malin; des souillures de la nuit, défendez-moi, o Vierge immaculée; ne permettez, Bon Ange, la traîtrise du Mauvais, qui lâchement m'attaque endormie! »

Admirable nudité en prière, où la ferveur de l'attitude pathétise la volupté.

Une voix intérieure lui ricane : « Tes nuits réalisent la pensée de tes jours ; le désir qui a terrassé ton corps, le portais-tu pas dès longtemps, en ton cœur ? »

La prière meurt sur ses lèvres ; elle se détourne et glisse sur le bord du prie-Dieu.

Les coudes sur ses genoux nus, le menton sur ses mains jointes, elle ne songe pas au Prud'hon qu'elle fait ; son regard a rencontré le portrait dont elle a pris la pose et l'expression d'attentivité. Soudain, au-dessus de l'idée de l'incube, une lumière imprévue jaillit sur sa douleur. Philotée d'un Mage, n'est-elle pas un peu initiée ?

Il lui a été dit qu'aimer, c'était former de sa propre émanation un fantôme qui partout vous suit, et quelquefois vous domine ; la romanesque, déçue de ne plus accuser ni Dieu ni diable, s'égare, devant ce problème de la daïmonialité.

Son entendement androgyne ne se maintient pas à cette hauteur ; si juste qu'il soit, un diagnostic n'est jamais un baume qui guérit ; dès qu'on souffre, le déterminisme importe peu. La nuit l'a violée, l'ombre l'a prise, la lune l'a polluée ; un moment de mauvais sommeil solitaire, et la voilà femme.

En sa droiture, elle se demande même, si elle serait loyale maintenant d'épouser un autre que le ressemblant à l'incube.

Il y a dix jours, elle les compte, dans le parc de Saint Fulchran, un baiser l'extasiait; et un sommeil l'avait frappée dans son extase; aujourd'hui, cette extase l'arrachait au sommeil, et trop tard pour sa gloire.

Lentes, lourdes, chaudes, amères, de grosses larmes tombent de ses yeux et tombent sur ses seins : son accroupissement découragé se prolonge.

Tout à coup, elle se dresse, confuse, et s'apercevant nue, suprise par d'audacieux regards, elle se jette au lit et se cache toute; c'est l'aube qui entre.

Sans mouvement, et l'haleine oppressée, la tête sous le drap, en enfant qui a peur, elle s'étouffe. Puis, elle se découvre, prise d'une résolution subite, saute à terre, court à son bureau de bois de rose, et sur un télégramme écrit deux lignes.

Si la chose est d'importance, craint-elle de l'avoir oubliée au réveil; sinon pourquoi cette précipitation d'un poète que deux beaux vers, comme des phalènes, ont frôlé et qui les veut fixer, en leur fraîcheur d'inspiration? Ou bien, serait-ce un de ces mandements décisifs qu'on ose sous le coup de fouet d'un état moral qui ne sera plus demain aussi intense? Elle paraît rassérénée, porte le papier bleu qui l'a apaisée dans une pièce voisine, et fermant exactement persiennes, volets et rideaux, se recouche.

Au dehors il fait grand jour et nuit enfin dans la chambre.

On y entend le claquement des draps à de nerveux

coups de jambes, et la couche gémit sous le corps
qui se retourne, cherchant la pose qui appellera le
sommeil. La fatigue l'amène bientôt, mais troublé de
balbutiements et d'exclamations, comme si elle pro-
nonçait des paroles amères pour en saisir le sens
qui échappe à son hébétude. Vraiment, elle souffre à
les laisser vibrer sur ses lèvres, banderoles qui
sortent de la bouche des dormants comme des vifs,
au Campo-Santo. Ils hantent sa belle bouche rebelle,
ces mots obstinés, ces vocables nauséeux, qui froi-
dissent de leur latin de confessionnal le lyrisme
toujours latent dans l'immensité d'un unique désir,
et ils violent cette bouche qui les morcelle, avec rancœur, et s'y égrènent, lambeaux d'un vers rongeur
de l'âme.

Reme... dium... Con... cupis... cen...tiœ.

II

On dirait une confession papale.

Mérodack, les bras croisés, écoute debout, devant Nebo assis.

Disparité d'aspect singulière, quoique leur force ait une épée commune, leur supériorité une base identique, les Adeptes n'ont pas ce vernis de ressemblance qui tue la personnalité en la déshonorant chez le militaire, en l'élevant sur le prêtre. La laideur d'un Luther se retrouve chez le pasteur yankee; on aperçoit toujours le caporal dans le colonel : quiconque a été domestique garde la flétrissure du collier, et les ordres religieux ne sont pas exempts d'un air d'uniforme; le dominicain ne se reconnaît-il pas plus à l'orgueil qu'à la robe? Seul, le sacerdoce laïque des Templiers et de la Rose-Croix laisse intacte l'originalité, et pleinière coudée à l'individu.

Aussi, ces Tertiaires du Saint-Esprit, qui se comptent et se groupent dans l'ombre pour apparaître en une rencontre prochaine, sont-ils redoutés de la Routine cléricale autant qu'attendus des gnostiques Romains; et la crainte est aussi légitime que l'attente; sur la vieille garde traditionnelle ils ont rivé l'épée scientifique; en eux la tendre vertu du Saint n'entraverait pas de charité, l'œuvre parfois cruelle de la lumière.

Mérodack, nimbé de sa noire chevelure crépelée, en fourreau noir de clergyman, promenait autour de lui ce regard de velours où venaient se perdre les rayonnements sans qu'il cillât, accusant une perception perpétuelle du fond sous la forme, de la cause dans l'effet; son allure signifiait un volontaire renoncement aux mobiles humains : cet être ne pouvait avoir d'autre patrie que sa pensée, avec des idées pour prochain; sorti du rang mortel, sa sérénité triste plaignait en méprisant.

Aucune infortune qui ne l'émût; aucune qui le passionnât, hors de la grande infortune catholique; son cœur ne battait passionnellement que *urbi et orbi;* il avait les sentiments d'un pape, et, comme tel, la France où il vivait ne lui représentait que la fille aînée de l'Église, devenue indigne, mais ramenable au giron. Armé de toutes les pièces d'une idée fixe, il désintéressait à la longue par l'inhumanité de sa puissance sur lui-même.

Nebo pensait aussi haut et aussi juste; et ces deux aigles planaient d'un vol égal dans l'éther des spéculations, mais le Platonicien n'avait pas son cœur à la tête; ni l'œil sensible seulement à l'outremer divin où se meuvent les mondes de la spiritualité : la forme l'enchaînait et le sentiment vivait en lui, sublime, intense pourtant, et impérieusement avide.

Il y avait de la majesté dans ce respect mutuel qui tenait debout le plus grand des deux, tandis que l'autre s'accusait sans réticence et aussi sans humilité, et dans l'emprunt qu'ils faisaient à l'Église d'une forme sacramentelle qu'ils faisaient pour leurs confidences, ces cardinaux laïques d'un Sacré-Collège que Saint Yves présiderait.

La confession n'est-elle pas la confidence jamais trahie que l'être seul ou le cœur gros peut faire à tout prêtre, se soulageant de sa peine en la disant à l'homme de Dieu. Énumérera-t-on jamais, des Germinie Lacerteux aux duchesses, les perditions et les adultères évités par l'expansion sentimentale du sacrement de pénitence? Une confession sauve parfois d'un amant; et les brutes de la démocratie, au lieu de pendre les mauvais prêtres, osent immoraliser le plus scientifiquement divin des rites.

A défaut de l'onction qui confère le droit d'absoudre, Mérodack avait le don de conseil, et il n'eût pas absous son frère, à voir la mélancolie de sa pose.

Quand le Platonicien se tut, lui tendant en péroraison mimique, avec un geste à la Talma dans *Manlius,* un télégramme qui avait été froissé violemment, il lut lentement, à haute voix :

Tante stupéfaite mais résignée, je le jure,
Attendra tout le jour votre démarche — Paule.

— Frère Nebo, ton androgyne n'est qu'une femme ; les ailes sont à terre, plus d'ange. La réalité doit être assez belle pour te consoler d'un rêve : un beau mariage, un violent amour, voilà ton lot. En somme, tout est dans tout, et la quotidienneté maniée avec magie doit aboutir à toutes les métamorphoses ; épouse-la, en quelques années, peut-être, obtiendras-tu ta réalisation ?

— Tu railles, — s'écria Nebo, — me pousser au mariage, et ne pas juger insultante pour moi l'audacieuse ambition...

— Je ne raille pas, tout est grave et pesant de conséquences, en te poussant au mariage, puisque tu as besoin d'amour ; et la princesse se stupéfierait, en t'entendant crier au manque de respect, parce qu'elle veut te donner sa beauté, sa jeunesse et sa fortune : elle se dit : « Je suis à lui, je l'ai baisé sur la bouche », de là à un « il est à moi », il n'y a pas l'espace d'un mouvement de sauterelle. A ses yeux, il n'existe qu'un homme sur la terre ; elle le veut, le complément, cet unique. Remarque qu'elle ascensionne là où tu juges descendre, pèlerine du Vénusberg qui t'entraînera dans le bas-fond... Frère, quand je t'ai écrit « prends bien garde à cette chair où tu incarnes ton rêve » je voulais ajouter un mot « trop jeune ». Elle a vingt ans ; il lui en faudrait dix ou quinze de plus et malheureux : il lui manque d'avoir été épouse infortunée et mère sans joie. Avant d'avoir pleuré, une femme n'est pas faite. Ce sont

les larmes qui trempent : les jeunes ou les heureuses, il faut, te diront les expérimentateurs, les
torturer pour les garder. Si ta Paule avait par devers
elle deux lustres de déceptions, devoir conjugal subi
avec horreur, injustice du monde, inanité des consolateurs ordinaires, si la souffrance lui avait brassé
son houblon le plus amer, alors tu serais exaucé.

Et même, ce ne sont pas ses vingt ans qui te
résistent… non ; ton génie se brise à un tempérament ;
un peu plus de lymphe, un peu moins de fer dans le
sang, l'influence de la lune au lieu de Vénus, sur
cette solarienne, et tu avais Diotime :

— D'abord, plus de lymphe c'était moins de
charme, et dans mon amour comme dans les ordres,
je n'admets pas impuissance homonyme de continence, — répondit Nebo. — Ensuite, la facilité n'em-
bellit rien, et tu rabaisses l'œuvre, trop à mon gré,
pour qu'elle satisfasse même réalisée. J'ai voulu un
être qui ne perçût rien de supérieur ou d'inférieur
que par moi, et qui renonçât comme je renonce ; avec
le mérite de regretter parfois la vie des sensations
que son Seigneur lui refuse.

— Tu as voulu le bonheur dans le grand, tu as
trop voulu.

Ces voies ne sont pas parallèles, la Combe aux
roses, et le bois de lauriers. On choisit sa bien-aimée
à hauteur de cœur, selon la belle formule de d'Aurevilly ; tu la veux à hauteur de tête, quand la tienne
s'élève au-dessus de tes contemporains et de leur

fourmillement, comme le cèdre sur l'hysope : Inactif ou virtuel, l'épregore ne reçoit pas plus le bonheur qu'il ne le donne. Demi–dieux, nous voulons le créer à notre image, ou dévoués un instant, bientôt un claironnement nous arrache à l'abnégation. « Génie, engendre; Semeur, marche ; Flambeau, flavesce; tu es un rayon, les obscurs seuls s'appartiennent. »

Frère, dans le rejet de toutes les entraves à notre Verbe, gardons la charité, et fermons-nous aux passions; là où les autres font des dupes, nous faisons des victimes. L'Adepte, celui qui ne veut pas boire au courant, ni se nourrir des fruits de la terre, est un destin (les superficiels diraient un égoïsme) le Balthazar Claës éternel fondant à son creuset la fortune de ses enfants.

Tu vas traiter ta princesse, par tous les réactifs psychiques, jusqu'au jour où la matière trop com-primée t'éclatera dans les bras; tu ne seras que meurtri, elle sera brisée. Aux lendemains de tes désastres, aux Thermopyles de tes passions, il te restera toujours ton cerveau et les idées, mais elle, songes-y, n'a que son cœur.

— Ne sommes-nous pas les météores qui traversent une âme en y laissant un sillage immortel? Séraphin veut dire le serpent de feu qui éprouve; notre rôle est l'incitation vers la vie supérieure, et la vie supé-rieure pour la femme c'est la passion.

— Figure-toi, frère Mercurius, trois jours de pa-radis et une nouvelle terrestrisation : c'est tellement atroce que ce supplice, dans l'enseignement religieux, ne menace pas l'homme. Cette femme ravie au septième ciel de ton amour, quand elle retombera, aura perdu son empennement et ses pieds ne sauront plus marcher. Ton albatros, tu le rejetteras un jour dans son milieu social; même en se déclassant pourra-t-elle éployer ses ailes? Emporter un être dans la nue pour l'en précipiter!

— Tu as si bien coupé le câble sentimental tendu devant l'humanité, que ta psychologie porte à faux, Mérodack. Ignores-tu que la passion accumule comme une pile les modes de vitalité, et que cent jours de possession ardente valent plus que dix existences routinières? Je connais une femme vertueuse, une Dame de Mortsauf, qui s'est substantée, qui se substante encore, avec une seule sensation. Un jeune aventurier, quelques jours avant son embarquement, la voit et l'aime au point de renoncer à sa vie terrible, si elle veut l'aimer; elle a le courage d'un non; la veille de son départ, l'aventurier, pendant que le mari se retourne, lui mord la cuisse si cruellement qu'elle s'évanouit : réveillée, elle ne voit plus l'audacieux, qui n'a jamais reparu : « J'ai été aimée une seconde, cela me suffit pour concevoir qu'un mois de pareilles sensations équivaudrait à avoir pleinement vécu. »

— Parole passionnée, c'est-à-dire erronée.

— Ta charité s'émeut au penser d'un bonheur qui cesse, et ton entendement admet que le supérieur emploie l'inférieur à son grand œuvre; l'âme d'autrui n'est-elle pas la matière d'une opération théurgique?

— Nous sommes hors les Normes, il faut personnaliser le cas pour le juger. Tu résous une pudeur pour donner au monde une version immortelle de la beauté. Soit! Quand Nergal a eu besoin de mon aide pour un adultère sentimental, je l'ai accordée; derrière je voyais poindre le chef-d'œuvre. Je nous reconnais un droit de cuissage idéal, un jambage sur le cœur, dont j'ai fait remise, quant à moi. Tu rencontres une femme et tu lui ouvres l'âme; tu ne prends rien à son mari qui a vécu dix ans en intimité physique seulement. Le trésor revient au trouveur, l'âme d'une femme appartient à qui l'a fait vibrer; mais le découvreur ne saurait s'installer possessivement sur le lieu même, ni l'Aimé, prendre le corps. Car, le droit même du roi, même du mage, se limite au devoir envers le vassal et l'ignare.

— Tu autorises l'adultère mental, et plus encore sentimental... fit Nebo.

— C'est un argument socratique; en vertu de l'analogie, autoriseras-tu l'infidélité érotico-physique? Tu sais l'identification du geste et de la pensée, tu ne vois pas, Platonicien, que la possession est un effort logique du doublement primitif et la simultanéité des deux spasmes, la plus vive illusion d'androgynisme. Entrer l'un dans l'autre, se pénétrer, cette image obscène, pour les femmes lymphatiques et les mal conformés, concorde à une grande

palpitation ptérienne. Oui, la passion a sa transfiguration de la chair.

— O Merodack, tu plaides maintenant la Bête à
deux dos.

— Je ne crois ni à la bête angélique, ni à l'ange
bestial, pas plus qu'à la Théandrie : et ton rêve étant
faux, s'évanouira.

Sexuellement, je n'admets que le Renoncement ou
l'ordinaire passionnalité : le reste *Comedia dell'Arte*.

— N'est-il pas scientifique que la vibration humaine
a trois modes? L'initiation n'enseigne-t-elle pas l'art
des transpositions et mon problème se théorémise :
sentimentaliser la sensation, intellectualiser le sentiment. Or, en physiologie, si le cœur et le cerveau se
congestionnent, il n'y a pas d'émoi génésique : et
cela explique l'impuissance d'une première possession, quand le désir bat aux tempes et au mamelon,
non aux reins.

— Frère Nebo, cet effet-là se subordonne à la nouveauté, à la rareté et au péril d'un rendez-vous ; l'œil
d'un mari, d'une mère, d'un frère à tromper. Mais
seuls, en paix, des journées, presque des nuits, non
pas aujourd'hui, où l'on peut se refuser à goûter une
ambroisie momentanée et qui laisserait une appétence douloureuse, mais demain et toujours.

Si hautes que soient les idées émises, il arrive une
heure où la récitation de Shakespeare ne vaut pas de
toucher la manche de l'Aimé. La beauté et la jeunesse
sont des forces terribles même pour un génie, et

offensives ; romps et pare, tu seras cependant acculé, et forcé à t'exécuter charnellement ! Tu as vieilli sa pensée, son jeune corps veut ton corps et l'aura ! Oh ! je reconnais ta force, je la salue ; l'homme qui a pu, au baiser de saint Fulchran frapper de sommeil, sans décoller les lèvres, est un thaumaturge, et je ne le tenterais pas.

Seulement tu oublies toujours, Nebo, que tu es un artiste, c'est-à-dire, un être plus vibrant que les autres, et où viennent se sublimer les aspirations générales ; l'amour, ce pain quotidien et cette subs-tantation universelle de l'homme, tu ne l'as pas barré de ton dédain ; tu l'as conçu en chef-d'œuvre, et tu y travailles en grand maître, tu as rencontré les traits du Précurseur du Louvre, ce chef-d'œuvre de l'art entier, et tu veux faire éclore dans cette copie vivante, l'âme que ton imagination attribue à l'original : ceci n'est pas de l'esprit, il faut pour toi que la princesse n'existe qu'à mi corps, comme le saint Jean de Léonard. Eh bien, frère, pour que le cœur ne batte jamais au-dessous du nombril, il faut qu'il ait saigné, et que la vie l'ait tordu et déchargé de sa charnalité. Et tu prends une vierge, cette vierge, tu la rends amoureuse, et tu veux qu'elle ait aux lèvres, au lieu du baiser, le sourire de l'Archange ! Ta spiritualité te pousse et aussi ton expérience masculine ; tu sais le peu de réalité des extases physiques ; ce peu se dimi-nue encore par la nature même de tes sensations d'homme aimé, qui, lui, n'aimait pas. Ce qui excuse,

pour un esprit profond, l'apparente impudicité de
l'honnête femme énamourée, ce geste que tu n'évi-
teras pas, et qui ne te laisse plus de recul, ce geste
de l'instinct, qui est le premier de la courtisane, se
justifie par la conception féminine, qui n'y voit que
des conséquences, des temps du verbe aimer; et non
l'obscénité à froid masculine. Singulier Nebo choi-
sissant le cheval pur sang, qui hennit d'impatience,
caracole, et lance de la vie par les sabots pour lui
faire marcher le pas processionnel et mélancolique
d'un amour d'automne, où la femme de quarante
ans repose son âme lassée.

L'amour et la haine sont des pôles sous l'équateur
de la volonté omnisciente. Avancer un être vers le
midi de l'idéal ou le faire rétrograder vers le minuit du crime, nous le pouvons. Quant aux douze
heures et aux degrés de lumière et de ténèbres, ils
ne nous sont pas donnés. Dis-moi « fais qu'on
m'aime, fais qu'on me désaime »; j'opérerai, puis-
samment.

Si tu me dis « fais qu'on m'aime ainsi » ou « qu'on
me désaime juste à ce point-là. », je quitte ma mitre,
j'y suis impuissant. Allumer une passion ou l'éteindre,
oui; la modérer, je n'en sais pas le secret. Vois-tu
pas l'Amour de Dieu aboutir à l'Inquisition; Torque-
mada avait peut-être la foi? La femme est une foule
pour la promptitude et l'incohérence des mouvements,
et la foule et la femme ne savent que l'anarchie en
l'absence du despote.

— Ah! Mérodack, je t'envie et je t'admire, tu es affranchi de l'Amour.

— Non, de la sexualité; j'aime toute la Rose, ce qui est beau, et toute la Croix, ce qui pleure.

Admire-moi et ne m'envie; j'ai pris le parti le plus haut; ce n'est pas le plus doux : et si jamais je ne rêve d'amour en méditant un arcane, quelquefois je rêve de tendresse, j'appelle alors une joie séraphique, le frôlement d'une aile d'ange sur mon front brûlant. Connais-tu ce *Christ au jardin*, de Delacroix, ignoré du public, en l'église Saint-Antoine? Eh bien! je souhaite qu'un de ces anges qui pleurent sur leur Dieu vienne s'attrister sur moi; en mes angoisses, je demande une larme du ciel pour m'étoiler le cœur. Ce qui m'écarte invinciblement de la passion? J'éprouve plus de douleur encore à regarder dans l'âme d'autrui que dans la mienne; et je fuis cette nécessité de faire souffrir pour régner. J'ai vu des fils maudire leur mère, mais non pas un Français renier sa patrie; or, la conséquence de l'idée de patrie fait plus de ravages annuellement que la peste et tous les maux unis : l'imbécile contemporain arrive à n'avoir plus qu'une religion, celle de la chiourme militaire.

Le seul sentiment collectif en France, c'est la docilité du cul aux baisers des chaussures éperonnées.

Vois, quel autel l'humanité encense depuis Nimroud, quels sont les tremplins de l'imagination universelle; le charnier et le tueur. Des prêtres, qui se

disent catholiques, enseignent l'admiration d'A-
lexandre, de César et de Napoléon; des prêtres, que
Rome n'interdit pas, ont donné l'absolution aux
généraux d'une conquête. Les femmes, toutes des
gouges quand elles apprécient le bandit corse; ce
mâle vêtu de sang caillé parle au cœur des mères et
elles l'admirent, avec une bestialité inconsciente.

Les femmes, comme les peuples, n'aiment que
celui qui les torture, et je veux paraître devant Dieu,
sans qu'un seul faible crie contre moi : voilà pourquoi je n'ai pas d'amante, et pas de patrie, étant du
sang des rois-prêtres, obligé à n'obéir jamais, ni à
des passions, ni à des lois. Si un être tentait de
m'absorber, il serait frappé par les Normes, qui
veulent libres les lévites du mystère, fussent-ils
inactifs; si une collectivité dite nationale viole en
moi l'*habeas spiritum*, la volonté des ancêtres m'ordonne de frapper par le Verbe et de créer des courants de rébellion. En conscience du sceau de fatalité
qui nous marque pour la solitude hiératique, je te
suppliais tout à l'heure de ne pas senestrer le destin
de cette enfant : cette Psyché s'est fascinée à ta
lumière et la Loi est que tu la consumes, ou qu'elle
t'éteigne.

Maître cruel, ou esclave avili; voilà le dilemme de
la Passion.

— Je serai un doux maître et son esclavage glorieux...

Mérodack l'interrompit :

— Je me reprocherais de me draper devant toi, Frère; si nul ne voit dans mon passé : sache-le, ma volonté y veille. Interroge ceux que j'ai coudoyés avant l'initiation, ils ne sont plus sûrs même de ce qu'ils ont vu de moi. J'ai erré, moi aussi, Nebo, seulement j'ai erré vite, le poids de mon cœur m'a entraîné avant que le durcissement de mon cerveau ne lui fît équilibre, j'ai souffert, lutté et vaincu; et si loin que ce soit rélégué dans un passé anéanti, je n'ai qu'à me ressouvenir pour te comprendre, te plaindre... et t'aider.

Ils se prirent les mains, cérébralement émus.

— Ta défaite, que tu retarderas désespérément, est inévitable; parce qu'il n'y aura ni magique suggestion, ni fuite : tu seras violé d'abord dans ton corps; plus tard dans ta personnalité même.

— Qu'elle veuille ma possession; je ne puis ni en douter ni l'en blâmer; mais qu'elle jette sur moi une emprise de femme ordinaire sur l'homme ordinaire, alors je la condamnerai.

— Le froc d'Alta, l'œuvre de Nergal sont des défenses, mais ta laborieuse oisiveté? la femme ne respecte que les résultats, les réalisations, jamais les méditations et les rêves.

— Tu estimes que je lui dois la sensation?

— Je l'estime!

— Et la fécondation aussi, n'est-ce pas, — fit Nebo, ironique.

— Frère, quand je rends un arrêt Vehmique, je

condamne au nom des Normes, j'ajoute cependant
cette formule terrible : « Que le tribunal des francs-
juges soit jugé de Dieu même. »

Egregore, tu t'affranchis des commandements du
troupeau, et cela te met devant la face de Dieu, coupable d'usurpation divine, si la passion t'enténèbre.

— Conseille-moi donc de l'épouser, tu me citeras
ta résignation à épouser Coryse (1); résignation
compliquée où il entrait la concept d'un petit Josselin
de Courtenay légitime qui aura vingt ans quand tu
en auras quarante-cinq : et pour lequel tu feras dans
la lumière ce que Vautrin fait dans la boue pour
Lucien, un être qui sera l'automate heureux et bril-
lant de ta volonté, et qui exécutera au grand jour la
mise en œuvre de tes méditations. Est-il dans la
Norme, que tu aies enlevé son fils à la Nine, qui
l'aime, malgré son indignité?

— Mes témérités, Nebo, ne légitiment pas les
tiennes.

— Elles démontrent que l'essor de l'individu ren-
verse la barrière générale; et tu ne vois pas toujours
le moment où l'idéologue en toi devient passionnel.

— Hélas, mon Frère, une idée ne se réalise qu'en
se sentimentalisant; l'esprit se dévêt pour monter et
se revêt pour descendre, et une action est la descente

---

(1). V. *Le Vice Suprême*. (Note de l'éditeur).

d'une conception. Le cœur n'est pas seulement le moteur de la circulation du sang, il l'est aussi de toute extériorisation; et si tu m'avertis que je m'enivre d'idée et perds métaphysiquement mon équilibre, étonne-toi que je te crie un *cave*, quand je te vois menacé par deux bras tendus, plus redoutables que vingt épées, dit Shakespeare, deux bras qui te prendront et qui voudront te garder, les égoïstes! J'ai, tu le sais, la triste faculté de prévoir jusqu'à son dernier effet le circulus d'un état d'àme : eh bien! je suis désigné pour l'oraison funèbre de ton amour. Le jour où tu seras englouti, un seul mot : *Soter*, et je viendrai, sur le champ, libérateur pour toi, pour elle thérapeute, sauver de vous deux ce qui pourra être sauvé.

— Celui qui n'a jamais pu aimer avant d'être aimé, celui qui n'a allumé son désir qu'à celui qu'il inspirait, celui qui n'a regretté que dix jours la plus charmante des maîtresses, celui-là peut souffrir, mais survivra à toutes les femmes et à tous les amours, même à la perte de la princesse Riazan.

— Ton orgueil pyramidal t'a délivré des infidèles! ton orgueil précisément te liera à cette adoratrice.

— Mon orgueil est engagé à vaincre sa chair; ma sœur jusque dans la mort ou ma maîtresse quelques mois, voilà son arrêt.

— Pauvre fille, — dit Mérodack.

— Elle aura vécu, et le vide que je laisserai sera tel qu'elle ne pourra plus aimer que Dieu.

— Sens-tu, Nebo, comme nous sommes épouvantables ?

— Toutes les royautés véritables sont terrifiantes ; mais si ce que j'espère conjurer arrivait, quel labeur pour toi, mon pauvre grand frère, de la guérir !...

— Dès qu'il s'agit de toi, tout m'est léger ; et puis ce sera une expérience d'un intérêt singulier et qui n'a plus été faite depuis les grands siècles orientaux. N'aie donc pas de scrupules ; et marche, puisque tu t'es fait ce destin.

Un instant recueilli, Mérodack reprit :

— Tu vas vivre un poème prodigieux ; et si vraiment j'étais sûr d'effacer ta trace sur cette âme... N'importe ! il te faut cette suprême épreuve ; et tu auras vidé jusqu'au fond la coupe de Malchut ; notre juméauté d'effort sera plus intense, ta princesse est une marche de l'échelle de Jacob, monte !

Et les deux mages s'embrassèrent.

— Que Dieu nous pardonne, — dit Mérodack, sur le seuil.

III

L'air était brûlant, le lendemain du conciliabule, quand la princesse sonna au petit hôtel de la rue Galvani. Le feu de l'atmosphère, qui semble réverbérer la brûlure de notre âme, quand une passion l'incendie, avivait de cuisances presque physiques la pulsation de honte qui agitait sa gorge, faisant battre à ses tempes un rappel désespéré de sa fierté en déroute.

Ce n'était plus l'androgyne, l'amie avec des hanches, qui venait en curieuse se faire montrer et expliquer la vie passionnelle : c'était une passionnée tremblante d'être repoussée ; terrifiée de se sentir aussi lâche, aussi désarmée, devant un brusque et tout-puissant amour. Ce n'était plus la sœur, venant à l'appel de son frère, et sûre d'un doux accueil ; mais la plus fière des princesses, la plus énamourée des vierges, allant demander pourquoi on refusait sa main.

Dans la transition de la fraîcheur de l'escalier, elle frissonna à une subite lucidité du terrain perdu : elle sentit le parfum du baiser nocturne s'évaporer de ses lèvres; et pressentit qu'en dépit de l'amoureuse métamorphose si audacieusement tentée, elle allait s'affronter avec un personnage tout armé de calme, d'onction et de mystère.

Elle ne vit pas, comme avant le périple, le fantôme de sa virginité qui lui barrait le chemin, elle monta lentement cet escalier comme un calvaire, poussée par l'idée fixe de le voir; elle n'avait plus ni restriction, ni volonté,

S'attendant à le trouver dans cette pièce dont le vieux domestique soulevait la portière, elle eut froid au cœur à y être seule. Sa première entrevue repassa devant son esprit, il lui avait pris les mains, l'asseyant avec tendresse, poussant un coussin sous ses pieds; même il avait baissé un rideau pour que le soleil ne la touchât pas, et aujourd'hui, aujourd'hui, elle attendait!

Son regard, attiré par l'éclat des vitraux que frappait le soleil, y aperçut de sinistres présages; le saint Georges terrassant par la juxtaposition de morceaux habilement rapprochés, la Bête à tête de femme, lui sembla prophétique de son sort, elle voyait dans les ailes qu'enchâssaient des méandres de grisailles, son amour inextricablement arrêté aux complications rêveuses du platonisme :

Jamais, les Mortlake ne lui avaient paru si solennels et les meubles Renaissance, les grandes cathèdres de Barili, n'étaient pas des meubles pour s'aimer.

Elle chercha avidement un rien de fantaisiste ou de tendre; pas un détail féminin ou voluptueux.

Presque soudainement, le souvenir de son premier travesti, l'essayage; et, singularité, de cette lettre qu'elle avait trouvée dans le veston de Nebo, une phrase nettement s'écrivait dans sa mémoire : « Ton dessein est surnaturellement beau; mais prends bien garde à cette chair où tu l'incarnes. » Une confusion l'immobilisa; était-elle donc malade ou dépravée, ou bien Nebo était-il un cruel rêveur? Anxiété épouvantable, l'homme qu'elle avait baisé de ses lèvres, qu'elle avait convié à l'épouser, la laissait un grand quart d'heure « se manger les sangs », comme dit le peuple. Nerveusement, et d'une humeur qui agitait jusqu'aux dentelles de son bas de robe, elle se leva, tapant du pied.

— Ah! — fit-elle...

Soulevant la portière d'une main, Nebo, en robe d'andrinople aux manches évasées, la regardait d'un regard apitoyé. Le costume joue un rôle important en amour, l'imprévu du costume surtout; et cette robe rouge tombant jusqu'aux souliers, rouges aussi, donnait au Platonicien un caractère mi-parti cardinalice et efféminé, qui le cuirassait doublement contre la coquetterie sexuelle.

Paule s'appuya sur son en-cas de l'air provocant d'un « Quand il vous plaira cesser ce jeu; » elle n'avait qu'une idée, que Nebo était nu sous ce rouge et qu'elle serait heureuse de lui prendre la taille.

> — Quoi! le doux nom de fille est un titre, ma sœur,
> Dont vous voulez quitter la charmante douceur,
> Et, de vous marier, vous osez faire fête?

— *Comediante!* — répondit-elle.

— Le *Songe d'une nuit d'été* n'a pas, ce semble, pour baisser de rideau « le *Mariage forcé* ».

— C'est un beau titre que celui de songeur, qui permet l'oubli de toute raison et de l'honneur...

— Paule, il faut que vous souffriez bien, pour parler si...

— Bourgeoisement, dites-le — interrompit-elle — après votre affront sans précédent, un mot impertinent de plus...

— Quand j'étais petit, je confondais en une même et soumise adoration les étoiles et les femmes; devenu grand, je n'ai plus permis ni aux étoiles, ni aux femmes, de décider de ma vie. Seyez-vous donc, princesse.

— Oui! je veux voir le conte que vous m'allez faire. — Elle s'installa, agressive et boudant des pieds à la tête.

— Il était une fois une jeune reine de Scheba, qui voulait aprendre les énigmes et les arcanes de l'âme humaine. Un jeune roi d'Our s'offrit à l'initier, et, au

cours de l'étude, ils devinrent frère et sœur. Bientôt
la jeune reine fut hantée par les daïmons sexuels; et,
pour les conjurer, elle imagina d'offrir sa main au roi
d'Our. Celui-ci fut très peu flatté de voir qu'on le
prenait pour une victime conjuratoire, des plus basses
obsessions.

— Victime, — s'écria la princesse, — c'est la
parole... d'un impuissant.

— La descendance de Mme Put-Phré, a une variante, je vous l'indique, afin que sous peu de minutes
vous soyez vulgaire une seconde fois; quand on a dit
eunuque à un homme qui recule, on peut, pour va-
rier, lui dire aussi pédéraste.

— O la logique masculine, il loue en moi le ton
garçonnier jusqu'au jour où je fais une démarche
masculine en son honneur, et, parce qu'il m'échappe
un écho de ce qu'il m'a fait entendre, il me soufflette
de grossièreté!

— Cet alinéa à la cantonade serait d'effet à la
scène! Vous savez trop que ce n'est pas la démarche
qui me raidit, mais l'audace...

— L'audace de se donner, quand on a conscience
de valoir...

— Vous donner, signifie me perdre, Paule.

— Raisonnons, je vous prie, est-ce que l'intimité
où nous sommes, puisqu'elle doit durer, n'aboutit
pas au mariage même, à vos yeux. Cette éducation
si étrange, me l'auriez-vous donnée, si elle n'eût pas

été le catéchumenat de celle qui portera votre nom.

Le Platonicien s'étonnait :

— Ingénieuse argutie ou malentendu énorme !
Pourquoi ce périple et ce cycle, aboutissant aux
épousailles ? Je n'ai voulu ainsi vous cuirasser que
pour que vous soyez invulnérable en mon absence,
dans votre vie mondaine : c'est la princesse Riazan
que j'ai élevée, de façon à ce que la boue de son milieu ne la salît ; quant à Mme Nebo, s'il en pouvait
être une, elle n'aurait pas besoin d'armure, la présence de son mari suffirait.

— Et vous me dites cela, bien en face ; et je dois
aller dire à ma tante ?...

— Gendre de la duchesse Vologda, je ferais les
honneurs de son salon ; je recevrais, faisant boire,
manger et danser comme un simple Dinski ; le salon
de M. Nebo serait comme les autres salons, un lieu
de rendez-vous. Puis, je vous mènerais au bal, je
vous exhiberais au grand prix...

— Nebo !

— Avez-vous pensé à la mairie ; un gougeat athée
nous mariant au nom du Diable, c'est-à-dire de la
République qui est la forme gouvernementale de l'enfer,
et au nom des fous, méchants anti-chrétiens qui forment le peuple français. Avez-vous pensé à un petit
Nebo, qui, jusqu'à quarante ans s'appellerait le nu-
méro matricule 14,99 ; voyez-vous cet être fait de nos
chairs et de nos âmes, rasé comme un esclave et

trempant dans ces entreprises nationales de brigandages qu'on appelle expéditions coloniales.

Faire collaborer votre beauté et mon génie pour fabriquer un soldat et un citoyen, y avez-vous pensé? Le mariage civil est nul pour tout chrétien; pour la race dont je descends, il serait infamant; et j'apprendrais plutôt à mon temps ce que peut la chimie aux mains d'un père dont on prend l'enfant, que de le laisser une seule minute obéir aux lois. Voilà donc, princesse, deux impédiments formidables.

— L'Occident n'est pas le monde; et une existence de périple oriental serait le plus beau rêve à réaliser.

Cette fois, le Platonicien se tut sous l'imprévu de la réponse; il ferma un instant les yeux, comme devant une lumière subite, et sa réflexion dura un grand moment. Paule, inconsciemment avait réveillé dans cette âme compliquée, une nouvelle chimère, longtemps endormie. Elle ne sut pas profiter de cette parole qui désarmait son cher ennemi.

— Pourquoi n'êtes-vous pas venu dire à ma tante?...

— Qu'avais-je à lui dire? Votre esprit ne se désorbitera jamais de mon rayonnement, satellite rebellionné peut-être, mais enchaîné; votre cœur, j'y règne; votre corps, je ne le veux pas.

Elle se dressa :

— Nebo, cette parole est d'un lâche. Je ne suis pas de celles qui se repentent; j'avoue que je suis

femme et que j'ai été amoureuse; qu'êtes-vous, vous-
même, peut-être un monstre?

— Vous avez trouvé une troisième variante : mes
compliments, ma sœur.

— Votre sœur, oui, grand prêcheur de vertu; ce
qui rime à votre détraquement cérébral, c'est une
intimité louche, où la chair est présente quoique non
exprimée, et vous me voulez dresser à une sororité
qui ait un parfum d'inceste : la sœur désirée, quoique
respectée.

Le coup était droit; mais Nebo impassible :

— Vous n'êtes décidément qu'une femme.

— Ta sœur, incestueux ? Ta sœur dont le travesti
te fait pâlir; ta sœur dont tu ne te défends que par
une science inouïe, inconnue aux autres hommes; ta
sœur, aujourd'hui, où tu pontifies en rouge; mais
dans un mois, dans un an...

— Vous n'êtes qu'un femme; vainement, j'ai voulu
sublimer votre ardeur...

— Vous n'êtes qu'un rêveur qui vous servez de
moi; et je vaux mieux, je pense, que le rôle d'ins-
trument; vous ne me verrez plus; et, tenez, je vous
hais...

— Vous n'êtes qu'une femme; mais vous souffrez
et vous souffrez par moi, pardonnons-nous.

Cela était dit d'une telle douceur triste, qu'elle
saisit la main que Nebo lui tendait, et la baisa avec
passion, tandis que les larmes jaillissaient de ses
paupières baissées. Soudain, elle perçut la servilité

de ce baise-main, elle se voila la face un moment, et avec brusquerie :

— Vous n'avez pas menti, Nebo; vous n'avez pas même dit toute l'atroce vérité; une passion qui commence en torture, comment peut-elle finir; je baise votre main qui me frappe; que ferais-je donc, si elle me caressait?

A ces paroles adorables, Nebo se sentit défaillir de tendresse; la confusion qui mouvait tous les traits de ce beau visage, l'angelisait.

— Vous vous adoucissez quand je pleure; la larme visible vous émeut, les plus amères ne tombent pas et noient le cœur.

Inopinément elle se raidit et sa parole siffla :

— La liberté a plus de charmes que moi; mais si vous défendez si bien votre vie de ma si redoutable emprise; je peux, ce semble, à ma guise, arranger la mienne, et j'estime que pour couvrir notre sororat ou adelphat, car le monde n'y croirait pas, il faut un chandelier, c'est-à-dire un mari. Choisissez-le-moi, propre à la chose; je le prendrai de vos mains, aveuglément; vous avez l'esprit et l'âme, le reste, qui ne vaut pas la peine d'être compté, il l'aura, n'est-ce pas, Nebo. De cette sorte, le prince d'Our ne sera pas la victime que sacrifiera la princesse de Scheba aux daïmons sexuels.

— Je pourrais vous dire que je ne vous crois pas; je vous respecte mieux en avouant qu'il vous faut plus de pureté à vous, qui avez moins de hauteur, et que la coupe où je bois je ne la veux pas touchant d'autres lèvres, même dans le retrait des miennes.

— Je vous laisse dire, et n'imaginez-vous pas que la curiosité me peut inciter à une expérience; la grande horreur machinée à la Goya et à la Rops, je l'ai vue; mais remplacez la misère, la caducité et le brutisme, par le décor, la jeunesse et l'intelligence, cela devient la grande splendeur?

— Vous ne pouvez tomber que dans mes bras, et mes bras sont fermés.

— Vraiment, depuis qu'il y a des vierges et des Platoniciens en ce monde, croyez-vous, Nebo, qu'il se soit passé beaucoup de scènes aussi invraisemblables que celle-ci. Je ne suis point une sotte, et ma raison s'égare à vous pénétrer, comme mon œil s'hébète à regarder votre robe rouge; j'oublie toute dignité, et quand elle me revient, ce n'est que pour disparaître. Il me reste encore assez de lucidité pour m'informer du programme de ma sororité, et comment de fréquents rendez-vous s'accommoderont avec l'indispensable soin de ma réputation.

— Le péril sera perpétuel, princesse, je ne le cèle pas; mais la secrète association dont je suis terroriserait le téméraire.

— Le jour où on dira au Cercle, la princesse Riazan a passé une journée chez Nebo, la mort du parleur ne tuera pas le propos.

— Eh bien! il ne faut pas passer de journées chez Nebo, — dit-il. — Chaque fois qu'on veut librement

courir à travers champs au lieu d'emboîter le pas du
troupeau dans l'ornière de la vie, chaque fois qu'on
sort des rangs du régiment, discipliné et abêti pour
dresser seul son embuscade, chaque fois qu'au lieu
de servir sous un drapeau banal, on fait flotter la
plume de sa toque, se ralliant au seul guidon d'une
étoile, on tombe au cas des corps francs, dont le pri-
sonnier est fusillé. Vous épouseriez un niais, vous le
tromperiez avec moi, cela est régulier; après le mariage, le monde tolère l'amant; le mariage est la
conscription des femmes et les réfractaires ont à
leurs trousses des gendarmes particulièrement redoutables, les dévotes laides et les vertueuses lymphatiques.

— Trêve de verbiages, — dit la princesse, — vous
m'intéressez trop ou vous ne m'intéressez plus assez
pour que je vous écoute disserter : Platon, androgynisme, mécanisme des passions, pittoresque des
mœurs, le mieux ou le pire, le bien et le mal, toute
la philosophie et la magie et l'éthologie, tout cela
m'est plus indifférent que la boucle de mon brodequin.

Cela vous chagrine peut-être, jamais je n'ai senti
le vide de toute votre métaphysique aussi profondément. Je le sais, maintenant, et je vous le dévoile, la
Diotime était une éprise, qui voulait plaire, qui se
métamorphosait pour entrer dans votre cœur. Oui,
la femme est inférieure dès qu'elle se réduit à elle-
même; détourner les êtres de leur destination, c'est

impie et c'est absurde. Je suis faite pour aimer ; et
plus que les autres femmes, je suis susceptible de
monter jusqu'au nuage où se tient mon amant ; mais,
à cette hauteur, je ne peux jeter mon lest de cœur
et de chair, et du reste, je me figure mal des immortels dissertant, je les vois se baisant. Les idées,
Nebo, doivent être écrites, les sentiments, il faut les
vivre au lieu de les parler.

Je me sens tellement dans le vrai, que je suis
deux ; il y a en moi une Paule spectatrice, qui psycho-
logise l'autre ! Eh bien ! profond penseur, jamais vous
ne trouverez une phrase qui rende ce qu'a exprimé
mon mouvement de vous baiser la main. A certaines
heures, le corps est coryphée de l'âme, et une caresse
a plus de divin souvent que toute dissertation sur
l'âme... Quand le rabbin Akiba expire, brûlé vif dans
un rouleau de la Thora, et s'écrie : « Adonaï notre
Seigneur est un, » il n'est pas plus sublime que la
femme qui, mourant d'abandon, avec le dernier
soupir fait du dernier mouvement de sa main déjà
froide l'envoi d'un baiser à son infidèle.

La Bibliothèque universelle ne contient pas une
penseuse ; cependant l'éloquence des Brigitte, des
Marie d'Agreda, des Catherine Emmerich est admirable, parce que Dieu les fécondait ; la femme toujours lunariennne, me disiez-vous, ne peut réfracter
que la lumière irradiée par l'Amour, et non seulement sans cette irradiance nous ne valons rien, mais
nous sommes méchantes. Chaque fois que vous

voyez une médisante, une calomnieuse, dites-vous
« elle n'est pas aimée ». Du moment que l'on aime,
rien ni personne n'existe que relativement à l'amour :
essayez de faire cancaner une amoureuse et de l'in-
téresser au déshonneur du prochain ! Voyez la vieil-
lesse de celles qui ont aimé, quelle bonté et quel
charme dans cette bonté. Vraiment, au dernier jugement, les théologiens seront bien confondus par le
bon Dieu : car il apparaîtra alors, que ce sont seulement les pécheurs et les pécheresses qui ont eu de la
charité. Une bouche qui a beaucoup baisé garde un
pli de douceur qui ne permet pas à la parole de s'en-
venimer; une main qui a joué aux jeux d'amour ne
griffe plus. Il semble que les passionnés, dans leurs
étreintes évaporent tout le côté animal et méchant;
tandis que les secs et les cœurs fermés apportent et
charrient de l'animalité méchante dans tous les pas
de leur vie... Revenant à nous, je vous trouve absurde, et je me trouve à plaindre. Mon admiration
fanatique vacille et, si l'attraction plus forte que ma
volonté ne me dominait, vous verriez ce que votre
ascendant a perdu, et décliner votre prestige. D'honneur, je puis m'efforcer à des conceptions singulières
pour vous agréer, mais lorsque je vous vois manquer
votre but et vous tromper de moyen, je suis bien
forcée, à travers les écailles de mes yeux prévenus,
d'apercevoir le psychologue en bévue, le mage en
fausse voie.

Vous avez développé ma perception mentale, souf-

frez que j'en use, pour vous enseigner à mon tour.
Chez vous, Nebo, le fourmillement des idées produit
la même confusion du coup d'œil, que la cohue des
impressions, chez la femme. Votre horizon démesuré
éparpille votre clairvoyance; la femme n'est pas si
compliquée que vous pensez, et il ne faut pas beaucoup de mots pour la définir à fond.

Quand une femme, la plus vertueuse, a une attention pour vous, ou bien une rêcherie, quand elle dit
du mal ou du bien de vous, elle n'est déterminée que
par le plus ou moins d'amour qu'elle a vu ou qu'elle
espère voir dans vos yeux, ou qu'elle n'a pas vu et
qu'elle désespère de voir. Tous les rapports mondains honnêtes ont ce dessous muet : « Vous êtes
bien désirable, madame. — Vous n'êtes pas détestable, monsieur ». Si on n'échange pas cela dans un
regard pendant les salutations, on est ennemi. Il y a
une politesse sexuelle, mon maître, qui consiste en
une double et simultanée transmission de pensée
amoureuse.

Dans un livre, une femme cherche l'auteur, et si
elle ne l'y trouve pas, si l'œuvre est impersonnelle et
surtout insexuelle, la lectrice ne vibre pas. Nommez-
moi une femme de génie sans amants; tandis que le
nombre des grands hommes sans maîtresses est im-
posant, même en dehors des saints. Cherchez aussi
la raison qui transforme les provinciales en ·hyènes,
vis-à-vis de celle qui reçoit souvent le muet hommage sexuel dont j'ai parlé; n'est-elle pas, cette

raison, dans une rage de damnées, auxquelles l'a-
mour est interdit? La vertu féminine ne repose sur
rien autre que la considération à garder pour se
mieux servir à l'aimé s'il venait. L'amitié d'une
femme pour un homme, la femme eût-elle des cheveux blancs ou aimât-elle son mari, a toujours un
caractère de jalousie. Rien ne coupe le courant
sexuel, mon Mentor; et en suivant ce courant, vous
pouvez obtenir une Diotime, un saint fait des saintes;
quelque chose de divin descend, une grâce qui pu-
rifie, en cette idée qui aide à la pureté « nulle autre
ne l'aura jamais ». Mais, mon beau cardinal, la robe
ne fait pas le saint, ni le sexe, puisque je fais et je
dis ce que vous devriez faire et ce que vous devriez
me dire.

Jamais la princesse n'avait disserté aussi longuement et avec une maîtrise d'énonciation si grandiose
de franchise.

— Vous me faites honneur, mon élève, et en le
reconnaissant, je dissous tous les corollaires de vos
lumineuses assertions.

A quoi devez-vous le salut de votre orgueil, et
la décence de cet entretien, sinon à cette métaphysique qui apaise de sa suzeraineté puissante, les
ressauts d'une vanité qui se croit mortellement
froissée? Les dieux se baisent dans les gravures de
Jules Romain; un plus grand artiste les eût fait seulement se contempler. C'est parce que je veux vivre
le sentiment qui nous lie, que j'écarte, oh! doulou-

reusement, les hâtes et les nobles étourderies d'une vierge saintement ignorante encore, de l'enchaînement des sensations et de leurs réactions funestes.

Il y a plus d'amour, Paule, et vous le sentez bien, dans ma retraite qu'en un assaut. Serait-il digne de vous que je vous possède vulgairement? quelques minutes après, que serions-nous? amant et maîtresse, nous valons mieux que cela.

— Qui vous dit que je consentirais, maintenant que je sais votre volonté de fuir le mariage; votre maîtresse, je ne la serai pas!...

— Ælohim! puissances du ciel, exaucez ces paroles et faites qu'elles ne soient jamais démenties! — s'écria Nebo, levant les bras, en attitude de prière fervente. La princesse se stupéfia au feu et à la sincérité d'accent du jeune homme.

Toutes ses idées se désordonnèrent; elle eut la vision d'une vie absurde de désirs refrénés avec, pour pâture, des colloques tantôt alanguis, tantôt impersonnels, toujours douloureux; épouvantée d'une perspective aussi impossible à son cœur et à son corps, elle se dressa, criant cet aveu d'affolement :

— Alors, quoi?

Ces deux mots projetaient une telle lumière sur la situation, que Nebo baissa son regard sans trouver de réplique victorieusement; il froidit son attitude, calculant que la princesse, s'il se taisait, en réfléchissant à l'impudeur passionnée de son exclamation,

se troublerait : à la faveur de cette confusion, il re-
prendrait l'offensive.

— Oh! c'est honteux de me réduire à de telles
extrémités que j'oublie tout ce que je me dois; et la
jeune fille, debout, appuyée contre un bahut, san-
glotait; Nebo ne put pas souffrir cette vue, il se leva,
et l'attirant contre lui :

— Je ne veux pas que vous souffriez, Paule.

A l'étreinte du Platonicien, au contact de son
corps qu'elle sentait chaud sous l'andrinople, un
frisson la secoua; elle n'ouvrit pas les yeux, comme
si elle eût craint que cette béatitude ne fût qu'un
songe; elle se colla à lui avec une avidité craintive et
le mouvement de caresse inquiet d'un chien qui a
peur qu'on le repousse, et ce mouvement si humble
d'un être si fier fit venir des larmes aux yeux de
Nebo.

Elle les vit mouillés, ces yeux toujours sévères, elle
les vit, à travers l'humidité des siens, et, cachant
son adorable visage sur l'épaule du jeune homme,
elle murmura :

— Je suis bien heureuse... mais je ne veux pas
que vous pleuriez, j'aime mieux souffrir...

Il ne répondit qu'en lui prenant son mouchoir et,
lui essuyant le visage d'une main caressante.

— Paule! Chère Ame, écoutez-moi, — disait-il
très doucement. — Voulez-vous jusqu'à la mort,
mon cœur pour refuge et mon épaule pour votre
rêverie, ou bien exigez-vous simplement de moi, une

ivresse de quelques mois, après laquelle je dispa-
raîtrai.

Elle se cramponna à lui instinctivement.

— Toi! disparaître, — dit-elle, — que devien-
drais-je.

— Choisis donc, ò Psyché.

— Je ne veux que ce que j'ai, — dit-elle en redres-
sant son visage attendri :

Rêver du Ciel, au battement de ton cœur!

A l'étonnement de Nebo, elle se dégagea lentement, douloureusement, de son étreinte.

— Vois! — dit-elle avec une expression adorable
de reine amoureuse, je romps moi-même une étreinte
si douce, que j'ai cru défaillir quand elle m'a surprise; je ne prends de toi que ce que tu veux, suis-je
sage? es-tu satisfait? Et, comme dans l'émotion où
nous sommes je pourrais compromettre quelque
chose de ta volonté, mon maître, j'ai le courage de
partir.

Nebo lui prit les mains, la fixa longuement, et
d'une voix lente et profonde où toutes les vibrations
de l'être se pressaient :

— Je t'aime.

Paule lui jeta les bras au cou, rayonnante, béati-
fiée; déjà ses lèvres allaient toucher celles de son
bien-aimé.

— NOLI ME TANGERE, SOROR.

Et la jeune fille laissa retomber son étreinte, avec
un grand soupir. Quand elle eut soulevé la portière

du seuil, déguisant sa tristesse en gaminerie, des deux mains, elle envoyait un baiser à Nebo, qui la regardait, adorativement.

— Vous ne l'avez pas reçu, mon frère, et cependant je vous l'ai donné, — fit-elle.

Immobile, le Platonicien écouta le froufrou de la descente d'escalier; quand la grille de fer grinça, il étendit les bras, et, pour se l'affirmer à lui-même, d'une voix forte :

— Je suis encore le Maître, je suis toujours le Mage! ANTEROS-ROI!

LIVRE I

NOLI ME TANGERE

Si le lac de ton âme pouvait
garder mon reflet, je t'appellerais
« ma sœur ». Mais tu obéis à la
lune et aux nuages qui passent...
Les Proses lyriques.
J. P.

NOLI ME TANGERE

I

ADELPHAL

Employer le filon qu'on tient, discerner l'aptitude qu'on a; dégager par une soudaine alchimie la parcelle d'or de la gangue momentanée; extraire l'huile essentielle de tout ce qu'on touche; savoir continuer son poème avec les rimes qu'impose la vie; découvrir dans tout ce qui arrive la convergence au but : voilà la science de la vie; un génie de prompt discernement, une souplesse d'acteur à entrer dans l'impromptu des rôles. Celui-là seul ne maudit pas le jour levant, qui a l'humeur d'un clown ironique, l'humeur qui fait la roue sur les mains, à travers les tombes d'un cimetière. Quant au lamentable sire qui ne sait pas rire au milieu de sa mélancolie et s'obstine, l'audacieux, à ne pas faire porter à son âme les couleurs du temps, qui se permet de dire à l'ananké : « Je veux garder mon humeur, pleurer au soleil, rire à la pluie; et je défends à la vie de s'immiscer dans mon rêve. » Quant à ce lamentable sire, que le génie lui soit consolateur; car il sera vaincu, et mourra empoisonné par son impossible ambition.

La ligne droite n'existe pas; ce qu'on nomme ainsi n'est qu'un segment de cercle colossal et en analogie, il n'y a pas de droit chemin vers aucun but : la charité qui veut sauver le monde doit se détourner pour sauver le chien qui se noie, et l'aventurier de n'importe quelle aventure ressemble au souffleur qui, dans la recherche de la projection, découvre toute la chimie.

Ces voiles qui poussaient la nef et la faisaient voler sur la crête écumeuse des vagues, si le vent tourne la chavireront, même hâtivement carguées. L'imprévu de la mer donne la vive image de l'inopiné de la vie.

Ainsi pensait Nebo, le front dans ses mains : il se comparait à un suffète jetant des flots d'huile sur une mer houleuse et sans horizon; la barque qui portait son rêve n'avait pas un port où atterrir, pas une île d'escale, pas même une ancre pour mouiller un instant aux bancs de sables : toujours tenir la mer, ou couler bas. Ce grand pilote, ne voyant rien au large de la vie qui le pût guider, réfléchit au passé de sa navigation, il revit mentalement son journal de bord. Pourquoi sa pensée revêtait-elle ainsi des images maritimes? Appertement, la tragédie de l'androgyne se nouerait et se dénouerait dans ce petit hôtel; désormais son amour qui avait tant voyagé à

travers Paris, ne sortirait plus de ces murs : quelles
scènes se joueraient jusqu'à quelle catastrophe? Une
brume enveloppait l'avenir, mais le lieu de cela ne se
déplacerait pas; la comédie serait divine ou infernale,
mais sur ce théâtre; singulier libretto à deux personnages, l'un voulant une sœur, l'autre un amant : et
renversement de la tradition, l'homme se défendant
des entreprises de la femme. Nebo eut un sourire
d'orgueil, à penser qu'à peine un millier parmi les
habitants de cette planète pourraient le comprendre ;
ce sourire se crispa, à une soudaine évidence qu'il
avait dévié du nord de sa volonté, et qu'il fallait
virer de bord, sous péril de naufrage.

Il avait raillé les préfaces et horrifié la fin de l'a-
mour : maintenant, au rebours de son enseignement, il déroulait la carte de Tendre la plus compliquée, et y promenait la princesse avec d'inimagi-
nables lenteurs. Pour délivrer son Andromède de
la Bête, il devait s'alanguir, comme un amant!

A mesure qu'il parcourait les salles et les corri-
dors du grand hypogée qu'était son âme, il lisait les
sentences, testaments des années mortes que devaient
exécuter filialement les années prochaines : « *Congressus stultus, nullum gaudium, sine somnio* » —
« *Femina non lassata, hostis et lassitudo feminæ,
viri morbum.* » — « *Nil amoris in lumbis, nun-
quam perpetrat, vera voluptas.* ». . . . .

. . . .

Il se mécontentait, découvrant ses bévues d'ar-

tiste. En machinant la *Grande horreur* (1) il n'a-
vait pas prévu que la princesse, consciente de sa
beauté, se flatterait de réaliser un adorable repous-
soir à ce cauchemar; pendant de longs mois, pen-
ché sur cette âme, il n'avait pas vu qu'elle le reflétait
uniquement; périple inutile, cycle perdu, il s'était
fait aimer; déplorable résultat pour sa volonté qui
travaillait à fermer une âme à l'amour. Certes, dans
une complication pareille : la fréquentation d'une aimée
et qui vous aime, fréquentation entourée de la plus
totale propicité, trouver le *modus juvendi* du sororat
et le faire accepter joyeusement, sans que le ridicule
paraisse; c'était là, assez bellement agir et d'une politique savante. Il supputait même une durée impo-
sante et glorieuse pour son vouloir; mais comme
Paule le lui avait crié, avec un tutoiement furieux :
« sœur aujourd'hui, mais dans un mois, dans un an. »
Investi qui n'avait pas le coup de désespoir d'une
sortie, il tiendrait contre l'Amour, contre là Bête
pour l'honneur de sa pensée, le plus longtemps; et
puis, le reste au destin. Or, cette exclamation découragée, pour la première fois lui échappait; pour la
première fois, il bornait sa volonté en conscience de
son incapacité d'efficacement se promettre le succès.
Telle était la défaite de cet entendement qu'il se con-
sola, avec de basses raisons; la volupté de ce duel

---

(1) Voir *Curieuse*, Chap. XV. (Note de l'éditeur.)

contre le désir, l'intensité d'être le dompteur hautain
et frigide d'une amante enfiévrée.

Littéralement, il défendrait sa chair de l'amoureuse
morsure, jusqu'au jour où l'inceste frapperait d'une
mortelle extase et le frère amant résigné, et l'amante
jusqu'à ce jour la sœur, aux sens dénégateurs de
sororité.

A cet amer souci de la nécessité phallique, jamais
ne se mêla l'hypothèse qu'il pourrait défaillir lui-
même : sa prévision était d'être violé! On l'eût surpris en s'étonnant de lui. voir, à lui, le mâle, les
craintes ordinaires de la femme.

Cependant, il aimait Paule d'un grand amour,
qui se passionnerait violemment, à la première coupe
de spasme; et, lors devenu aussi fou que sa maîtresse,
et ne la maîtrisant plus, il serait menacé d'être absorbé ou forcé de fuir.

Il voulait un beau camarade pour sa vie; et se mo-
quait fort de quelques nuitées avec la plus belle
princesse du monde. Il était bon; sans force devant
la souffrance il eût certes exaucé le vœu érotique de
Paule à saint Fulchran et même le soir du cabinet
particulier si, pour lui, ce n'eût pas été du vanda-
lisme de flétrir ce lys enivré et qui penchait vers
lui.

Il aimait Paule, mais il respectait Nebo; et le jour
où de la jeune fille jaillirait l'être exigeant, jaloux et
dominateur que devient toujours vite une très jeune
femme aimée, le jour où Paule toucherait à son génie

et à son destin, ce jour-là, leur amour n'aurait pas un lendemain. Comme frère, son indulgence ne se bornait pas; amant il n'admettait ni l'humeur, ni les nerfs, ni l'indifférence, ni l'importunité et pas plus la bouderie que le rapatriage. A son ciel de lit, le premier nuage contenait la foudre qui réduit un amour en poussière.

Jamais Nebo n'avait mimé le soupçon de ce que l'on nomme « attaquer une femme ». Donner l'assaut, profiter d'un déshabillé, d'une posture, lui semblait propre à des bouviers égalitaires. Il ne comprenait pas non plus qu'une femme se défendit; et une fois qu'il tenait une taille et allait mettre un baiser sur des lèvres, à un mouvement de coquetterie pour l'éviter, il se solennisa s'excusant ainsi : « prendre possession d'un centimètre de peau, avant d'occuper toute l'âme, me semble insultant pour les deux : je n'ose jamais une caresse, avant que les yeux ne m'aient dit : « Prenez moi. » Vos yeux ont menti, madame, ou vous trahissent : je vous suis serviteur. »

Sous cette conduite et la basant, la plus profonde science de la volupté résidait; et comme les pratiquants de l'amour sont à peu près toujours de beaux ignorants, à la Richelieu, on ne l'eût pas compris s'il se fût expliqué.

Artiste, et partant d'un œil sensuel, il avait payé cher pour voir un beau nu, ou simplement une peau mate d'un seul ton, et idéalement lisse de toutes villosités comme celle de la princesse; il appelait cela le plaisir optique ; mais depuis qu'il pensait, il n'avait jamais baisé une lèvre qu'elle ne se fût avancée, en un caprice violent.

Il riait des magnétiseurs qui croient à délocalisation du regard et disent : « ma somnambule voit par l'épigastre; » et des viveurs qui depuis toujours, croient que la volupté suprême se donne et se reçoit en telle partie du corps, alors que la sensibilité est une propriété essentiellement périphérique, dès qu'on la surexcite, et qu'un mage amoureux peut en baisant les lèvres de son Aimée, y appeler ses cinq sens et par la seule rencontre des lèvres, quintupler l'extase que le détail possessif ne produira jamais. La Bête n'emporte dans les nues, que chevauchée par l'Ame !

II

LE CANTIQUE DE NEBO

Bénissez mon orgueil, Œlohim des superbes.

J'ai gravi la montagne où tes foudres écrivent sur le flanc des nuées; j'ai empli mon oreille des fracas du tonnerre, et devant tes éclairs mon œil n'a pas cillé.

Roulé par la tempête et fouaillé par les pluies, m'ensanglantant au roc mais ne me rendant pas, j'ai vaincu la terreur du Sinaï auguste, pour me mettre à genoux, seul et plus près de toi.

N'entendant plus bêler le long troupeau des hommes, ayant coupé le lien qui nous retient au nombre épouvanteur des aigles, seuls vivants sur les cimes; je me suis prosterné, Iavhé, attendant que le buisson s'ignise ou qu'un ange parût pour lutter avec moi.

Mais la ronce sauvage ne s'est pas enflammée et je n'ai combattu, d'un talon de mépris, qu'un serpent qui sifflait ma prière.

Et je suis descendu alors, à reculons, espérant toujours un miracle!

Dans le val, les humains blasphémaient en dansant autour du Baphomet immonde; je me suis recueilli en mon orgueil profond, humble sous ton dédain, Iavhé, mais dédaigneux du monde.

Bénissez mon orgueil, Œlohim des superbes.

* *

Bénissez mon avarice, Œlohim des trésors.

J'ai gardé mon amour des voleurs de la Terre, je ne l'ai pas commis aux ravalantes mains des femmes et des jeunes hommes. Au culte d'Astaroth, je n'ai accordé rien; mon âme est un coffret fermé où dorment des parfums.

Avare de mes lèvres, pourpre restée royale; avare de mon temps nécessaire à tisser la robe de science brodée de pentagrammes.

Avare de mon sang, cette encre pour ton nom, que j'écrirai un jour en lettres colossales afin d'édifier les peuples et les mondes.

Si je n'ai rien donné, ni du cœur ni du corps aux sollicitations terrestres, c'est qu'une voix m'appelle et me dit : « Garde-toi, garde-toi pur et beau, pour les noces célestes. »

Et j'ai mis de la cendre sur le feu de mon cœur, parcimonieux et ladre, pour te garder, Seigneur, dans son intégrité, l'admirable jardin de mon âme immortelle où le germe divin, de larmes arrosé, a poussé des rameaux d'un vert incomparable et dignes de joncher tes pas, si vers moi, un jour, tu passais.

Bénissez mon avarice, Œlohim des trésors.

.·.

Bénissez ma luxure, Œlohim des voluptés.

Ma Puberté, à moi, fut l'éveil au mystère, et dès que je vibrai, Corybante clamant, je poursuivis, de mes ardeurs, les chœurs célestes.

Isis, Isis, Isis! j'ai déchiré tes voiles et ta nudité sidérale ne m'a pas satisfait, j'ai pleuré de désir, et crié jusqu'aux nues : « Je veux l'épée, je veux la coupe, je veux le sicle et le bâton » Ruffian de la science, et lui donnant mes nuits, j'ai chevauché âprement la Nature, et la virilité de mon esprit chercheur a plongé au giron de la métamorphose.

Mon rut de l'idéal, reculant au passé, a violé les tombeaux où dormaient les miracles, et mon stupre a connu les très jeunes idées qui n'évolueront pas, avant un autre siècle.

Archanges glorieux, tout armés de lumière, adorable garde de Dieu, c'est vous que j'ai aimés, et c'est vous que je cherche dans les tâtonnements d'un cœur qui se convulse aux nausées corinthiennes.

Au jour du jugement, célestes androgynes, quand on prononcera mon nom; vos cœurs, vos cœurs de femme palpiteront peut-être.

Bénissez ma luxure, Œlohim des voluptés!

* *
*

Bénissez mon envie, Œlohim dès désirs.

J'ai dédaigné les rois et j'ai nié les riches; car je porte la mitre aux trois couronnes et mieux qu'un argentier je puis monnayer l'or. Quant à tous les hochets des distinctions humaines, que le dynaste et la plèbe décernent, je les ai dit inanes.

Cependant, les Erynnies terribles n'ont jamais grondé aussi furieuses que ma dardante envie.

J'envie, j'envie les morts, les morts aimés de Dieu, dont les tombeaux s'éclairent surnaturellement.

Ces vainqueurs de la nuit qui, disparus, flamboient, et n'étant plus vivants, deviennent eucharistiques. Leur temps les méconnut; l'enfant jetait des pierres à ces passants pieux; les femmes se signaient leur trouvant laide mine, et les hommes haussaient l'épaule en disant : « c'est un fou, c'est un gueux ». Mais l'église a dit « saint », l'humanité « génie », et les peuples viendront d'âge en âge polir, de leurs genoux, la pierre du tombeau.

Oh! oui, je vous envie, mes héros catholiques, votre part est la belle, Aristocrates saints. Avoir ses pas marqués des crachats de la foule, et, puis à son dernier, tomber dans la lumière et, monté dans le ciel et devenu un astre, se venger en Soleil!

Bénissez mon envie, Œlohim des désirs.

* *

Bénissez ma gourmandise, Œlohim des ambroisies.

Je n'ai pas faim de viande; je n'ai pas soif de vin. Les belles coupes, hélas! restent des coupes vides et les nobles festins ne sont jamais servis.

Balthazar! Balthazar! tu n'étais qu'un ribaud! Des lèvres de Daniel coulaient les ambroisies, délectables, rares : car il parlait de Dieu, de ses desseins secrets, substantification des Grands et breuvage des Forts.

Tous les fruits de la terre aux terrestres, c'est bien. Mais moi je me nourris de choses plus friandes: des oublis du Très-Haut, des restes de ses saints. Sous la nappe des cènes, sur le lit de ses symposions; près du fauteuil de Faust, de la cruche du saint, je suis le ramasseur affamé et patient, et qui, le soir venu, soupe orgueilleusement d'un morceau de mystère.

Ma gourmandise est telle, qu'au dire des bedeaux et de mon évêque, je risque l'enfer, lorsque je descends dans la goëtie ou la théurgie, chercher ma pâture.

Les dominicains, au pays d'Espagne, m'eussent fait griller, car au livre hindou, comme au mont Nebou, butine ma prose; car j'ai pour crochet dans la nuit des temps, chiffonnier des textes, un étain jupitérien; je suis gourmand de vérité, et je les cueille où je les trouve; oui, c'est mon vice cardinal, m'attabler devant l'inconnu, pour me substanter d'idéal.

Bénissez ma gourmandise, Œlohim des ambroisies.

*⁎
⁎ ⁎*

Bénissez ma colère, Œlohim des violences.

Au pèlerinage de la vie, mon bâton n'a frappé ni les chiens, ni les Pharisiens aboyeurs; je n'ai jamais maudit la ronce, ni le caillou qui me blessaient, et souriant au vent d'hiver j'ai remis au prochain tout son méfait.

Mais quand les Peleschtim blasphèment mon Jésus, quand les Edomites supplicient un nabi, et les Menades un aède, devant le sacrilège et l'inoconoclastie, je donne de la voix, je voudrais donner du tonnerre.

Maudits soient les brutaux, et maudits les pervers. Qui touche à l'idéal, touche au Saint-Sacrement; toute beauté illustre l'Évangile et le génie commente Dieu.

Templiers, Templiers, géants de charité, dont l'épée projetait un éclair de Pathmos, vous les avez connues ces fureurs trois fois saintes qu'un esprit de lumière sent bouillonner en lui, quand les ânes brayant salissent les églises et qu'un peuple crapaud insulte ses orphées. Vous aviez le verbe et le glaive, vous étiez l'idée et le bras. Renaissez, renaissez, et qu'un peu de justice étonne le soleil. Quand donc le pèlerin, à toute entrée de ville, verra-t-il Caliban branché?

Bénissez ma colère, Œlohim des violences.

*
* *

Bénissez ma paresse, Œlohim des efforts.

Comme un lys exilé du ciel, à sa rosée je dresse mon calice; je n'ai qu'un devoir de beauté.

Ornement même au paradis, puis-je être moins sur terre. Dieu ne m'a pas créé pour l'humanité vile qui veut utiliser les fleurs; il a dit « tu seras symbole des purs orgueils, des chastes fiers. » Les poètes qui le savent me saluent d'un vers en passant, et les femmes qui se présentent à ma vue boudent l'amant: je suis le cierge de la Flore, le cierge royal qu'on brise mais qui jamais ne penche.

Ainsi, vous avez droit, ô mes malheureux frères, poètes et penseurs, grands lys du ciel tombés, de dire à ces fourmis au remuement stérile qui vous accusent d'être oisifs : « Nous sommes en mission, ambassadeurs sublimes du paradis splendide au monde des laideurs; pour reposer vos yeux des noirceurs de la houille et du mal, regardez nos âmes vermeilles. »

Mais la houille et le mal leur procurent de l'or; de l'or c'est du vin et des femmes; les lys dédaignés resplendissent solitaires, fidèles au devoir de beauté.

Ainsi, humanité pitoyable et sinistre, je dresse loin de toi, vers la rosée du ciel, mon cerveau, ce calice, où pistille l'or pur des idées absolues.

Bénissez ma paresse, Œlohim des efforts.

* *

Seigneur, les sept péchés, devenus les sept dons, me mitrent d'excellence; et je souffre en effet sept fois plus qu'un humain.

Et plus je monterai de l'effet à la cause, et plus je laisserai de mon lest en marchant, plus mon cœur saignera, pantelant et plaintif.

Alourdissez la croix, mais laissez Véronique essuyer les pleurs du patient; allongez le Calvaire, mais qu'une sainte femme me baise en passant; faites-moi tomber quatre fois, puisque c'est l'élection suprême, mais permettez-moi la Cyrénéenne. A l'heure où les Judas vendront leur égrégore, qu'au moins se pose sur mon sein la tête blonde d'un saint Jean.

A mon souffrant orgueil, un être qui m'admire.

A mon cœur tout gonflé d'amour, cette expansion.

A mon androgyneité, une amante du sexe angélique.

A mon envie du saint, une vierge à garder.

A mon avidité du pur, l'ambroisie sororale.

A mon âme ulcérée, ce rafraîchissement.

A mon oisiveté du cœur, ce glorieux ouvrage.

Père, Père Éternel! à un fils malheureux accordez cette sœur, qu'il fera votre fille!

III

SORORAL

La slave latinisée est deux fois femme; seule, elle
se donne absolument dès qu'elle aime, et ne reculera
jamais devant les conséquences, même tragiques;
véritable fille de Shakespeare, qu'un sang plus vermeil et des nerfs de fauve font redoutable autant
qu'enivrante. Si l'androgyne pouvait être fréquent,
ce serait parmi les Polonaises et les Russes : Rosa-
linde à vingt ans, la slave est susceptible de raison à quarante; de cœur jamais vieillie, sous les
cheveux blancs, sa parole reste vivante et chaud son
serrement de main.

La Française a quelquefois l'orgueil de son mari,
elle n'en a jamais la religion; elle est née jugeuse,
toujours influencée par l'opinion ambiante, et en
amour, un détestable scepticisme la gâte toute;
avouant à un intime qu'elle aime, elle sourit du même
air qu'un honorable vu en guilledou, murmure « Que
voulez-vous, on n'est pas parfait ».

L'antiquité de tous les peuples apparaît avec une
religion d'État, une initiation muette, et quelques
professeurs de philosophie. On n'y peut pas étudier la
différence que la religion apporte dans l'amour : mais

la comparaison des pays devenus protestants, l'Alle-
magne, et de ceux restés catholiques, l'Espagne,
montre que si du semblant de religiosité qu'est le
luthéranisme, on descend à la libre-penseuse, il n'y
aura plus que d'honnêtes pondeuses ou d'infâmes
gouges : la femme qui ne sait pas prier ne saura pas
aimer, et cette connexité du mysticisme et de la passion est si étroite, qu'une amante, sans foi avant
d'aimer, sent Dieu subitement, et que des calvinistes,
sous l'empire d'un sentiment profond, regrettent les
beaux rites romains et vont se recueillir à l'église, en
se cachant. Notre nature est si infirme que le plus
souvent Dieu n'entre dans une âme qu'à la suite d'une
créature aimée, ou même à sa défection, et les niais
de s'écrier : « à Dieu les restes ». Or, le dernier amour,
le soleil d'automne, est bien le plus digne de Dieu,
puisque c'est le seul que souhaiterait un cœur que les
sens n'obstrueraient pas. Toute flamme vient du ciel ;
qu'elle oscille et se couche au vent de la terre, n'importe, elle y remontera après avoir brûlé, c'est-à-dire
purifiée.

A cette fin de siècle, où l'inconscience universelle
ne s'étonne pas du verre rayant le diamant, il se fait
dans l'enseignement romain, et partant dans les
mœurs, une infiltration protestante qui pourrait, en
s'étendant, enlaidir l'Occident, l'absurder à l'américaine. *L'Univers* et son parti laissent croire que ce
sont les vieilles bêtes qui seules seront sauvées, et
que le doux péché est le seul odieux. Les papes de la

Renaissance, qui scandalisent de leur tolérance les instincts bassement policiers de la bourgeoisie, ont sauvé l'idéal; quant à l'index actuel, qui laisse peser son *in-odium auctoris* sur sa catholicité Balzac, il s'expose à une étrange aventure, pour sa prochaine incompréhension luthérienne. La conception morale ambiante aujourd'hui est celle d'un agent-voyer : propreté extérieure, en y ajoutant le fameux « et discrétion » de l'interlope. Renfermer les mœurs et atrophier les âmes : ce ne sont pas œuvres de lumière; or, le psychologue, en recherchant autour de lui, dans le milieu parisien, si complet en types humains, découvre qu'à faire deux parts des sujets étudiés, il faudrait les parquer d'abord en primordiales sections : les tendres et les secs, c'est-à-dire les bons et les mauvais. Il n'y a pas de fille dévergondée qui ait fait couler tant de larmes et nui à tant de gens que cette femme laide ou froide ou mal servie par les circonstances. La femme qui vieillit sans amour devient enragée, et si le soleil du Midi exaspère cette hydrophobie particulière, l'observateur demeure stupéfait que toute une ville de trois cent mille âmes paye un tribut de déshonneur à la vertu forcée de Mme X$^{…}$. L'amour qui ne doit être qu'un rêve, ou un androgynat sentimental pour l'intellectuel, demeure, en dépit de la routine enseignante, le seul mode d'adoucissement pour ce féroce et stupide animal qu'est l'homme instinctif. Non seulement la bête à deux dos restera, hélas, toujours la forme angélique du plus grand

nombre, mais aussi la seule vibration qui l'ouvre au
lyrisme et l'arrache de son ruminement de l'existence
matérielle. Dans la vie rurale, le curé s'inquiète fort
des clairs de lune à deux, et le café abrutissant ne
l'émeut pas pour ses ouailles : il ignore qu'il y a
toujours un peu d'idéal dans les vesprées et qu'un
peu d'idéal, c'est un peu de divinité. Les silex inférieurs de l'humanité ne peuvent donner d'étincelle
qu'au heurt de la sexualité, et la loi suprême, c'est la
loi du feu, promulguée par Prométhée, cet archétype
humain. A la procession de la vie, comme au défilé
d'Éleusis, il faut que chacun ait une lueur sur lui : le
nimbe des saints, l'étoile au front des mages, la
lampe du travailleur appellent à leur suite même la
veilleuse du boudoir, même la luciole ramassée par un
gars entre deux baisers.

Seuls sont grands les ascètes et les théurges, mais
quelle conversion, quelle élévation, si la foule n'a
pas d'âme et, désespoir du chrétien, elle ne prend
conscience de cette âme que dans le péché.

Il y a des parvenus de la vertu comme de la
fortune, également insupportables au prochain; ce
n'est pas mal servir la cause sainte, en déclarant la
renonciation passionnelle aristocratiquement res-
treinte dans son grandiose.

Ainsi pensait la princesse, le soir de sa victorieuse
visite. Cette force d'âme de sa race qui entraîne à la
suite de son amant, dans la lugubre équipée nihiliste,
la grande dame, convaincue de son seul amour; cette

faculté slave de s'identifier à l'être choisi, Paule l'ap-
pliqua à se résigner. Nebo eût été Pierre l'Ermite,
elle se fût croisée ; saint François d'Assise, elle fût
devenue peut-être une sainte Claire. Par ou pour
elle-même, la femme, impuissante à s'élever, ne peut
rien de grand : elle est stérile et au-dessous de tout;
qu'elle aime, qu'elle soit fécondée par un sentiment,
et l'héroïsme et le génie même paraissent. Si vraiment les femmes font les mœurs d'aujourd'hui, elles
sont bien mal aimées, et c'est d'amour plus que de
vertu que la société manque.

« Être aimé, c'est recevoir d'un être tout son rayonnement »; en se dévêtant, elle se répétait cette parole
de Nebo.

— Il ne veut qu'une sœur, mais une sœur aimée,
caressée, qu'on serre contre soi, embrassée... Ah!
non, pas embrassée. Pourquoi n'embrasserait-on pas
son frère?... Il n'y a pas un homme au monde qui
eût boudé à ces lèvres-là, — et elle se les tendit dans
la glace.

« Peut-être que le baiser, fatalement !..... à
Saint-Fulchran... je n'étais plus moi... j'étais. Qu'é-
tais-je et que suis-je encore?... un monstre, peut-
être... je suis honteuse... il doit me prendre pour une
hystérique... je me dégoûte... je ne suis cependant
que franche et naturelle et je peux m'en remettre
à lui pour la modération... Depuis que j'ai senti le
battement de son cœur (il battait très fort) contre
mon sein, je suis apaisée... je suis heureuse, oui,

j'irai, quand je voudrai, poser ma tête sur son épaule.
Sa vertu, ce n'est pas de la vertu... jamais je ne
verrai au fond de cet être... il est unique... lui seul
existe... De quel ton solennel il m'a dit : « Voulez-
vous mon cœur pour refuge jusqu'à la mort, ou
bien... cet « ou bien »... Il est dur, cependant, de le
voir aussi maître de lui... qu'il est maître de moi; je
crois bien que je ferais sauter le Kremlin , et je n'ai
pas osé l'embrasser! nos lèvres étaient bien proches,
nos souffles s'échangeaient... Il sent bien bon; je ne
connais pas ces parfums-là... ce qu'il était désirable,
dans sa robe rouge... Comme les choses ont peu
d'importance par elles-mêmes et en prennent d'un
sentiment; de l'andrinople, il y en a ici dans les cor-
ridors et sur lui cela devient plus beau qu'une pourpre
royale...je suis aimée par l'être le plus extraordinaire
qui existe... je voudrais qu'il fût malheureux, pauvre,
malade... c'est idiot, ce que je pense là... et ce sont
cependant des idées bien passionnées...j'aurais besoin
de me dévouer pour lui... si je coupais mes cheveux pour les lui donner... non, je lui plairais moins
et il ne me le pardonnerait pas... il a déjà peur, je l'ai
senti... que je ne devienne insane.

« Oui, il m'aime, à sa façon, qui est étrange... mais il
m'aime vraiment... il veut mettre une gradation... le
calcul de son expérience pour que notre amour dure...
A réfléchir, c'est autrement raffiné, cette manière
d'aimer... je me sens fière de cela,.... et puis, pour
régner sur ce cher rebelle, il faut que ma sagesse

endorme sa prudence... Eh bien! je pense d'étranges
hardiesses... il peut me voir à toute heure, n'importe
où et m'entendre penser... c'est effrayant d'aimer un
pareil personnage... mais il est si bon et si doux...
Je lui ai baisé la main, moi, la princesse Riazan;
oh!... je puis me l'avouer à moi-même, je lui ôterais
ses bottes, comme Mlle de Montpensier... pauvre fille,
être Bourbon et n'avoir qu'un Lauzun! La réalité est
plus belle pour moi que la fiction... Dans les romans,
on fait des héros les plus plaisants du monde, n'est-ce
pas?... eh bien! ils sont tous des gens ordinaires auprès de lui... Il lui manque la gloire... mais on ne
comprendrait pas ce qu'il dit ni ce qu'il dessine... et
je mordrais ceux qui blasphémeraient son génie...
Cependant, ce doit être bien délicieux pour une
femme de pouvoir dire : « Avez-vous lu... avez-vous
vu le livre, le tableau de Monsieur un tel », et de
pouvoir faire le panégyrique de l'Aimé.... Cette idée
qu'il peut m'écouter penser, m'inquiète et m'agace.
Enfin, ma petite Paule, vous vouliez un mari et
vous n'avez qu'un frère; on vous a refusée, Mademoiselle... J'aurais dû bondir dehors et ne le revoir
jamais... j'ai avalé ma honte et bienheureuse d'y
retourner demain. A tante, cela lui a paru drôle, ce
refus; j'ai invoqué pour lui l'inégalité de fortune,
tante a trouvé cela très digne et un peu niais... Y
a-t-il rien de plus comptoir que les mariages assortis...
la riche doit prendre un pauvre... c'est indiqué et
chrétien; d'abord les gens très supérieurs sont parmi

les pauvres. Nébo est aisé, mais pas riche, s'il veut
ma fortune pour des expériences... je vais faire
ces jours-ci des amours de toilette... car s'il respecte
trop ma beauté... il n'en perd aucune nuance... quand
son regard est sur moi, c'est chaud comme un rayon
de soleil et doux comme un rayon de lune... je deviens
poétique, je deviendrai tout ce qu'il voudra... Il veut
une sœur... je n'ai jamais eu de frère... je ne sais de
mon rôle que l'interdiction du baiser... et il me semblait que mes lèvres étaient gonflées de baisers
comme de lait un jeune sein.

« Le grand mauvais moment, ç'a été les six jours
après saint Fulchran... mon pauvre orgueil en a fait
de ces bonds de carpe... et mon pauvre amour a tenté
de se tuer... de finir... A la façon dont cela commence, il n'y aura pas de fin... Aussi ne faut-il pas
qu'il y en ait... On aime sans savoir pourquoi, d'ordinaire... j'ai mille parce que... mille... il entre beaucoup d'orgueil dans mon amour... si je ne l'admirais
pas, l'aimerais-je?... Non, il faut qu'il soit comme il
est, si supérieur, qu'en m'humiliant devant lui, ce
soit encore une élévation. Si c'est l'inconnu qu'on
aime dans un amant... je puis l'adorer... je ne sais ni
d'où il vient, ni où il va, ni où il me mène... je comprends Desdémone demandant en face de Brabantio
à suivre son Maure... Qu'avait-il pour lui, cet Afri-
cain?... eh! il avait à l'amour la même valeur qu'à la
guerre... et la frêle Desdémone était servie d'autre
plat que les sucreries du platonisme...

« Est-ce que la subtilité qu'on a dans l'esprit ne se
retrouverait pas dans la volupté?... Si oui, ce serait
peut-être plus enivrant encore que l'intensité... A
quelles supputations je m'oublie... Est-ce singulier,
combien on a de peine à être franche avec soi-
même... on sophistique pour soi toute seule... Comment espérer trouver la vraie parole de son idée, alors
qu'on n'arrive pas à penser exactement sa pensée....

« Il veut la durée de notre amour... durée ne me
suffit pas... j'en veux, moi, l'éternité... et je me sens
peu sûre de ne pas la compromettre... Aussi, imagine-
t-on un bien-aimé qui vous dose le bonheur... qui le
limite froidement, comme s'il n'était pas en cause...
Quelle vie a été la sienne... ou de quelle argile supérieure est-il pétri... j'ai l'impression d'un être qui
pourrait passer la vie en face de moi sans me désirer
ou faire un geste pour me prendre. Cependant, je suis
belle, vierge, princesse et je l'aime, au point de lui
baiser la main... Nebo est un mystère... un sphinx...
et la fable ne dit pas qu'il y ait eu des filles devine-
resses... Je serai dévorée, car je n'ai pas deviné...
Dévorée ! »

Elle finissait sa toilette de nuit, en jouant mentalement sur ce dernier mot, et à son prie-dieu, elle ne
trouvait que ces patenôtres étranges :

« Doux Jésus, j'ai tenté d'épouser celui que j'aime :
mon devoir est fait. A vous de le décider au mariage, ou bien à vous de me faire désaimer. Sinon,
la petite princesse sera sage en implorant votre béné-

diction sur son Sororat. Faites, ô mon grand Dieu, faites, ô Vierge Marie, que j'aie la vertu nécessaire à la volonté sainte, après la vôtre, de Nebo le bien-aimé. »

IV

LA PRÉCATION DE PAULE

Serait-il vrai, grand Dieu, que ce battement d'ailes
que je sens en mon âme, ne soit qu'un vol d'instinct
lâche et rebelle et que vous punirez?

Serait-il vrai, Dieu bon, que mon sang vous
offense, parce qu'il va plus vite au penser de l'Amour?
— Est-ce donc un péché de dire à la souffrance :
« laisse-moi être Deux pour ne pas défaillir » et en
tendant nos mains vers toi, de les unir?

Le baiser où deux êtres accablés par la vie
reprennent foi dans l'avenir, l'étreinte qui nous ceint
de force, et la magie d'un beau regard, ces aumônes
du cœur qu'on reçoit et qu'on donne, ô Dieu de
charité, ne te contemnent pas.

Avant de condamner ta faible créature, condamne
donc tes œuvres, Créateur! Dis à tes nuits d'été
d'éteindre leur étoiles, aux parfums de se taire, aux
brises de cesser. Défends au peuplier de chanter sa
complainte, au bois de fasciner par des prestiges
d'ombre, au ruisseau d'alanguir avec son gazouillis;
qu'une immobilité de mort s'épande et sous les cieux
froidis ma voix découragée, sans écho, se taira!

Mais, tant que la nature, comme une immense lyre,

ne fera résonner que des accents d'amour, et que nos
insomnies aux lendemains livides seront moins
amères que nos jours; tant que la poésie, céleste
visionnaire, ne nous montrera d'autres consolateurs
que les songes fiévreux; tant que l'âme en délire
verra un paradis où la dualité aboutit à l'Archange,
l'amante devenant la sœur, — je n'aurai pas la force,
atrocement stérile, de me tuer le cœur.

DA :

Donne-moi une âme qui m'aime; et je t'aimerai;
je la veux bien belle, et la choisirai parmi ceux
qu'inspire ton divin Esprit.

Tu dois me comprendre, ô toi qui m'as faite; oui,
lorsque je pleure, j'ai besoin de voir d'autres yeux
mouillés.

Donne-moi Nebo et je serai sage, à ravir les
chœurs de ton Éternité. Pour le mériter, pour que tu
m'exauces, je vais tous les jours défendre à mon
cœur les soucis terrestres, les proses vulgaires à mon
esprit.

Je veux être belle pour le Bien-Aimé, Seigneur!
belle devant ta Majesté même.

Je ceindrai mon front de pensées si rares, j'étoilerai
mon cœur de telles puretés, que mon corps ouvrira
ses ailes, des ailes de cygne avides d'azur, et tu sou-
riras à cette parure, comme on s'en met au ciel, et tu
diras à Jean, disciple bien-aimé : « Donnez un peu

d'amour à cette créature dont le hardi désir esca-
lade les cieux. »

Et par ce peu d'amour, femme devenue flamme,
jusqu'au rayonnement de ton trône, ô Dieu! je monterai.

Amen!

LIBERA

Des vulgarités de la vie, de la langue de mes amies,
de la Bête et de la bêtise, délivre-moi.

Des concupiscences basses, de la banalité des jours,
du trouble des nuits, du poids des heures, affranchis-
moi.

Du doute de la Providence, du péché de désespé-
rance, oh! garde-moi.

De mon humeur rends-moi maîtresse, calme mon
ardeur inquiète, et fais de la sérénité sur l'abîme
où ma pensée penche, prête à tomber si tes beaux
anges ne venaient pas la retenir.

Épargne-moi les souillures de la sensation sans
amour et cicatrise les blessures que m'a faites la
vie. La mégère, proxénète de nos vouloirs, les
énerve et parfois les livre aux horribles passants du
chemin.

Je porterai ma croix, mais entr'ouvre ton ciel; que
j'entrevoie la récompense; et lors illuminée des
rayons qui dessouillent, je marcherai vers toi les

yeux dans les yeux de tes anges si semblables, je crois, à Celui rencontré.

Amen!

Accueille ma pensée, malheureuse hirondelle qui frappe le vitrail de ton beau paradis!

Puisque tu as permis que la pauvre âme humaine ne pût pas se garer de l'éternel péché! et que tu l'as laissée, libre pour le blasphème, choisir entre les voies de ton éternité.

Eh bien, regarde-moi, te vois-tu pas vengé?

Les horreurs de l'adieu, les langueurs de l'absence, étreindre ce qu'on hait et fuir le bien-aimé, sont-ce pas, dis-le-moi, de suffisants supplices, et qu'inventerais-tu qui les pût égaler?

Comme autrefois la Madeleine, je verserai sur tes pieds transpercés, cette coupe de pleurs amèrement tombés, et je resterai là, orante infatigable, les bras toujours ouverts et le cœur obstiné. Rien ne démentira l'opiniâtre prière. Tu dois un miracle à ma foi, une miséricorde à ma longue espérance, et un céleste amour à mon cœur embrasé.

Tu lis en nous et tu sais qu'elle est sainte, l'heure où l'on se vouerait pour le salut d'autrui. En un mutuel holocauste nous nous offrirons lui et moi, expiant à tous deux le péché de nos vies, pour assompter ensemble ou ensemble tomber.

Cet amour qui t'est dû, ò Christ, laisse-moi le donner à un mortel qu'il réconforte.

Sans Lui, profane et l'esprit abaissé, je ne te verrais pas, mais notre réunion produit une lumière qui me ploie les genoux.

Laisse-moi te chercher dans le cœur de l'Aimé, Jésus! et m'appuyer sur lui, pour monter jusqu'à toi!

V

Extaticon I

Les Joies de la seule Présence

— « S'être rencontrés : au milieu du pandemonium humain, dans le désarroi du voyage terrestre où des millions d'êtres naissent et meurent, après de navrantes poursuites, sans avoir eu cette rencontre bienheureuse de l'Élu.

« S'être reconnus : sous le masque que nous portons tous, la plupart pour cacher la laideur, quelques-uns pour voiler leur beauté; malgré l'uniforme des habits et de l'allure, en dépit de l'effacement de l'individualité que le monde impose sous peine ostracienne.

« S'être parlé : avec l'idiome incolore qui a cours, avoir exprimé la vive couleur de l'âme par des nuances acceptées, et aux mots démonetisés ainsi que du vieux billon, avoir fait sonner la parole d'or, césame des cœurs.

« S'être compris : parmi les idées toutes sexuelles d'une rencontre, y avoir perçu un Archée; au lieu du bouillonnement du sang, avoir invoqué sa couleur bleue, et s'être dit frère, et s'être dit sœur, au lieu de « salut mâle. — Viens, femelle! »

« Songez, doux séraphin qui participez par votre amour à ma science de Kérub, quelle complicité des étoiles, quel rosaire de circonstances les Moires ont égrené à notre intention, pour que je sois aujourd'hui encore, pieux parleur d'amour devant une vierge.

— Ce qui est de nous, devait être : le contraire m'est inconceptible.

— Cependant, princesse, concevez-moi aussi prédestiné que possible à une sublime fortune de cœur, et ôtez seulement l'idée que je dois découvrir ma Dosithée, dans la vie mondaine : remplacez par la plume, ce vague crayon dont on ignore les tracés mais qui me familiarise avec un Antar : lequel a l'idée de me mener voir un buste de vieille duchesse; ôtezmoi ce prétexte du portrait qui vous a mis deux heures sous mon emprise; ôtez-moi cette persistance d'un rêve, flottant sur ma vie, comme une oriflamme, je serais encore Nebo, vous ne seriez pas ma sœur!

Quand vous m'avez rappelé que vous étiez princesse, à moi qui descends des dieux, j'aurais pu méconnaitre l'âme plus désirable que ce beau corps qui la maintient terrestre; et vous-même, d'une humeur mauvaise, le moment d'après cent fois maudite, vous pouviez refuser d'entendre Platon, qui fut notre Galehaut : glorieux parrainage d'un noble

amour où l'intelligence hausse le cœur et empenne
de lumière ses élans.

Elle sourit des yeux :

— Je sens que je suis votre obligée, Nebo; frère
ou amant vous aurez autant de chagrin que moi quoique différent, et infiniment moins de plaisir; cette perception aiguë maintenant et qu'une tendresse de
vous dissipera, est atrocement juste... ne protestez
pas : que je disparaisse, comme par une trappe, de
votre destinée, triste et résigné, vous restez le grand
Nebo, qui ne veut pas œuvrer, mais qui oubliera
tout androgyne, en entr'ouvrant seulement l'écrin
aux aveuglantes gemmes de sa pensée: *vous êtes.*

Je peux vous apporter de la joie, du bonheur
même, mais ce monde supérieur, où vous me faites
monter, seul vous l'escaladez encore; destinée à
charmer la route ascensionnelle, je suis là source
qui rafraîchit, l'ombrage qui repose, le buisson de
roses égayeur sur le chemin du cœur, le flacon magnifique auquel vous posez vos lèvres pour qu'elles ne
sèchent pas, je suis un page aimé et qu'on emporte
en croupe; rien de plus...

Je ne souffre même plus de cette infériorité, tant j'ai
d'amour...

— Non, mon Kaled, vous m'êtes égale, puisque
vous m'aimez. L'infériorité que vous dites, je l'entends de la femme seule. Mon entité est consciente :
je suis le grand Nebo; mais je suis aussi le grand
stérile; le monde supérieur lasse mon imperfection;

j'y monte seul, mais j'en redescends aussitôt, tandis qu'avec vous j'y planerai.

Sans la charmeuse, ferais-je route; sans la source aurais-je le courage de l'étape; sans l'ombrage, ne m'irriterais-je pas de ce grand astre qui m'accable, déversant la vie à la terre, à moi la fatigue inutile, par ses rayons inconscients? sans les roses, je ne chanterais pas; et la marche, qui n'est pas lyrique, cheminement de taupe, trait stupide de bœuf. Vous êtes le cordial qui ranime le blasement de mon vieux cœur, vous êtes l'eau-de-vie et vous êtes l'eau-de-feu, qui pulsationne ma pensée et allume des étoiles au ciel de mon entendement. O mon incomparable alabaster, préférez la pieuse modération de mon amour, et que, l'orgueil résignant, votre corps se satisfasse de la même satisfaction qui est l'aleph et le schin, dans la sphère angélique.

A cette question la plus audacieuse du désir d'être heureux : « quelles seront donc les délices du ciel, » Rome, par la voix de ses catéchistes, répond : « la présence devant Dieu. » Or, mon adorable Amie, à cet instant même, je suis le seul réflecteur de l'infini pour vos yeux; votre adoration m'attribue presque des attraits divins : ma parole n'est pas d'orgueil ni votre culte sacrilège; cet amour qui doit nous emplir la vie, c'est l'initiation à l'au-delà; nous faisons l'essai de nos cœurs, nous augmentons la force de ces aimants immortels en y suspendant de l'amour terrestre, pour qu'un jour ils soient si puis-

sants qu'ils nous ravissent comme Elya en suprème
et indicible fatalité d'attraction divine.

— A vous écouter, mon étroit cerveau de femme
s'illumine, je participe à votre envergure, je vois la
pierre de touche qui révèle infailliblement la noblesse
ou la vileté d'une passion. Comment tant de femmes
de bonne foi se trompent-elles sur l'homme à choisir?
On ne sait ce que vaut un être et ce qu'il vaut pour
vous, que lorsqu'il est absent. Quel parfum a-t-il laissé
en partant? Derrière lui un sillage de lumière ou bien
le vide simple de la caresse cessée? Si on ne regrette
que ses baisers et la distraction qu'il apporte; débauche! Mais, si on se sent plus haute et plus
fière; si le mâle spirituel a fécondé l'amante et écrasé
de son pied ptérien, quelques féminilités, si au lieu
de la lassitude d'un corps satisfait on sent l'aspiration de tendances supérieures par lui éveillées : vraiment, cet amour est beau; on ne le cache pas comme
une faiblesse, on le voile comme le mystère de
sa force, l'ostensoir de sa vie. Qu'elle soit maudite
celle qui a trouvé son Archange, et qui s'aperçoit
encore qu'il y a des hommes, fussent-ils grands
autour d'elle! Car, on peut trouver de nombreux
amants possibles et délectables même, chacun à
leur date; il y a jamais qu'un seul archange au
monde pour une femme; on peut donner plusieurs
fois son cœur; on ne reçoit qu'une seule fois,
cette sensation infiniment douce de la sœur charnelle
et du frère passionné. J'emprunte par pauvreté d'es-

prit mes comparaisons à l'inceste : je le peux avec vous qui comprenez que, dans le monde supérieur, l'Amour est fait avec la plus pure essence des tendresses du sang enflammées des brandons de l'ardeur sexuelle.

— L'absence fait toujours un vide dans l'habitude, chère princesse, et quand un être est devenu une accoutumance, on ne sait plus bien si on regrette son idéalité ou de plus réels intérêts. L'absent a bien moins tort qu'on ne pense s'il a su actionner l'imagination, car le désir, ce futur, et le souvenir, ce parfum du passé, sont de plus grands poètes que le présent réel et tangible. Que de volupté se promettent deux amants, qu'ils ne se tiennent pas, arrivés au déduit ! Que de charme prend en vieillissant la pauvre petite sentimentalité presque dédaignée quand elle eut lieu ! Oh ! ma chère Paule, quand le mot *être* n'a de sens qu'en y ajoutant *ensemble;* que la vie cesse en se séparant et qu'on se traîne torpide jusqu'au prochain revoir ! Plus encore, quand au contraire du commun des amants qui *ne se sentent* qu'enlacés, on peut par le simple face à face, par le plus fraternel côte à côte, s'extasier. Quand on préfère le silence de l'Aimé, à la parole du génie, et l'humeur même de sa belle à l'accueil le plus avenant ; quand on a tant de joie d'avoir les mains dans les mains et les yeux dans les yeux, que les mains oublient qu'elles sont de terre et que les regards reflètent non le désir, mais la satisfaction même ; quand

on a assez d'ailes pour ce Falberg voluptueux de la
seule présence...

— Eh bien! on est réduite à une singulière extrémité! s'écria la princesse en se levant vivement, au
tintement d'une demie : et quand elle eut rabaissé sa
voilette blanche, elle refusa par une gracieuse humeur
les mains tendues de Nebo.

— Figurez-vous que je vais entendre Rubinstein,
j'y suis obligée ; avant ce m'eût été un plaisir...

— Et maintenant?

— Maintenant, insupportable. Nebo, — dit-elle
avec une gaminerie charmante, — je ne peux plus
prendre un plaisir sans vous.

VI

EXTATICON II

La Certitude

Paule, assise sur un tabouret, s'accoudait au genou de Nebo, en un coquet abandon de page familier : elle baissait la tête, songeuse, et ne voyait pas la contemplation attendrie, presque passionnée de ce jeune homme en robe rouge, ému, malgré sa pose hiératique dans la cathèdre sculptée : il y avait quelque chose de prodigieux dans ce groupement ; et les prodiges ne durent pas.

Le platonicien, spectateur au lieu d'acteur, eût pensé, en voyant cette femme accroupie à ses pieds, à un brusque accident d'intimité qui la mettrait sur ses genoux, et immédiatement la cathèdre disparue et avec lui le grand air sacerdotal. Ce tableau vivant donnait la situation morale de ces deux êtres, et aussi l'impression qu'un jour, si loin qu'il fût, l'inverse aurait lieu, et cet Alcide à son tour s'appuierait vaincu et dompté aux genoux d'Omphale trônant alors.

Elle leva la tête :

— Vous repousseriez ma demande de vous confesser, sachant que je voudrais effacer le passé
comme j'ambitionne de remplir l'avenir : et je n'ai
pas l'oreille assez insexuelle pour entendre votre
récitation des doux péchés; mais, mon Roméo,
n'avez-vous pas rencontré un androgyne avant moi,
l'esquisse dont je suis le chef-d'œuvre, cette Rosaline qui impressionna le Montagu, avant le bal où il
vit Juliette ?

— Un être vint à moi, qui m'aima et que j'aimerais encore, s'il n'eût été le volatile du type solaire.
Magnifique exemplaire de la plus noble race, elle ne
subissait que l'attraction supérieure; non seulement
incapable de se donner sans aimer mais d'aimer qui
en fût indigne. A défaut du génie, la gloire au moins
était nécessaire pour la captiver; noble femme, alliant
le lyrisme à la bonté. Nous nous aimions avec une
sérénité profonde et c'est mon meilleur souvenir que
cet amour-là, l'intelligence y jouait un aussi grand
rôle que le cœur. Précisément, elle arriva à une curiosité cérébrale, à une avidité de l'inconnu célèbre,
irrépressible. Tanneguy l'obsédait; Nergal la cap-
tivait; elle s'alanguissait à la lecture de la Far-
lède et même vibrait à Cruas, à Bandol, à Théoule.
La possibilité de lui dire que je souffrais de la sym-
pathie de sexe et du plaisir qu'elle mettait dans
ses admirations! Mon amour ne l'hypnotisait pas;
cette passionnée n'avait pas d'œillères, et si son
cœur battait droit vers moi, son esprit battait l'es-

trade. J'avais en elle un diamant rayé par le génie : un phalène qui tournoyait en pensée autour des flambeaux de l'époque. Or, reconnaissant dans la vie active le pas préséant à celui qui a engendré et par l'œuvre, prouvé son droit, je souffrais beaucoup, moi qui ai toujours eu plus de jalousie des âmes que des corps : j'étais malheureux, quoique aimé ; et d'autant plus obligé de cacher cette souffrance, que généreusement, elle me donnait chapelle dans son culte des grands contemporains. Passionné je devins aisément injuste ; je n'avais pas alors cette force sur soi qui vous empêche de rendre sans équité une souffrance qui vous vient de vous-même. Comme elle était franche, loyale et sans même ce masque qui est le second visage des femmes habiles, qu'elle laissait lire en elle, j'y voyais si souvent des pensées qui ne m'étaient pas destinées, je doutai ; j'eus un jour de l'humeur ; elle en prit ; il ne faut qu'un malentendu pour changer une vie.

Ah ! ma Princesse ! dans la basse humanité a cours ce dicton qu'il faut réveiller l'amour avec de la jalousie, et empêcher un homme d'être trop sûr de vous. A l'inverse, qui ne me donne pas la certitude, ne m'a rien donné. Dans le cœur de Rosaline, il n'y avait que des passants, des visiteurs ; mais le temps du passage et de la visite, ils éclipsaient le maître. Un mari ou un amant se félicite, qui peut se dire : je n'ai au soleil que cinquante rivaux possibles, et la plupart sont impossibles ! N'importe ! la foi dispa-

rue, il ne reste que la camaraderie où l'on éteint sa
flamme pour n'en pas souffrir; on aime à demi-feux,
et partant on n'a que demi-jalousie.

— Quelle douleur, — s'écria Paule, — de penser
que ces yeux, où l'on cherche le ciel, sont doux à
d'autres yeux, que cette main dont le toucher vous
dilate, presse une autre main...

Elle se leva, et rôda dans la pièce.

— Cette évocation m'a glacée, — dit-elle, — presque physiquement; voyez-vous pas que j'en suis
toute pâle?

— Et qui ne pâlirait, — s'écria Nebo, — à cette
appréhension perpétuelle: c'est le dernier jour d'un
condamné prolongé indéfiniment. Se dire, elle a
réfléchi que je manquais de grâce ou de force;
son âme lasse de receler mon image va la rejeter;
sentir le cœur où l'on a attaché sa vie vous repousser,
de son battement. Je me souviens d'avoir vu sur le
Rhône une frêle barque attachée à un remorqueur qui
remontait le courant; le câble casse, et la barque
tournoyant comme un fétu va se briser contre la pile
d'un pont à cent mètres de là; toujours lorsque je
revois cette scène, la barque me symbolise l'être
haletant qui suit son Aimé et de minute en minute
craint d'en être détaché pour s'abîmer Dieu sait où!
Les plus terribles franchises valent mieux: Oh! l'in-
certitude, qui ne permet pas à la résignation de venir.
Le fait accompli porte en lui un caractère de fatalité;
en nous hébétant, il nous évite de vains efforts tandis

qu'on lutte, tant qu'on espère; mais que faites-vous donc, Paule?

— Je me débarbouille la pensée de ces noirs tableaux.

Elle plongeait sa tête blonde dans un bouquet de roses blanches fleurissant un vase de bronze.

— Et que vous disent ces roses? — fit Nebo.

Elle releva sa tête emperlée de gouttes d'eau, et venant poser câlinement ses mains jointes sur l'épaule de son frère.

— Elles me disent de t'aimer, et de te donner la certitude.

VII

EXTATICON III

La Conscience de l'Amour

Je ne connais pas un roman où la jeune fille que je suis socialement, aime et se donne, sans croire mal faire : et cela me stupéfie. Des remords quand on aime...

Elle eut un vrai rire.

— Je suis une princesse en esprit et vérité; mon âme ne s'embarrasse pas aux petites peurs, aux mesquins regrets. La littérature qui donne, sans mégarde, une moyenne de la sentimentalité contemporaine, raconte, ce me semble, les passions d'êtres inférieurs, de vilains bêtement respectueux du garde-fou des mœurs. Pieuse je vous embrasserais dans une église; pour le superficiel curé ou sacristain, je serais cynique et je reconnais que cela n'est pas manière de profession religieuse; mais si nous étions seuls sans même une vieille bique dévotieuse à scandaliser, ce baiser-là, le repousseriez-vous, Nebo?

— Non, Paule, si ce baiser est l'acte spirituel de

deux amants qui, pour désarmer la loi providentielle,
veulent ainsi mettre Dieu en tiers dans leur amour ;
s'ils ont prié avant, s'ils doivent après s'interrompre
de leur mutuelle absorption, pour invoquer l'Absolu
et lui demander pardon de s'aimer, je les comprends,
et tombé à l'état passionnel, je serais deux lèvres de
ce baiser. Mais ces grandes audaces de l'amour ne se
conçoivent pas hors de l'état psychique qui les enfante
et ne les justifie pas. L'Église a donné une certitude de salut, en promulguant ses commandements et
ses admonestations : l'obédience à cet enseignement
mène au ciel. Cependant une Blanche de Castille se
laisse platoniquement aimer d'un comte de Champagne, devoir de régente ; et la courtisane qui eût
étouffé sous sa luxure la rébellion de Luther, n'aurait-
elle pas plus fait pour l'Église que saint Labre lui-
même ? Qu'un archiviste découvre une lettre de Léon X
à son légat : « Que Martin Luther soit débauché » ;
les historiens se passeront le document en se signant
d'horreur ; cependant, s'il y a antinomie entre le
mandataire et le mandat, celui-là était seul psycho-
logique.

— Êtes-vous persuadé qu'il faille ainsi se butter
contre des événements plus providentiels qu'humains ?

— Fort bien et le mot providence se synonymise
avec l'avant-goût nïrvanien que cherche toute
l'Inde ; vous voilà, Paule, le coryphée de l'abêtisse-
ment. Voyez ces mêmes résignés aux événements,
s'ils le sont à leurs affaires. Le meilleur parti qu'on

ait suivi pour l'intérêt personnel, c'est le continuel
effort contre la poussée collective ou physique ; par
analogie, ce parti est à prendre dans les intérêts
généraux. Voilà un monstre, un fléau humain, M. de
Bismark, par exemple, ou le Bonaparte, et lorsque je
brandirai l'épieu, le chœur des éternels hébétés : Ne tou-
chez pas au dragon, c'est Dieu qui l'envoie. Oui, la
guerre et la peste sont des missionnaires, la dévotion
courante ne répugne pas à reconnaître ce fameux doigt
de Dieu, aux mains dégouttantes du sang d'Abel, et
ce respect du faible devant ce qui le dépasse est tel,
qu'un chrétien ordinaire n'oserait pas tordre le cou à
l'Antechrist, de peur que Dieu soit mécontent qu'on
lui ait ôté son traître final de la comédie humaine.
Niaiserie que tout cela! L'économie providentielle
est un poème de beauté, de bonté, de justice et
d'amour.

L'homme ou l'événement qui ne se range pas sous
un de ces quatre pennons, et le manifestant, doit être
paralysé et même supprimé par les Templiers de
l'époque.

Dites au médecin qu'il est impie de lutter contre
les épidémies que Dieu nous envoie, et s'il vous
écoute, le politique alors vous laissera dire qu'il est
peu chrétien de tuer les hommes qui sont des loups...
Revenons à nous, chère aimée, cette même passion
qui nous rend bons de cœur envers les autres, nous
fait mauvais souvent pour l'Aimé. Cet effort in-
cessant que vous me voyez exercer pour que notre

intimité se solennise, calmement lumineuse, vous l'attribuez à un caprice, il est la mise en œuvre de l'expérience. Nebo, doux, souriant et bon, s'il cessait de rêner son amour, deviendrait méchant et sombre, et rendrait sa pauvre princesse très malheureuse.

— Vous méchant! vous me rendre malheureuse! je ne le croirai jamais, — s'écria-t-elle en lui prenant les mains.

— Mes discours ne pèchent pas par humilité, et quelle que soit l'opinion de l'amoureuse, j'exprime sur moi plus encore; des raisons occultes me font éperonner mon propre orgueil pour qu'il me soutienne en mes desseins : mon apparente infatuation va sans aveuglement. J'arrive au prestige archangélique, et ma réalité reste humaine; pour monter, je suis forcé de m'inhumaniser, et ce procédé de l'inhumanisation qui répugne tant à la foule, sans qu'elle sache pourquoi, contient le danger d'une réaction formidable. On tombe toujours de la hauteur où l'on est, et on apporte à une passion les facultés qu'on a. Ces facultés chez moi sont telles, que si je ne les équilibrais, elles me rejetteraient du sein du plus grand amour dans une irrémédiable solitude.

Je ne parle plus de moi ici, d'un similairement doué. Figurez-vous que je vois à mille lieues, de même que j'entends; aucune muraille, aucune crypte ne peut dérober à ma vue et à mon oreille; plus encore je peux lire les pensées, à mesure qu'elles se forment en l'esprit. Or, vous savez que l'être le

plus épris dans le même moment se sacrifierait pour
son amour ou le donnerait au diable; je surprends
ce dernier mouvement, tempête dans mon cœur, et
comment, quand on aime, résister au besoin de savoir,
au besoin de certitude ? Celle que j'aime, à la campagne, j'use de magie pour entendre quoi? les propos
d'amour qu'elle écoute vaniteuse, désœuvrée, en comparaison avec les miens! Que je télégraphie à cette
femme aimée et qui m'aime, ma découverte, son
amour tombe, son esprit de justice se révolte, elle
sent le jeu trop inégal; cette inquisition toujours suspendue sur elle, en tout lieu la hante et l'humilie, et
son orgueil chasse l'amour! Vivement épris, je veux
être aimé quand même; où est-il celui qui pleure d'a-
mour et qui ne se servira pas d'un infaillible moyen
pour violer un libre arbitre et rentrer en maître dans
une âme, et lors il sera un suprême misérable d'avoir
demandé l'amour à la force, et d'apporter dans la
poliocertique de ses péchés les armes mêmes du ciel !

Cette équité relative qui est en nous, cette impartia-
lité de jugement du moment calme, à jamais se perd,
dès que le tourbillon nous enlève. L'amour aveuglé,
non par un bandeau, par la fixité du regard sur l'être
aimé, tout devient juste qui rapproche de lui, et le crime
et la folie surgissent ! Votre ardeur vous semble déjà
assez sacrée pour s'exprimer à l'église; elle arrivait à
la conception d'un sacrilège. Quand ce simoun passe,
il ensable toutes les équités et asphyxie le raisonne-
ment. Y a-t-il un être moins aimable qu'un amant?

Toujours avide de tendresses, voyant du refroidisse-
ment dans un regard, prenant ombrage d'un mot!
Le parfait céladon devrait savoir souffrir en silence :
il serait récompensé par l'oubli. Bien peu d'êtres,
dans la haine, ont été aussi agressifs de langage,
maussades d'humeur, soupçonneux d'une ombre,
indiscrets sans motif, les traits crispés, la voix
mordante, que dans leurs amours. L'indulgence dans
la passion, voilà ce qui serait doux et voilà ce qu'on
chercherait en vain : la férocité humaine se fait jour
à la moindre déception.

Une femme oublie tout, orgueil et réputation, elle
vient à vous et tacitement, devant le monde, porte
vos couleurs ; elle se donne, ajoutant au don d'elle-
même celui de sa considération, certes on est l'obligé,
à ne pouvoir jamais s'acquitter. Eh bien ! la conscience
est si bien faussée, que si elle flirte, même innocem-
ment, on se gendarme contre elle, oubliant tout respect et la gratuité de ses faveurs. L'amour ôte même
à la femme sa conscience de mère, elle risquera une
caresse à l'homme aimé presque à l'instant où sa fille
doit ouvrir la porte. Quand battent les tempes, quand
brûle le sang, quand se tordent les nerfs, quand tout
l'être, âme et corps, jaillit de désir et s'extravase
vers l'aimé, il n'y a plus de devoir ni de loi, il y a
du feu.

A cette phrase, dite avec un peu de violence dans
la voix, les yeux de la princesse avaient lui ; les
narines palpitantes, elle dressait sa tête altière comme

un félin que surprend une brise de la jungle venue jusqu'à sa cage, par-dessus les mers.

— Où est-il le père Alta, qui saurait me convaincre que je fais mal? Le terrifiant Bridaine, le logicien Bourdaloue, Massillon le subtil, y épuiseraient leur théologie. Dites à l'oiseau que voler est un crime, à la fleur qu'elle ne doit pas s'épanouir au soleil; interdisez à l'aigle l'espace, et la mer au dauphin, vous serez plutôt obéi que de faire renoncer une vraie femme à un véritable amour. Quand la grande aïeule fut chassée du Gran-Eden, elle ne murmura pas, elle partait avec son homme, avec son dieu; mais voyez-la chassée seule, le séraphin l'eût tuée de son glaive flavescent, plutôt qu'elle eût franchi le seuil où restait le bien-aimé; — après du silence :

— Celle qui l'a rencontré, LVI, l'unique, celle-là n'est plus ni vierge, ni mère, ni chrétienne; celle-là est l'amante.

C'est-à-dire indifféremment sainte ou scélérate, suivant que son amour se barre d'un héroïsme ou d'un forfait, et la justice de Dieu amnistie, n'est-ce pas, cette inconsciente, et les Normes s'éludent d'elles-mêmes, pour laisser passer cette folle... Vous oubliez qu'il y a une vie éternelle, où l'on paye tout son péché.

— La damnation, n'est-ce pas? — s'écria-t-elle. — Je ne peux redouter que ce que je conçois; or, ma conception ne va pas plus loin que le supplice de renoncer à l'amour, et voulez-vous que j'aie la vertu de me précipiter dans un enfer plus effroyable

que celui de la religion? Le salut, c'est d'être aimée,
Nebo, et que Dieu me pardonne, je ne marcherai que
vers celui-là.

Ils se turent, inquiets, elle, d'avoir laissé jaillir
cette flamme, et lui, de l'avoir vue.

VIII

Extaticon IV

Recollection

— On se croirait à l'église; je demande à être seule
fidèle, mon jeune Dieu... mais pourquoi un tel nuage
d'encens... permettez que j'aère... par la chaleur de
ce jour, cet enfumage sacré...

La princesse ouvrait les deux fenêtres, sans que
Nebo répondît à sa question que par un aveu évasif
de prédilection pour les odeurs hiératiques. S'il eût
été franc, il aurait avoué que son atmosphère se
chargeait déjà du fluide de la jeune fille, qu'il avait
senti son effluve grisant et que sa venue en avance,
ce jour-là, arrêtait une purification de l'atmosphère
par les parfums magiques.

Le dialogue devenait difficile, Nebo déjugeant d'anciens jugements du périple, Paule appréhendant de
s'exalter et de laisser luire le feu qui couvait en elle.
Déjà une hypocrisie nécessaire s'imposait entre eux;
l'amour n'est pas grand causeur, surtout s'il est insa-
tisfait, l'amour est un pauvre causeur, surtout s'il est
ardent; le tempérament de l'homme de lettres, habitué

à s'observer vivre et à phraser son observation, a la faculté de la tirade amoureuse, mais nul n'en a le goût. Le baiser demeurera toujours le plus beau mot qui soit aux lèvres humaines! Lacordaire, dans sa belle gradation de l'estime, de l'admiration, de l'amour, s'écrie : « Quand vous avez dit *je vous aime*, il faut vous taire. Mille mots précèdent celui-là, aucun ne le suit, dans aucune langue. »

Quand vous avez dit « je t'aime », pensait la princesse, il y a encore un mot « le baiser », et on lui défendait ce mot suprême.

Des révoltes se levaient en cette Ève, qui ignorait encore elle-même la violence de sa nature, devant cet Adam qui disait à l'instinct « Tu n'iras pas plus loin », et, plus fort que la nature, la forçait à un mode d'aimer dont la peinture passerait pour menteuse, inventée, invécue.

Être enfermée avec l'être aimé et n'avoir pas un baiser de lui, de lui qui aime aussi, et cette privation de toute caresse, illégitimée par l'absence de toute idée de péché chez tous les deux !

— Sommes-nous assez sages, Nebo, — faisait-elle en remuant les anneaux de son poignet pour ôter son gant, avec une maladresse voulue.

— Assez veut dire trop, — et Nebo, galamment, l'aida; elle en profita pour garder la main du jeune homme dans la sienne tiède et parfumée.

— Je songe à l'initiation que vous m'avez donnée,

et une tristesse m'envahit que vos efforts si extraordinaires n'aient en rien abouti. Je me revois, au
parc Montsouris, quand vous m'avez dit : « A ne vous
rien cacher, j'ai peur de vos sens. » — Rassurez-moi
d'abord sur les vôtres, ai-je répondu. Vous avez
juré de votre insexualité et vous tenez parole.

Quant à moi « je me sens entre deux impostures :
les poètes et les prêtres... j'ai l'âme bien née, et si les.
moralistes disent vrai, je serai déprise d'un coup ».
Aujourd'hui, après avoir tout vu, et sur tout réfléchi, je crois que le poète a raison pour le véritable
amour, et le prêtre raison aussi pour l'amour ordinaire. [Vous m'avez cuirassée contre ce qui ne m'eût
jamais tentée et vous m'avez dépouillée de toute
défense contre mon seul danger. Pauvre cher bel
esprit, vous machinez la grande horreur sans penser
que vous êtes la preuve vivante de la grande splendeur. Pensez-vous, ô penseur inconséquent, que
l'embrassement de Nebo et de la princesse ne suffit
pas à l'imagination pour réduire à néant l'effet de
votre tableau nauséeux ? Même le périple n'a plus à
mes yeux qu'un dessous logique : vous faire aimer...
N'objectez rien, Nebo, et apprenez de Diotime que
cette opération qui a consisté à fermer à mon rêve
toutes les avenues, a rabattu sur vous seul tout
mon cœur et mon désir. Vraiment, Nebo, vous n'avez
pas jugé qui je suis.

Au café idiot, je serais heureuse avec vous; je
vous irais rejoindre, s'il était besoin, à l'Erotic Office,

et la haute vie ensemble menée, me semblerait vraiment haute. Quant à la prostitution, au socialisme, au proxénétat, à la criminalité, j'ai la répulsion de ma nature, l'apitoiement de ma charité, mais quelle place cela peut-il tenir dans ma pensée et ma vie? Que le duc de Trèves lance une fille et même que je sauve un Jean Davèze, que Byzance soit Byzance et Thamar reine, que Don Juan ait un pitoyable avatar, tout cela, qu'est-ce pour moi? Pas même une préoccupation.

Les attouchements de l'envers d'un bal qui me convulsent, d'un indifférent ou d'un répulsif, de vous, je ne les repousserais pas. Est-il sûr même que je refuserais d'être votre concubine? Le baiser de Chester, je donnerais à certains moments mille louis pour le recevoir de vous; le canotage sentimental de Joinville-le-Pont avec le retour nocturne par les fourrés, ce serait une joie de paradis. J'ai entendu des vieilles gardes et des maîtres écrivains disserter; j'ai constaté que les joies légitimes sont des ironies, que mal aimer c'est torturer l'aimé, que l'amour était un moyen pour certains, tandis que d'autres en mouraient. Ensuite? faites donc que moi, comme toute femme, je ne me flatte pas d'être meilleure et plus béatifiante.

L'initiation véritable, date du jour où vous avez bu dans mon verre; à mon plaisir de croire retrouver sur le cristal la place de vos lèvres, j'ai senti que rien n'existait que mon amour.

Tout ce que vous avez édifié avant ce souper fin est

écroulé, rasé; la frondaison d'un paradou y fermente,
noyant de sève les débris et les ruines de vos horré-
fiances.

Inutilement vous avez risqué nos deux vies et ma
considération, si votre but était différent de ma conquête. Je ne garde que trois souvenirs : la séance de
dessin, le dîner en cabinet et le baiser de Saint-Fulchran; ce sont les miliaires d'or d'où partent toutes
mes pensées.

— Et la péroraison de ce profond discours? — de-
manda-t-il un peu anxieux, — car, ayant fait si fausse
route, je dois humblement prendre celle que m'in-
diquera Diotime, la savante aux choses d'amour.

— Ne m'attribuez pas un méjugement de votre
génie, ne vous attribuez pas la loyale franchise de
vos desseins. Il appartient à Diotime de vous montrer la seule voie aux métamorphoses féminines où
un rêveur du rare et de l'impossible se puisse satisfaire. Aimez une femme qui vous aime, et docilement,
au feu de la passion, elle se refondra selon le moule
que vous voudrez. L'androgyne, ô mon maître, c'est le
fils de l'amour; il faut qu'une femme couve longtemps ce rêve et sous les baisers de son seigneur,
pour qu'il se réalise, et si vous le voulez trop pur et si
vous le voulez tard...

— Eh bien! — fit Nebo nerveusement.

— Vous avez de l'humeur, je me sauve.

Avec une hâte exagérée, elle saisit son ombrelle
et disparut, consciente de son habile sortie.

IX

Extaticon V
L'Enchanteur

« Euréka, Euréka », — cria-t-elle dès le seuil.

Nebo s'étonnait à cette allure gaminante qui lui rendait le jeu difficile :

— Oui, mon petit Nebo, j'ai trouvé ce qui manque à notre bonheur, il faut un équilibrant de nos deux tendances, un remède au ridicule qui nous menace, il nous faut un mari.

— Ce « nous » est fou, si vos autres paroles sont étranges.

— J'aurais dû dire « il vous faut », car, personnelle-ment, je m'en passerais fort, mais il est la condition *sine qua non* de votre manière d'aimer... c'est une Norme, voyez-vous, que ceci : quand il n'y a pas de chat, les rats dansent, et comme nous ne dansons pas, il faut un chat.

— Quel amphigouri, — dit Nebo qui comprenait fort bien.

— Vous êtes si peu subtil et voulez le phrasement littéraire! Soit. L'œil qui se collerait à la serrure

quand nous sommes ensemble, verrait un couple
pour qui nulle porte ne ferme et, par la crainte d'une
surprise, a toujours l'attitude explicable, quoique
alanguie; et, redoutant les écoutes, reste dans une
métaphysique à peine flirteuse. Vous me recevez en
un cabinet lugubre d'austérité, je m'assieds dans
une cathèdre de bois sans coussin, en face de vous,
comme une abbesse et un cardinal causant aux
stalles de manecanterie, des intérèts chrétiens. Ma
toilette rose, en ce décor sombre, me fait sembler un
papillon tombé dans une crypte; vraiment, pour le
besoin de sécurité que nous avons, venez à l'hôtel
Vologda; devant ma tante, nous pourrons dire à peu
près les mèmes paroles et faire autant, oui! autant!

Ces attaques portées droit prouvaient à Nebo une
audace de désir au-dessus de l'impudeur même, et
presque victorieuse devant un autre que lui; en
parant, en renvoyant calmée, celle qui était venue
belligérante et amoureusement agressive, il ne se
dupait pas sur la durée possible de sa résistance.

Avec une jeune fille ordinaire, il se fût appuyé sur
l'hypocrisie que laisse l'éducation actuelle : parler
vertu, virginité et devoir à la princesse, c'eût été s'attirer quelque réponse garçonnière : « Ma force, c'est
vous, ma virginité, je ne l'estime que si vous la prenez,
je n'ai de devoirs qu'envers vous. » Le moyen de
repousser, la raison de refuser? il eût paru introu-
vable, elle eût semblé inexistante au plus subtil, et
cependant Nebo réalisait cet impossible, par une

faculté extraordinaire que Musset a devinée en disant
d'un de ses personnages qu'il se livrait à l'art mystérieux de charmer par la voix, le Platonicien *incantait*
la jeune fille.

Ce don de convaincre momentanément à l'aide des
pires arguments et même sans argument, cette action
d'une volonté qui fait obéir un cerveau par un
effet dynamique infiniment doux, ne se rencontre
jamais que chez les êtres exceptionnels de culture et
excentriques d'existence; l'enchanteur, le Daoud qui,
avec la seule harpe de ses paroles, endort un vouloir
et apaise une passion, appartient toujours à la race
Orphique, même par l'allure extérieure. Seulement,
quelle que soit l'aptitude, elle n'opère que par un effet
de résorption à la fois spermatique et cérébral; le
spasme et l'adhésion à l'évolution contemporaine
stérilisent ce pouvoir. Il n'existe que sous condition
de continence au physique; et au moral, de scission
avec les intérêts collectifs et locaux.

Appartenir à un parti, pactiser avec une secte,
avoir un intérêt dans la politique ou une attitude
discipulaire, en quoi que ce soit, rend impuissant.

L'enchanteur est solitaire, sans liens, sans fonctions,
sans dépendances; le repliement sur soi-même seul
accumule les forces verbales; à tout point métaphysique, il pense personnellement et n'obéit aux
préjugés et à la loi que pour sa sécurité et celle de
ses satellites; car, en dehors de son action volontaire
sur un être qu'il vise et veut dominer, l'enchanteur

rayonne et inspire des dévouements et des amours irraisonnés et instinctifs; né roi, son peuple s'il est génie, sa cour ou ses pairs, s'il est obscur, d'après des lois relativement mystérieuses lui obéissent, à distance, par la seule conséquence de sa projection d'entité qui, comme un flambeau, attire toutes les âmes indécises et voletantes dans le clair-obscur où s'élaborent la hiérarchie des êtres et leur relation sérielle.

Avec une onction sexuelle, plus suave que celle du prêtre, parce qu'elle enveloppait la femme d'un parfum masculin, il posa sa main très lentement sur les cheveux de Paule, et usant du caractère théâtral de sa robe rouge, gracieux et noble, ramenant l'autre bras sur sa poitrine par un habile retroussis de la manche qui montrait la blancheur de son avant-bras, soigneusement épilé; d'une voix un peu basse et lente, avec de délicats points d'orgue aux mots intentionnels, il parla, sans souci de ce qu'il disait, confiant en la triplicité d'action de son souffle, de sa voix et de sa mimique :

— Pardonnez-moi, Paule, de jouir de vous d'une façon où mon égoïsme ne vous laisse pas une juste part de volupté. Pardonnez-moi de m'enivrer de vous, tandis que vous ne pouvez vous griser de moi.

Déjà dépaysée, la princesse avait tout perdu son avantage, et la main de Nebo sur ses cheveux lui causait un plaisir qui l'absorbait.

— Moi-même, à l'instar de l'homme ordinaire, je

n'ai pu boire la volupté qu'à même la chair, et toutes les femmes ne m'ont donné un plaisir qu'en les brassant « comme on brasse un bain », a dit d'Aurevilly.

Oui! seulement, au pétrin de la possession j'ai tiré d'elles un peu de ce qu'on appelle plaisir; et quand, pour la soudaine fois, je suis en présence, en possession d'un être si voluptueux que sa vue seule m'extasie, vous voulez que, ravalant cet être au niveau de ce qui a passé dans mes bras, je le terrasse et m'y vautre. Vous voulez que devant une coupe d'ambroisie, je ne me recueille pas et que je l'avale comme une soupe. Vous, le paon revêtu de la passion, vous sollicitez le coup de fourchette paysan ou faubourien. A moi de vous le rappeler, vous êtes princesse, Paule, et comme telle vous devez vous applaudir de faire naître la suprême aristocratie des sensations : la possession mentale! Même en face de vous, je rêve, tellement ce que vous faites vibrer en moi a de profondeur; quand votre main me touche, j'en sens le contact jusqu'au cœur, et vos regards posent d'enivrants baisers au milieu même de mon âme. Rappelez votre fierté en déroute devant l'effluve de vos vingt ans; ayez quelque joie à voir mes pensées au lieu de mes sens, toutes prosternées en chœur adoratif, vous magnifier ; pardonnez-moi si, dans un renversement des attributs, c'est ma virilité qui tremble, se trouble et balbutie devant votre virginité.

— O charmeur! — s'écria la princesse, les oreilles roses de plaisir, la gorge palpitante.

Cette voix délicieusement monotone, comme aux paroles latines de l'Église, la berçait sans qu'elle pût se défendre d'une exquise torpeur. Sur les plages, dans les soirées de châteaux, partout où la nature produit, même chez le mondain artificiel, une effusion idyllique, elle avait entendu bien des romances sans musique, bien des madrigaux tournés en son honneur; rien ne se comparait à cette diction merveilleuse si différente de celle du théâtre, que pas un seul comédien de profession n'a de notables qualités dans le tête-à-tête, parce qu'il y faut tout personnel et qu'une prononciation scénique, un seul rappel de la rampe détonnerait comme un accent lyrique en discours d'Académie. Ce que l'on sait par cœur et ce que l'on improvise, ce qu'on feint et ce qu'on vibre, ne se ressemblent jamais, en déclamation.

— Quand vous me parlez d'amour, je n'ai plus que des oreilles; quand vous me regardez, que des yeux; quand vous me caressez, toute ma sensibibilité afflue à l'endroit de votre main; une émotion religieuse, un recueillement craintif, la peur de toucher terre quand on s'éthérise en demi-rêve délicieux; vous me sublimez au point que me suffisent les joies de la seule présence; mais je vous vois : une heure par jour, les jours où je vous vois et hors de cette heure passée avec vous et la seule perçue, je suis livré à moi-même, c'est-à-dire à une femme vraiment femme et qui aspire de tous ses sens à l'aimé. Je revis en pensée le peu de temps qui nous est commun, mon désir passe outre ces souvenirs et fait des rêves, et ce sont ces rêves exigeants et révoltés que chaque fois vous apaisez et que chaque fois je vous ramène plus éveillés.

Et comme le Platonicien ouvrait les lèvres pour continuer sa cantilène, elle les lui ferma de la main.

— Taisez-vous, Nebo, de grâce, une lucidité dont je veux profiter me conseille et je vois une lueur dans l'ombre où je me débats. Vous me possédez mentalement, m'avez-vous dit, une volupté supérieure s'irradie de mes charmes et vous vous excusiez tout à l'heure de jouir de moi sans que je jouisse de vous. Eh bien, je prends texte, et le détail ne saurait vous déplaire d'un ensemble si merveilleux qu'il enivre par la seule vue. Donc, mon cher Seigneur, vous allez désormais me donner ma part de volupté, puisque c'est un droit que vous me reconnaissez. Ma vue vous extasie, nous allons nous regarder ensemble, peut-être que je m'extasierai aussi. La possession mentale ne perd pas de son aristocratie, ce semble, à spécifier et à circonscrire son objet ; je suis une coupe ambrosienne, soit, mais autour de la coupe court une ciselure variée, étudions-en les reliefs et les faces diverses ensemble. Si vous possédez mentalement ma main, aussi pouvez-vous parler votre pensée, aussi puis-je posséder la vôtre et dire ce qu'elle m'inspire. Donc, mon bien-aimé Nebo, cela

est convenu, nous nous posséderons mentalement et
en détail.

Elle vit bien l'ennui de Nebo apparaître en d'in-
volontaires plissements du front, mais cela ne l'arrêta pas et d'une voix singulière :

— Demain, mon maître, nous nous extasierons les
yeux dans les yeux.

Quand elle eut disparu, le Platonicien, si calme
d'ordinaire, prit un Boudha de jade sur la table et,
blanc de colère, le jeta au mur où il se brisa.

X

EXTATICON VI

La Volupté des Yeux

Princesse, vous avez l'œil étrange, d'un vert céru-
léen, de ce ton qui n'est désigné que par le vieux
mot « pers » : des paillettes d'or sablent de singularité votre regard. Il n'y a que trois beaux regards,
le noir qui prend la nuit des réfractions rouges et
évoque au figuré un clair-obscur où il y a du mystère
et du sang; le bleu, le seul vraiment féminin et qui
donne l'impression d'un ciel pur et pâle; le vert qui
appelle l'idée d'un lac ou de la mer, c'est l'œil le plus
rare, et le plus attractif. Tandis que le noir devient
facilement dur et homme, ce qui suffirait à déprendre
du type espagnol, type de luxure pratique ou de plein
air; et le bleu facilement fade; le vert, lui, est inquié-
tant sans rudesse.

Très peu d'amants pourraient dire l'exacte couleur des yeux aimés; non seulement le même œil
passe du bleu gris au bleu foncé, sous l'effet d'une
impression vive; mais j'ai observé des yeux de

femme n'avoir pas la même coloration à Paris et à
la campagne. Il y a toujours beaucoup de lune dans
le regard féminin. Nergal m'a raconté qu'une maîtresse à lui, après la possession, avait une transfiguration qu'ils appelaient « les yeux du dimanche ». Je
sais en Occident une princesse comme vous, qui a
les plus beaux yeux qui existent, exceptant les
vôtres, eh bien ! quatre ou cinq personnes seulement
les ont vus; elle n'a ces yeux-là que quand on les
lui donne, et ce n'est pas sa faute si elle ne les a pas
plus souvent; elle s'ennuye et dit « quelquefois, à
la nécromancie d'un être digne d'être aimé, mon âme
revient dans mon corps et ça illumine les fenêtres
enamourant celui qui se trouve regarder à ce moment-
là. » J'avoue une prédilection pour cette nature de
beauté hermétique : une femme qui a le courage d'être
simplement jolie pendant des années et réserve son
charme pour un kalender, fils de roi, d'un passage
incertain, je trouve cela d'une délicatesse et d'une
volupté admirables.

Et maintenant, ma Princesse, voulez-vous connaître le grand mystère du regard? c'est lorsque l'être
entier voudrait s'élancer vers l'Aimé et qu'il ne peut
le toucher que des yeux : c'est le désir refoulé qui
fait la force et la magie des prunelles...

La princesse l'interrompit :

— Vous vous trompez, Nebo, et la preuve ne dépend
pas de moi : cependant, mettez vos deux mains dans
les miennes, pressez-les comme si nous étions des

amants et regardez-moi, non de tendresse... d'a-
mour...

Intéressé et encore plus séduit, Nebo pressait les
mains de la jeune fille; et sous la caresse de cette
pression, les yeux de Paule s'agrandirent, la pupille se dilata démesurément, comme sous l'action de
l'atropine; le pailletis d'or brilla et le vert devint lim-
pide, mais par-dessus ces accidents de formes et
de couleurs, une magie eut lieu qu'on n'analysera
jamais : avec une volonté d'amoureuse, et d'amoureuse depuis longtemps désirante, Paule n'eut plus
de vivant que les yeux, ses mains se raidirent dans
celles du jeune homme; elle se donna avec une telle
puissance que Nebo subjugué ne feignit plus la pression des mains ni le regard d'amour : une minute
encore et ses lèvres montaient aux lèvres de Paule.
C'étaient les grandes eaux de l'âme qui jaillissaient et
s'épandaient sur lui. A ce regard élyséen il devina
que la volupté, qui clot les paupières le plus souvent,
devait allumer d'une lueur inouïe le regard de la princesse, et il défaillit, lui le Mage, à cette magie des yeux,
concevant, pour la première fois peut-être, la sexualité sans horreur : d'un mouvement brusque de
nageur qui veut couper le tourbillon qui l'entraîne,
il se leva chancelant, un peu ivre et la voix rauque
des aveux qui coûtent à faire, sans la regarder :

— J'ai vu le plus beau spectacle qui soit au
monde.

Touchée jusqu'aux larmes, de cette palinodie,

Paule s'élança vers lui, et lui prenant les mains :

— O mon boudeur contre soi-même, j'ai cent, j'ai mille spectacles aussi beaux à t'offrir! Et tu me les rends, doux Nebo. Sais-tu qu'il est magnifique ton regard éperdu, que l'on sent délicieusement fouiller en vous; il y a dans l'indécise couleur de ta prunelle, un reflet grandiose. Tu reverbères de la pensée en regardant; on se sent glorieuse de fixer tes yeux toujours au ciel levés ou baissés d'un regard intérieur qui cherche le mystère de l'être. Avoue que tu as commencé par te défendre de moi, avec tes trois regards! On a le regard de son âme, on a le regard de ce qu'on sent. Tout trompe, de l'orteil au cheveu; la bouche sourit qui voudrait mordre, la main caresse qui grifferait; toute la face ment, l'œil ne ment pas. On rencontre de jolis yeux, de beaux yeux chez des ribaudes, chez des coiffeurs; leur regard n'est pas beau. Vois les coquettes, les mondaines, jolis yeux, regard nul; prends un savant, myope, louche, il n'a presque plus d'yeux, mais il a un regard. L'œil, ce doit être le chef-d'œuvre de Dieu, au point de vue matériel, parce que c'est là qu'il a mis le plus de ciel. Figure-toi des yeux qui auraient ma flamme et ta profondeur, rien que ces yeux-là, sans corps, qui marcheraient devant vous, comme dans Baudelaire...

— L'ange qui aimanta les vôtres était très savant, Paule.

— Oui, puisque c'est l'ange Nebo? Quand donc les

aviez-vous vus ainsi aimantés? Vous avez d'abord posé
des mots comme un oculiste vous essaye des verres
et vous êtes arrivé à l'œil pers; et parce que vos
mains se sont unies aux miennes, parce que vous
me regardez attractivement, je n'ai plus d'yeux, j'ai
un regard; c'est-à-dire une défenestration de mon
cœur.

, Ah! mon ami, il eût mieux valu que nous regar-
dions dans nos yeux que d'aller voir l'humanité
grouiller sur le fumier parisien. Comment, platonicien, haïsseur des vulgarités, vous n'avez qu'à
tourner vos yeux vers moi pour me masquer la création, et au lieu de cela, simple et doux, vous passez
des mois à me donner des nausées inutiles, qui pis
est. Je vous en veux...

— Paule, si vous m'en voulez déjà, demain quand
une autre volupté sera descendue sur nous, vous me
haïrez.

— Non — dit-elle gravement — à la violence de ce
que j'ai senti, je vois que la modération si douloureuse a
de hautes raisons et je m'incline : regardez-moi
encore. Oh! pas ainsi, je vais pleurer... Mon Dieu,
qu'avez-vous de si triste à penser?

— Ne m'interrogez pas, chère âme... Vous êtes
toute ma joie... mais je ne sais pas être joyeux. Le
fond de tout ce qui est noble est plein d'angoisse;
voilà pourquoi la volupté chez certains êtres ne rit
jamais.

— Vous ai-je déplu?

— Vous m'avez enchanté.

— Eh bien, l'enchantement ne va pas avec cette mélancolie.

— Le jour, ô ma princesse, où je serai tout à fait ivre de votre amour, je ne pourrai plus vous dire que le mien est éternel. Comprenez-vous?

— Nebo...

— Mon enfant, ma sœur, maintenant laissez-moi. D'un geste doux et impérieux, il la congédia.

XI

EXTATICON VII

Le Ciel sous la Peau

— Théodore! — dit Paule en entrant.

Nebo surpris d'être appelé de ce nom se roidit un peu, sentant un dessein guerroyeur.

— Eh bien, vous ne me dites pas : bonjour, Rosette.

Il ne répondit pas ; la jeune fille s'assit en face de lui, dans la grande cathèdre.

— Parmi les livres qu'on lit, j'entends ceux qui sont des poèmes, il en est quelques-uns qu'on aime, parce qu'on y trouve l'anticipation de sa vie et le pressentiment de sa propre aventure.

Mlle de Maupin n'est pas ma plus grande admiration, mais l'obsession la plus tenace de ma nombreuse lecture ; et plus je viens ici, Nebo, plus j'y pense tristement. Car, au lieu d'être Mlle de Maupin, je suis Rosette, et vous m'avez presque avertie, Théodore, que votre possession n'avait pas de lendemain ou n'en aurait pas pour moi. J'ap-

pelle lendemain, la vie, car je n'ai pas l'humilité
niaise d'admettre que ma beauté ne vous retiendra
pas un moment : je suis même plus malheureuse que
Rosette, je n'ai pas de d'Albert. Comme elle, je me
jette à la tête d'un cavalier qui très doucement
m'écarte ! Certes, jamais dans un hasard de voyage,
je n'aurais eu besoin d'un pli du drap pour arrêter
ma main solliciteuse d'un dormeur de hasard ; mes
sens ne s'éveillent qu'au mouvement de mon cœur !
A saint Fulchran, comme dans le pavillon fait Rosette, vos lèvres, je les ai violées d'un baiser de folle
amoureuse, Théodore ! et, si nous étions ensemble
dans un château, vous barricaderiez votre porte, de
peur de moi, voleuse d'amour, assassine de votre
sacro-sainte continence.

— Paule, ma chère âme, épandez votre rancœur,
je répondrai à son apparente justesse.

— Ma rancœur, ce qui exaspère mes esprits dès
que vous ne les dominez plus, c'est votre attitude
reculante devant ma tendresse et qui me force à
m'avancer presque cyniquement ; je ne dis pas hypo-
critement que je me défendrais de vous, mais si je
sentais un obstacle insurmontable, je saurais me
résigner, tandis que je me butte à votre seule volonté.

— Dites à mon seul amour : vous êtes une fauve ;
dès maintenant, si une femme se trouvait ici, quand
vous venez...

— Oh ! je ne sais pas ce que je ferais, — s'écria-
t-elle.

— Eh bien! je ne veux pas donner de droit sur moi et une femme qui se donne, est une femme qui vous prend; je ne permets pas qu'on ne sache pas ce qu'on ferait. Des violences, du tragique, l'escopette de la jalousie, la virago entrant dans ma vie; oh! non, pas cela. Les belles Bradamantes comme vous, ma chère, j'aime à les voir passer en amazones; mais je ne me laisserai pas chevaucher par elles comme le philosophe dans les miniatures du lai d'Aristote.

— Vous ne recevez pas d'autre femme que moi, dites, Nebo, — fit la princesse avec une expression d'atroce souffrance.

— Je n'aime pas d'autre femme que vous, Paule; le reste ne vous appartient pas.

Lancée sur cette piste affolante, la princesse perdit tout calme.

— Vous recevez des modèles, on me l'a dit; des femmes qui se déshabillent, et longuement, elles ont sur toute leur peau, la caresse de votre regard... Nebo, cela je ne le veux plus... plus.

Et elle frappa du talon.

— Si la princesse Paule savait ce qu'elle perd de mon amour en ce moment, elle se tairait, — dit Nebo avec une froideur lente.

— Oh! l'atroce pensée! — s'écria Paule, — mais c'est cela! Elle s'explique maintenant cette vertueuse résistance comme dit l'Habitarelle, on pose les Mages avec la princesse Riazan, et on se repaît avec des drôlesses! Oh! si j'en étais sûre...

Elle parcourait la pièce fiévreusement, et sa tournure se balançait comme une croupe de panthère en cage et furieuse.

— Vous ne savez pas ce que vous feriez? — dit Nebo en allumant une cigarette de dubèque.

Elle s'arrêta devant lui :

— Je le sais... je le sais trop!

— Et moi pas assez, — fit le platonicien en chassant la fumée par les narines.

Plongeant ses yeux furieux dans les yeux calmes du jeune homme, elle lui saisit le bras :

— Est-ce vrai? Dites, répondez, — et elle frappa des pieds.

— Vous n'avez pas le droit de cette question.

— Je n'ai pas le droit! parce que monsieur n'a pas voulu mêler ses rêves et ses sensations. Je me suis offerte, je me suis donc donnée, et tu m'as prise, puisque je suis là aujourd'hui, que j'y serai demain.

— Demain? pas sûr.

— Bourreau! — fit-elle, et ses ongles s'enfoncèrent dans le bras qu'elle tenait.

Nebo avait pâli d'orgueil blessé, bien plus que de douleur.

— Demain, — dit-il, — je porterai des brassards, si je vous reçois.

Et il releva sa manche : des gouttelettes de sang perlaient sur la peau, fendue à trois endroits.

A cette vue, Paule tomba à genoux, et la fière princesse baisa le brodequin rouge du jeune homme.

— Pardon... pardon... pardon... — souffla-t-elle.

— Comme frère, je vous pardonnerai toujours et tout; amant, vous ne me reverriez jamais.

Il la releva.

— Seyez-vous là, en face de moi; vous m'avez donné de la Velleni, et il y a par le monde des hommes que cela enivrerait; moi-même je trouve la scène que nous venons de vivre, dramatique et passionnante à écrire : seulement mon amour du tigre ne va pas jusqu'à le traiter avec un respect d'hindou pour l'idole de Jarghenat et mon penchant d'artiste pour la passion s'arrête aux brutalités. Le mari battu est ridicule, mais l'amant un peu assassiné ne l'est pas. Tanneguy vous dira que c'est flatteur de rendre une femme féroce : rien ne m'humilie plus au monde. Régicide et sacrilège ne prouvent ni l'amour de son roi ni celui de son Dieu; or, le Bien-Aimé est le roi de votre âme, votre Dieu, et lors soyez sujet et fidèle ou bien vous secouez sa loi.

La jalousie ou la violence de la passion est le même sentiment qui fait casser à l'enfant son polichinelle parce qu'il ne se tient pas d'aplomb où il l'a mis : et le rôle de polichinelle de la princesse Riazan, je ne saurais l'accepter sans vous avertir que c'est vous qui serez cassée, et que joujou merveilleux je suis incassable. Pour vous donner une idée plus claire de moi : un détail de ma vie amoureuse.

A une époque triste de ma jeunesse, j'étais aimé

d'une vicomtesse un peu déclassée, mais de corps
androgyne et dont le grand bonheur était de se
mettre à mes genoux, de s'y accouder immobile de
grands quarts d'heure : comme vous, comme toutes
celles que j'ai eues, elle était venue à moi, elle
avait fait les avances mimiques, me barrant la
porte à notre première entrevue par un « vous ne
pouvez pas partir sans m'embrasser ».

— Et vous l'avez embrassée? — s'exclama Paule.

— Princesse, rentrez votre jalousie. Ce qui est un
enseignement pour vous dans mon histoire, voici :
un ami me prit cette maitresse au moment où je
me mettais à l'aimer. Eh bien! ce qui m'aida à me
consoler vite, ce fut de la savoir avec un être beau
supérieur; je me disais, elle est heureuse; et cela me
guérissait! Quand j'ai eu un profond sentiment pour
une femme, je lui ai toujours pardonné l'infidélité et
même la rupture : pourvu que mon successeur fût
un pair et qu'elle ne déchût.

Quant à la moindre pression sur ma volonté, à
toute emprise qui me diminue et m'ilotise, je redeviens alors le chevalier du Temple qui a des passions
mais que les passions n'ont pas. Disposez de vous,
princesse; je puis, avec beaucoup de souffrance, je
puis accepter que vous soyez mariée, même que
vous ayez un amant, des amants; si vous revenez
pleurer vos déconvenues avec moi, si vous frappez
à ce cœur de moine où il y a de la charité sacerdo-
tale, j'essuyerai de ma main les larmes versées en

l'honneur d'un autre; mais ne disposez jamais de ma personne. Qu'on se garde, qu'on se reprenne, mais que l'on n'essaye pas de me prendre : alors je ne vois plus qu'une ennemie et je frapperais sans pitié. Regardez avec moi dans mon âme; il y a d'abord un incroyable sens de la hiérarchie, base de l'orgueil. Dès qu'on ne me respecte plus, je ne saurais aimer; et me respecter, c'est attendre que je donne : je donne toujours beaucoup; je ne suis pas le parfait amant, je suis mi-partie; un soupireur et un consolateur. J'ai besoin d'épandre ma tendresse, bien plus que d'en recevoir et je ne puis l'épandre, si on me méconnaît.

Je vous le répète, il y a du prêtre en moi; et la femme aimée qui viendrait avouant: « tu es grand, il est petit, mais je l'aime, je souffre, veux-tu m'être doux, comme si je ne te désolais pas » je n'hésiterai jamais à ce qui me paraît un devoir passionnel, issu de ma science, et commandé par Jésus-Christ. Quiconque parlera au chrétien que je suis trouvera une indulgence de Dieu; mais la téméraire qui portera sur ma personnalité le grappin d'un abordage jaloux ou simplement possessif, je la repousserai; et si elle vellenise, je la tuerai.

La princesse pleurait.

— Vous ne me comprenez pas, pauvre petite; Comme toutes les passionnées, vous croyez réparer et satisfaire la plus stricte justice, en expiant par un acte d'humilité un acte d'insolence. A genoux et

baisant ma chaussure, vous, princesse Riazan, le
front à terre vous avez dit trois fois pardon, et vous
vous croyez quitte d'une voie de fait, comme dirait
un procès-verbal.

— Je ne vous ai pas fait bien mal, — fit-elle en
levant sur lui ses yeux pleins de larmes.

— Vous m'avez fait peur, pour l'avenir, vous
êtes apparue sous un aspect, le seul qui me fasse
implacable; si j'étais votre amant, vous m'auriez
perdu. Je recule devant la femme qu'un soupçon
rend brutale; l'obstacle insurmontable, c'est que
vous êtes capable d'attenter à ma liberté et à ma vie.

Si j'avais le malheur de vous posséder, Paule, il
me faudrait être armé pour être aimé de vous. Je
vous aime, mais je m'aime, et plutôt que d'être tué,
je vous tuerais, ma princesse. Cette déclaration n'a
rien qui vous effraye : il ne me faut pas seulement
la certitude morale, ajoutez-y la certitude physique.
Vous avez lu, peut-être, dans M. Zola, un ministre
qui s'efforce de conjuguer le verbe qui intrigua l'am-
bassadeur Chinois, sous les coups de cravache; cette
humanité là, le rustre, je la connais comme savant
et je puis m'en servir comme un gentilhomme d'un
serf, mais je n'y appartiens pas et je méprise
l'amour de cette série. Je suis un Prospero, et
vous me demandez si vous m'avez fait mal, quand
vous, mon Ariel, vous portez sur votre seigneur, un
doux seigneur, la main qui blesse bêtement des
filles de Caliban.

— Oh! Dieu juste, faites-moi mourir...

Il y avait tant de douleur dans ce sanglot de la jeune fille, que Nebo vint lui prendre la tête et l'appuya contre sa poitrine.

Elle s'y serra balbutiant nerveusement le mot « pardon » avec une telle ferveur, que les larmes de Nebo jaillirent.

— Voilà qu'après votre sang, je fais couler vos larmes. Suis-je donc un monstre, mon Dieu! Oh! pardonnez-moi, Nebo, je souffre à mourir...

Il se pencha sur elle et la baisa au front.

— Bénie soit la douleur qui me vaut ce baiser... fit-elle d'une voix d'action de grâce.

— Vous êtes une grande âme, puissé-je en modérer la fougue et quelque chose sera de beau et de doux à embaumer la vie. N'oubliez jamais, mon Ariel, que j'appartiens à une race lévitique, antérieure même à Moïse, que je suis une des trois cents mains que Dieu peut à tout instant appeler à l'essai du salut du monde : je ne peux me sacrifier à personne, appartenant à la grande prêtrise du Verbe. Laissez-vous aimer, ne luttez pas; ma défaite serait la vôtre. A l'instant où ma volonté ne rayonne pas, à l'instant qu'on l'absorbe, je suis Schimchon rasé; et qui ne croit plus en lui, ne peut rien pour autrui... Oublions cette douloureuse après-midi, et puisque nous avons projeté un extaticon, laissez-moi profiter de l'émotion qui vous secoue encore pour admirer votre peau incomparable. « Il y a un peu de

ciel enfermé dessous, » m'avez vous joliment dit au
cabaret, le second de vos trois souvenirs, car c'est
tout ce que je vous ai laissé dans la mémoire : ce
soir, il y a beaucoup de ciel sous votre peau ; las!...
qui voit ses veines, voit ses peines !

— Hélas ! de moi, c'est plus particulièrement vrai;
c'est mon sang qui désobéit à mon cœur et qui me
fait vous désobéir.

— Chassez ce souvenir mélancolique, comme je
l'ai déjà chassé : je ne m'en souviens plus.

— Vrai ! Oh que vous êtes bon !

— C'est mon ambition, la coquetterie de mon
âme, ma gloriole enfin. Je ne peux pas aimer cet imper-
sonnel, mon prochain; mais mes proches, ceux qui
me touchent de l'esprit et du cœur, oh ! pour ceux-là,
Paule, je voudrais avoir une bonté aussi absolue,
que celle de la sainte vierge Marie.

Ce rappel dévotieux impressionna Paule, elle fit
une courte prière mentale. Ainsi, sans arrêt, de la
jalousie qui égratigne elle avait passé au prosterne-
ment, puis du trouble amoureux elle s'élevait en une
oraison; tandis que Nebo, hormis ses larmes d'api-
toyement, était demeuré le même, d'idée, de langage et d'indulgence, en sa fermeté. Dans un quart
d'heure l'idée de tuer et de se tuer, la révolte et la soumission, la volupté et le désespoir avaient secoué
Paule, et maintenant, privilège nerveux de la femme,
elle était alanguie et calmée.

— C'est la rareté de toute votre beauté, cette blan-

cheur et cette unité de ton de votre chair; vos
mains, votre visage, votre nuque ne diffèrent pas
d'une nuance, votre coude et votre genou n'ont pas
ce rose vulgaire que les peintres reproduisent.

— Que savez-vous de mon genou?

— Par l'analogie du coude.

— Nebo, est-ce que vous vous figurez tout ainsi
par analogie.

— Ouais! voilà une réflexion presque obscène,
mademoiselle.

— Il n'y a qu'une obscénité, Nebo, c'est le sang-
froid dans les choses de la chair : dès qu'on vibre
du cœur, il n'y a plus de salacité. Je vous mon-
trerais mon genou, c'est un trait de fille, mais je
vous aime, et cela devient simple et naturel. Comment, je suis faite de choses qui vous donneront
du plaisir à voir autant qu'à moi de les montrer, et je
ne le ferais pas? Je vous ouvre mon cœur et je ne
soulèverais pas ma robe pour vous plaire? Absurde,
vraiment.

Nebo murmura un vague « d'accord » et reprit :
Remarquez que si nous percevons la couleur informe,
nous ne sentons la forme que colorée. Cela explique
que l'amour est bien plus de Venise que de Florence,
et que la ligne est secondaire à la teinte. Couperosez
violemment un beau visage, il est laid; donnez un
beau teint à un médiocre, il séduira.

— Ce qui m'attire c'est votre bras qui se voit à
l'avant de votre manche, laissez-moi...

Et elle remonta la manche de Nebo jusqu'à l'é-
paule.

— Vous avez le bras d'une femme, comme vous
en avez la tendresse.

Elle aperçut les traces de ses ongles, et par un
mouvement singulier, elle approcha la petite plaie de
ses yeux subitement gonflés pour que ses larmes
tombassent sur ce peu de sang du Bien-Aimé.

Il y avait dans cette invention de repentir, un
tel magnétisme que Nebo appuya la place des égra-
tignures aux lèvres de la jeune fille : elles frissonnè-
rent, palpitantes, et se posèrent d'abord pieusement,
puis leur baiser fut une si violente succion, que Nebo
se dégagea.

Elle se léchait les lèvres, radieuse et inquiétante.

— J'ai bu un peu de ton sang, je suis heureuse et
plus à toi.

XII

Extaticon VIII

La Beauté dans l'Amour

Au suivant rendez-vous, Paule vint en adorable toilette toute noire qui faisait ressortir son teint d'une laiteuse matité, et quand elle quitta sa pèlerine de dentelles, Nebo fronça la lèvre : en cet amour étrange aux rôles renversés, les sujets de joie ordinaires se renversaient en humeur.

Sur ses épaules, sur son dos, sur ses bras, sur sa poitrine même, une dentelle arachnéenne, brodée de fleurs en relief, gazait sa chair lisse et si blanche, d'une alternance de voilé et de montré indicible de volupté : à certains mouvements, à travers ce noir mélancolique et ce blanc irréel d'ivoire blanc, serpentaient les veines adorablement bleues.

Elle poussa un escabeau près de la cathèdre, s'y assit et le convia, d'un doux despotisme souriant sûre de sa beauté en cette dévêture, calmement exigeante, certaine de son charme du jour.

Muettement obéisseur, le jeune homme s'approcha; ces veines bleues le fascinaient, ses yeux s'y prenaient

comme en des rèts, il lui semblait les voir se gonfler,
se bleueter d'un bleu plus saturé. Elle posa ses
coudes nus sur les genoux de l'Aimé presque nus
sous la mince andrinople afin que le regard de Nebo
plongeât dans sa gorge parfumée, où le réseau bleu
prenait des teintes d'outremer. Il vit; au contact de son
seul regard un brusque durcissement des seins; se
renversant contre le haut dossier, il s'y appuya comme
on s'appuie quand on défaille et ses mains se cris-
pèrent sur les bras sculptés, s'y cramponnant un
moment pour ne pas céder à la tentation délicieuse
de toucher cette peau enrubannée de ciel.

Paule suivait, d'une attention étrange, la lutte intérieure de son frère; un instant, elle espéra l'avoir
vaincu; inconsciemment, elle changea de posture, se
léonisant, prête à sauter sur ses genoux; soudain,
Nebo cessa de griffer le bois où il avait cassé ses
ongles, et rouvrant ses yeux maîtres désormais de
leur expression, il railla doucement, avouant à la fois
son grand émoi et sa toute-puissance sur lui-même:

— Vous m'avez donné un terrible désir d'inceste,
ma sœur, et cela magnifie votre sang bleu; mais les
désirs me traversent sans jamais m'entraîner, et cela
magnifie votre âme bleue aussi: je paye à votre corps
la dette de mon corps, mais préjudicier à votre âme,
jamais, même d'une obole, même d'un doigt, même
de l'ongle, et ne suis-je pas un équitable seigneur aux
mains justes?

— Aux mains belles, — fit la princessse en les lui

prenant. — Vous souvenez-vous du jour de notre rencontre, quand vous m'avez dit : « Approchez votre
main de princesse de ma main de manant. »

Et, lâchant une des deux siennes, elle caressa
l'autre avec l'intuition amoureuse de cet effleurement
chatouilleur qui met du frisson et de l'énervement
dans la caresse ressentie.

— Votre main n'a pas la petitesse peu jolie chez
un homme, elle a l'étroitesse de la race et le doigt
pointu de l'idéalité; vous avez une main de bénédiction, bénissez-moi.

— Sœur Tartufe... pourquoi ne dites-vous pas
franchement : touchez-moi?

— Parce que... si je vous disais tout franchement,
je vous... déplairais.

Elle reprit :

— Ne trouvez-vous pas, Nebo, que l'art et la littérature modernes sont très injustes envers l'homme
physique et les femmes qui ont écrit sur l'amour, très
hypocrites ou peu artistes? Ne vous semble-t-il pas,
comme à moi, que, depuis Athènes, on a perdu l'ap-
préciation de la beauté masculine, ne voyant plus
que cette chose bête, la mâleté, au lieu du détail plastique souvent charmant?

— Croiriez-vous, Paule, comme on le croit dans la
savante université, que l'excellence de la plastique
avait pour cause la coutume d'aller tout nu? Êtes-
vous dupe du costume héroïque qui est l'absence de
costume en céramique et en statuaire, et pensez-vous

que les anciens se battaient, comme M. Raoul Ro-
chette dans le David du Louvre, vêtus d'un bouclier
rond?

— Je crois, mon ami, que le charme réside dans le
dénudement en votre honneur, et non en lui-même.
Homme, j'aimerais mieux qu'une femme soulevât le
bord de sa robe pour moi seul que de la voir en costume de bain. Par conséquent, la femme antique
donnait moins de joie en laissant tomber ses voiles,
que la moderne en quittant son attirail. Et puis,
une remarque, la chair toujours à l'air des filles de
lupanar que j'ai vues, a un ton bête, un ton banal.
Oui, la peau d'ordinaire vêtue a pour l'œil un velouté
et un prix de sensation que je ne puis exprimer,
mais je le sens; j'en reviens aux attraits masculins.
Votre main vaut la mienne, l'attache de votre poignet
est fine, si elle n'est pas ronde, et vos bras sont
blancs... je parie que vous n'avez pas le coude pointu?

Elle releva la manche large:

— Vous voyez que j'analyse aussi. Un joli coin du
bras, c'est la saignée, à la jointure; la chair y est
comme meurtrie, comme émue.

Et relevant sa propre manche:

— Et voyez, c'est là qu'il y a du ciel... Oh! ce rien
de rose, avivez-le.

Elle levait son bras tendu vers la bouche de Nebo,
qui ne sut pas trouver une résistance élégante et y
mit un silencieux baiser.

Elle couda le bras vers ses propres lèvres et y prit

l'imperceptible humidité des lèvres de l'Aimé, avec une rougeur de plaisir.

— Vous donnez, Paule, une importance extrême à la beauté dans l'amour et c'est la meilleure des marraines, non pas la gardienne d'un cœur.

— O immatériel Nebo, vous sentez le besoin de vous débarbouiller d'un pauvre effleurement de bras par de transcendantes, purifiantes, exorcisantes et surtout édifiantes spéculations.

— Folle! — il lui toucha la tempe du doigt et la tempe battit.

— Regardez, je suis si sensible à la moindre caresse de vous; à peine le glissé d'un contact et le bleu apparaît; cela seul vous plaît en moi, c'est la couleur de la pureté, et sans mon filigrane lazulin, j'aurais été grondée de ma jolie toilette, car elle est jolie, — dites-moi qu'elle est jolie.

— Elle est sur vous, elle devient vous, et je vous aime.

— Ah! le joli madrigal.

— Eh non, c'est une théorie, petite.

— Quand on a des théories qui ressemblent à des madrigaux, on laisse croire aux pauvres princesses ce qui les flatte. Ah! vous vous feriez pendre, plutôt qu'un peu de galanterie tombât de votre lèvre! Car, c'est moi qui vous fais la cour, Monsieur, une cour très vive.

— Trop vive, Paule.

— Et si je sautais sur vos genoux, comme Rosette,
avouez, grand Nebo, que vous seriez bien embar-
rassé, votre robe rouge sauve bien des choses, mais...

— Assez de mutinerie, soyez sage ou je vous retire
ma main.

— Oh! tu ne ferais pas ça! — s'exclama-t-elle
avec des yeux de biche aux abois, et à cette seconde,
en effet, elle ne concevait rien de plus atrocement
douloureux au monde que le retrait de la main de
Nebo; et celle qui n'a pas connu cette adorable puérilité du rien devenant un désastre, par une tension
amoureuse, n'a jamais connu la passion.

— Je vous disais, ma douce princesse, que la
beauté, incitatrice de l'amour, en est aussi la pertur-
batrice. Si je vous aimais pour vos yeux ou votre
taille, je puis, en un hasard de rencontre, on rencontre
tout à Paris, trouver mieux ou l'apparence de mieux.
Une femme n'est aimée que lorsqu'on aime mieux ses
imperfections que les perfections d'une autre. Celles
qui m'ont causé le plus d'effet en me donnant
leur main n'étaient pas les plus avantagées en ce
point; j'ai préféré une gorge fatiguée, une gorge lasse
comme celle de la grande Nuit, aux tétons les plus
ronds de la terre; et du reste, la beauté est la volupté
des yeux, elle ne donne pas au contact la proportion
de ce qu'elle promet à la vue.

— Mon adoré Nebo, je suis sage et ne vous ai pas
interrompu; une demande à votre charité n'oserait
vous encolérer; par pitié, ne me dites plus « les

femmes qui m'ont causé... j'ai préféré telle gorge », ça me fait si mal.

— Pauvre ange, — dit Nebo attendri, — sois convaincue, du moins, qu'aucune main n'aura pression de la mienne, aucune gorge caresse de mon regard, et que mon désir, qui ne veut pas ta satisfaction, du moins n'en aura jamais.

— Oh ! bon Nebo, bon Nebo, — et lui baisa le genou, puis elle se dit à elle-même, réfléchissant profondément : jamais de satisfaction !

— L'Amour grand magicien, grand alchimiste, transmute en or pur le métal ordinaire, et en la transmutation passionnelle, comme en la métallique, c'est le Verbe qui fait la projection. La beauté, ma princesse, la vraie, dont jamais on ne se lasse, qui défie toutes les rivalités, ce n'est pas celle qu'a la femme, c'est celle qu'on lui donne. Pour tout le monde, votre gorge et vos bras sont beaux, pour moi, elle palpite, pour moi ils bleuissent. Pour tout le monde, vos yeux sont charmeurs, tournés vers moi, ils sont charmés. Pour tout le monde vous avez de belles lèvres, le baiser y tremble pour moi seul ; pour tous, vous êtes la princesse, pour moi, vous êtes mon œuvre. Je n'aime en vous que votre amour ; en Circassie, j'ai eu vos pareilles, vos victorieuses rivales même.

Vos charmes, ce n'est pas la fermeté de votre sein, c'est son battement.

Ce n'est pas le galbe de vos bras, c'est qu'ils sont tendus vers moi.

Ce n'est pas la couleur de vos yeux, c'est la façon dont ils me regardent.

Ce n'est pas la pourpre de vos lèvres, c'est leur ambition des miennes.

Ce n'est pas votre couronne de princesse, c'est votre attitude de femme vaincue.

Et je vous aime, non d'être belle, seulement, uniquement — de m'aimer.

XIII

Extaticon IX

La Pudeur de l'Amour

— Vous avez, Dieu me damne, encor changé d'habit !

Ce vers du duc Laertes à Irus, Nebo le lançait en expression de son inquiétude d'une érotique et nouvelle tentation, et cependant la princesse n'avait rien que de très fermé sur elle, une veste garçonnière à manches larges et d'étoffe un peu chaude par cet été brûlant.

— Je me suis échappée, il y avait des visites chez tante et on m'aurait retenue ; j'ai mis n'importe quoi. Ah ! voilà une innovation heureuse et à mon intention, n'est-ce pas, — fit-elle en se mettant dans le fauteuil en bambou.

Oh ! ça se rallonge, même ! je serai plus sage, Nebo, là-dedans ; ce qui me rend diablesse, c'est la dureté de vos meubles, j'y suis trop mal pour m'y comporter bien.

Elle s'installa.

— Donnez-moi donc une cigarette de phéresli, mais
toute allumée.

Nebo òta la sienne des lèvres et la lui tendit.

— Puisque vous êtes si généreux, mettez-la moi
à la bouche.

Elle lui baisa le bout des doigts én la prenant.

Tout le temps qu'elle brûla, elle resta les yeux mi-
clos, souriante et sans regarder le jeune homme.

Elle avait croisé ses jambes et les bas de soie
noirs à jours, avec de longues baguettes d'or sur le
côté, modelaient le plus fin bas de jambe d'une Diane
de Pilon.

Quand elle jeta la cigarette éteinte, voyant Nebo
qui regardait ses bas, d'un geste simple elle leva
davantage sa robe et le bas du mollet parut.

Nebo fit un vague haut-le-corps d'expression am-
biguë qu'elle interpréta à son gré, disant :

— Encore ?

Nebo prit l'air grave.

— Vous trouvez que je suis impudique, ô Platonicien ; je suis amoureuse, je marcherais à quatre
pattes pour vous plaire, quoi d'étonnant à ce que je
fasse un geste qui doit vous donner du plaisir. Si
je baisse d'autant plus dans votre estime que je
lève plus ma robe ! ce n'est pas profond jugement
de philosophe. Je vous ai dans mon cœur et je refuserai à votre œil un certain point extérieur de ma
personne ; je cherche un baiser sur votre cigarette et
quand votre regard monte le long de mon bas, je lui

laisserais faire tout le chemin? Dites ce que vous voudrez de mon amour, du moment que j'aime, les pires indécences sont décentes, c'est-à-dire conviennent.

Je me suis donnée à vous, quoique vous ne me preniez pas; sans réserves de bourgeoise; la princesse Riazan ne se morcelle pas et ne garde rien d'elle. Vous m'avez pris l'âme, voulez-vous que je songe à garder mon corps?

— Paule, vous savez fort bien que la pente est glissante d'un sens à l'autre, que la vue conseille mal et violemment et que je suis...

— Théodorus de Sézannes! Admettez-vous qu'une femme donne son cœur sans l'enveloppe?

— Oui, car il y a des êtres qui n'inspirent que le don du cœur.

— Ce sont les privilégiés, vous n'en êtes pas, et cet aveu ne peut vous déplaire, ou vous mentiriez.

— C'est vrai, Paule, qu'il faut une attraction des corps, en plus de l'accord des âmes, pour une symphonie d'amour.

— Eh bien! s'il la faut cette attraction, pourquoi la combattez-vous?

— Je sais ses conséquences...

— C'est la volupté.

Et elle eut un grand soupir de regret.

— Et derrière la volupté, la jalousie, l'injustice, l'égoïsme, le soupçon; la volupté fait une chaîne de chair, et même celle-là me meurtrirait l'orgueil.

— Son orgueil ! il dit son orgueil comme je dis mon amour; j'aime mieux mon répons que le vôtre.

— Si je perdais mon orgueil, étourdie que vous êtes, je perdrais jusqu'à votre amour. Il y a un orgueil de ténèbres qui s'exhausse pour écraser autrui, celui du conquérant, du guerrier et du bourgeois : un autre orgueil de lumière celui-là, qui ne s'exhausse que pour gravir les Sinaï et redescendre raconter ses visions de Divinité et convier les timides aux nobles ascensions et y aider les faibles. L'orgueil, je l'appelle la conscience de Dieu, les vertus ne sont que les branches de cet arbre du bien et du mal. J'ai la foi, parce que je me sens le relatif d'un absolu; j'ai l'espérance, parce que mes rêves sont trop ardents pour n'avoir pas leur réalité archétype; j'ai la charité, parce qu'elle est la divine imitation de Jésus-Christ. Ma prudence ne veille qu'à sauver mon orgueil des abaissements de l'égoïsme, des humiliations de l'erreur, des affronts de la chair. Ma justice ne prétend qu'à refléter l'équité divine et à pouvoir me présenter à lui avec l'orgueil d'une vie noble. Ma force réside toute à me défendre des amoindrissements, devant mon propre idéal. Ma tempérance est encore un orgueil de rester frigide au jeu des passions et de traverser la vie d'une attitude olympienne, au milieu de la griserie de sang et de vin, qui est la vie des foules. Mon orgueil, c'est le gardien qui vous assure de mon cœur et qui vous défend de mes sens.

La princesse n'entendait point la cloche désirée,

mais sentait l'énonciation de Nebo perdre son originalité, des redites, un lieu commun spécial tout
personnel qu'il lui jetait comme un réfrigérant,
et avec moins d'autorité que par le passé. Son
charme agissait, paralysant un peu le subtil discou-
reur :

— Mon ami, un peu d'orgueil me serait-il permis?
et comme une femme ne vaut jamais que par ce
qu'elle sent, le sentiment ne s'exprime-t-il pas mieux
par le regard, le geste, que par des paroles? Quelle
phrase aura l'éloquence de bras jetés au cou?
Quel mot signifiera le sens igné d'une attitude? La
femme ne peut donc répondre à la parole masculine
que par de la mimique, sinon, elle est en infériorité.
Vous ne voulez pas de ma beauté, mais moi, j'éprouve
le besoin de vous l'offrir. En vous montrant ma
jambe, je vous dis « je suis à toi », plus pathétique
qu'en répétant « je t'appartiens, je suis ta chose ».
Mon impudeur n'est qu'une expression de l'âme. Nous
sommes à la plus édifiante distance l'un de l'autre, je
vous sers le galbe de mon bas; c'est vous tenter,
direz-vous, mais vous êtes à l'épreuve et je n'ai point
souci. Enfin, doux ami, à quoi me sert ma beauté,
si je ne la montre pas à celui que j'aime? En faisant
luire à vos yeux l'agrafe adamantine de ma jar-
retière, je suis une honnête fille libre de tout devoir
et qui veut plaire à l'être choisi, tandis que, traves-
tie en un bal select, je deviens une impudique.

Et, calmement, elle offrait aux yeux de son bien-

aimé ce genou étroit qui n'existe qu'aux dessins de
Mazzuoli et du Primatice.

— Comment! — s'exclama-t-elle tout à coup, —
vous, artiste et moraliste à la fois, vous faisiez, m'a dit
Antar, avant notre liaison, venir des filles honnêtes
souvent et vous payez pour qu'elles se dénudassent,
et lorsque celle qui vous aime et qui ne saura jamais
s'il existe un homme en dehors de vous, montre ce
que vous ne trouveriez pas en cherchant longtemps
et partout, vous sortez l'hypocrisie... cachez-moi ces
jambes que je ne saurais voir... Cela vous donnerait-il
de coupables pensées que je ne le trouverais pas mauvais, j'en reçois assez de vous, et comme la princesse Riazan respecte votre liberté, qu'elle ne vous
offusque pas de caresses, vous trouverez bon que,
l'été étant chaud et sa fantaisie étant telle, elle veuille
voir la contenance très admirable du chaste Nebo, que
son jarretage épouvante parce qu'il est haut.

Il ne dit qu'un mot et ce mot-là fit tomber, comme
par magie, la robe jusqu'au pied.

— Je trouve ce jeu vulgaire.

— Vulgaire! — s'écria la jeune fille; moi, vulgaire,
avec l'amour que j'ai au cœur, c'est impossible.

— Oh! c'est peut-être la faute de mon esprit ou le
défaut de votre souvenir. Si nous devions jamais nous
perdre, c'est-à-dire nous étreindre, il faudrait, sous
peine de ne pas saisir un fantôme de plaisir, chasser
celui du périple.

Ne vous souvenez-vous pas, princesse, qu'à l'Éden,

il y a un coin, où l'œil du passant seul voit et qui est optiquement défendu de trois côtés; ne vous ai-je pas poussé le coude au moment où une fille, d'un geste rapide, levait et rabaissait ses jupes pour allumer un officier? Eh bien! votre impudeur, née d'un noble amour, vient se salir au souvenir de la semblable impudeur de la fille. Si jamais, vous dis-je, votre déraison m'entraînait, nous ne pourrions nous substanter de plaisir, que par des inventions féeriques; les choses vues nous reviendraient hanter et saliraient celles que nous vivrions.

— Monstre! — s'écria-t-elle, — je comprends maintenant où fendait ton vouloir! Oh! c'est atroce, de m'avoir condamnée à cette obsession : maintenant je ne vais plus oser un mot, un geste, un regard, de crainte qu'ils ne vous rappellent... D'honneur, suis-je damnée à porter la peine de vos relents turpides... ...parce que des filles vous ont baisé, le baiser est interdit à la princesse. Oh! je vous déteste à cette heure, Nebo, je vous déteste atrocement... sans pitié vous me condamnez, par les plus atroces moyens, à vous obéir; vous m'avez navrée, écœurée.

Et elle s'en alla sans lui tendre la main, dans un état inexprimable de nausée morale.

— Allons, — se dit Nebo, — j'ai évité le corsage, — et il se laissa tomber sur le fauteuil que la princesse venait de quitter, avec une lassitude indicible.

XIV

EXTATICON X

Silence de Midi

Nebo venait de déjeuner, et allumait sa cigarette, quand, à sa surprise, la princesse entra es-
soufflée, suante sous une plus épaisse veste que la
veille.

— Quand vous ne déraisonnez pas en conduite, c'est
en habillement. A-t-on idée d'une pareille vêture?

L'émoi de la jeune fille ne lui laissa pas voir la même.
menace du corsage : elle haletait, et resta un moment
à reprendre haleine.

Nebo n'avait pas sa robe rouge ; il portait un maillot
de soie noire et une courte blouse de satin blanc
ouverte, sur une chemise sans col de soie naturelle,
fermée très bas dans le cou, par le signe de mercure
en platine.

— Je vais vous dire... demain je suis diversement
prise, et aujourd'hui, une cousine vient à deux
heures ; le déjeuner est l'instant où ma tante jouit de
moi, suivant son expression ; je devais ainsi passer

deux jours sans vous voir. Comme la vie vous met assez souvent en pénitence, je ne suis pas fille à l'y aider : au moment où tante me faisait demander, j'ai jeté un prétexte que Petrowna a dù réciter, puis ceci, n'importe quoi sur moi, et voilà la haletante princesse expliquée. Expliquez-moi donc les mystères de votre garde-robe; vous avez l'air d'un fiancé florentin de 1500; vous êtes très, très, très bien comme ça; et n'êtes ainsi que parce que vous ne m'attendiez pas.

Vous n'êtes pas généreux de votre beauté, Nebo.

La princesse suait abondamment, et Nebo par une imprudence singulière :

— J'estime, moi, le pudibond, que vous feriez bien de quitter cette absurde vareuse, qui vous supplicie de chaleur.

Et comme la princesse semblait hésiter, il dit :

— Voilà bien la femme; elle montrera sa jambe sans raison pour fausser une situation, et s'étouffera à garder un corsage quand l'ôtera sa vraisemblance.

Il ne voyait pas des sourires passer sur les lèvres et luire aux coins des yeux de Paule.

— Je comprends que vous n'ayez point de goût pour ma jambe, la vôtre étant aussi belle quoique un peu frêle; pour la gorge, je suis tellement plus riche que vous...

Il tourna le dos un instant rattachant un morceau d'étoffe brochée qui se décrochait du mur;

quand il ramena ses yeux sur la princesse, il fit
une exclamation complexe, où il entrait l'agacement
d'une attaque à ses sens, l'ennui d'avoir été joué, et
le trouble d'une aussi voluptueuse surprise.

Le corsage étouffant quitté, Paule apparaissait nu-bras, nu-cou, nu-seins, et si admirable que
Nebo accepta l'agression ; sauvant par un seul mot
l'érotisme du face à face, il s'assit en face d'elle, sur
un siège plus élevé, disant, avec la gratitude d'un
artiste qu'on émerveille :

— Merci !

Il croisa ses jambes, il croisa ses bras ; elle ferma
les yeux, comme sommeillante ; et un grand silence
commença.

La tombée des épaules, le plan incliné, la tablette
de la poitrine étaient beaux ; mais rencontrables dans
un bal : la merveille était le sein lui-même, qui
s'attachait brusquement et n'était pas rond comme
le poncif de la statuaire. Il s'appointait en avant,
avec une allure irréelle, héraldique, il pointait non
pas du mamelon, mais de toute sa forme, justifiant
pour la première fois aux yeux de Nebo, l'expression
de « gorge aiguë ».

Cette gorge de sphinx de la princesse, il ne la connaissait pas : le décolletage de la mode étant réglé
pour des femmes qui ont une belle poitrine, et non
pas de beaux seins, n'offre à l'œil qu'une pente de
chair piquée d'une fleur ou d'un vide qui n'est qu'un
pli : beaucoup y gagnent un joli mensonge ; et

quelques-unes, oh! très rares, y perdent l'honneur
de leur beauté. La chemise rentrée dans le corset
de satin noir, qui coupait le sein à hauteur du bouton rose, le laissait voir posé, et non soutenu.

Le sculpteur de l'Eros-Roi se plongeait dans une
admiration grandissante : il avait sous les yeux,
vivante, la gorge de la sphinge, plus belle dans la
réalité que sous le crayon de ses rêves.

L'entre-deux des seins, net et large, n'émergeait
pas sur la ligne du côté; tout le développement
allait droit en avant par une progressive dépression
du galbe. Les mamelles piriformes qu'il avait étu-
diées dans les bazars de Constantinople et du Caire,
avaient un mamelon animal et prolongé; tandis que le
bouton rose, posé comme un rubis, ne participait
pas chez la princesse à l'avancement du contour.

Sur cette forme idéale, une couleur irréelle, la peau
de lys, et les veines, les adorables filigranes bleués
donnant la sensation optique de la soie bleu pâle
sous de la vieille dentelle.

Ce ne fut qu'après une longue étude de cette belle
nudité que Nebo se souvint du cœur qui battait pour
lui sous le sein gauche : sollicité d'abord par l'imprévu plastique, il avait oublié qu'ils s'aimaient;
soudain une immense joie s'alluma en lui de se
savoir le Dieu d'un tel tabernacle.

La plus belle gorge de l'univers renfermait son
image; cette pensée lui donna une minute de bonheur
absolu: le sentimental et l'artiste furent heureux en

même temps : il éleva vers Dieu un « merci » profond, pour lui avoir permis cette réalisation.

La princesse ne rouvrait pas les yeux ; sa lèvre
humide et entr'ouverte, souriait ; heureuse ainsi de
se sentir possédée ; car, singulier effet de la tension
nerveuse, à l'instant où l'admiration de Nebo devint
amoureuse, les seins se durcirent et leur rubis
rougeoya ; quand le regard du platonicien se charnali-
sait, la gorge nue frissonnait comme sous un baiser.

Nebo aperçut cette transmission fluidique ; il
s'effraya d'en être déjà à ce point d'aïmantation,
mais le charme le reprit ; il se complut dans cette
volupté étrange où la gorge de Paule s'agitait à son
regard, comme fait la mer sous le spasme que lui
verse la lune.

Tous deux se félicitaient d'être susceptibles d'une
aussi grande aristocratie de sensations ; ils n'étaient
pas seulement de hauts esprits et de beaux cœurs,
encore des corps exquis et suprêmement distingués
parmi les corps ; comme des sages orientaux se sont
nourris de parfums, ils jouissaient des yeux.

A eux deux, ils disaient « non » aux lois de l'instinct et l'irréalité de leur situation, irréalité telle
que personne ne les eût compris, leur donnait la
sensation d'avoir rompu toute solidarité avec le
troupeau humain. Là, où presque toute l'humanité n'eût
su que s'accoupler, ils se contemplaient, jeunes,
beaux, pleins de désir, et les berçant et les domptant.
Oui, ils s'apparaissaient chacun foulant sa Bête, d'un

pied angélique, et sans plus d'effort que le *Saint-Georges* de Raphaël, qui fait un beau geste pour faire un beau geste, et n'a pas besoin de gonfler ses muscles pour terrasser le Malin : il lui suffit d'être Saint-Georges.

Telle est la puissance de l'Esprit sur le corps qui ne nous domine que par nos lâchetés perpétuelles, que bientôt la volupté s'immatérialisa pour tous les deux : la princesse n'eût plus admis qu'il posât les lèvres où il posait les yeux. Ils se renvoyaient des effluves de rêves, et se poussaient l'un l'autre vers ce haschichisme, pour tous deux adorablement nouveau : ils planaient de désir, jouant avec le feu, sans brûlure, en un tout-puissant mépris de la nature, soumise à leur volonté d'Archange.

Heure admirable qu'ils avaient fait descendre des sphères supérieures et qui leur rendait sensible même l'image d'un paradis d'immobilité.

Une accablante chaleur de juillet ardait au dehors, et ils songèrent aux oarystis, à des paysannes de Rubens dépoitraillées par la main calleuse des rustres, aux êtres qui ont une époque de rut comme les bêtes, et qui obéissent à l'appétit comme à une fatalité. Ils évoquèrent des kermesses flamandes, des noces bourguignonnes ; les faneuses renversées animalement dans les blés ; et à ces visions, le sourire de Léonard, le divin sourire de l'intelligence plissa leur bouche. Leur volupté était si rare, si subtilement voulue qu'ils s'apitoyèrent, d'un cœur royalement

bon, sur l'humanité bestiante. Jamais Paule n'avait
eu cette adorable impression, qui est tout le plaisir
du saint et du génie, de se sentir les pieds au-dessus
du front des foules : un pareil amour ornait le
monde, et revêtait de la forme angélique l'ivresse du
sexe et de la chair.

La princesse ne rouvrait pas les yeux, les seins
tendus aux regards de Nebo, à ses regards qui bai-
saient.

Après l'artiste, après l'amant, vint l'étrange occultiste ; il donnait à la gorge frémissante de Paule le
rythme qu'il faisait battre à ses propres paupières. En
clignotant vivement il voyait la gorge de la princesse
haleter à mouvements précipités ; quand il ralentissait, rendant égal le battement, les seins palpitaient
avec une lenteur grave.

Soudain il sentit une liaison fluidique se faire
entre ses pectoraux et les seins de Paule, un courant vif aller des uns aux autres : cela le rendit grave,
la pendule était à portée de sa main ; elle avait les
yeux clos, et d'un geste brusque il fit sonner une
heure. Paule sursauta, adorablement jolie en ses
efforts pour recouvrer la vision ; elle eut peine à se
lever, et chancela.

— On rêve du paradis sous votre regard, — dit-elle,
et pour se frotter les yeux, elle arrondissait ses deux
bras.

Lentement, elle remit la vareuse, prétexte à cette
heure exquise.

— Nebo, ce midi veut un semblable minuit. Je viendrai après-demain. Boudons la chair, ô mon platonicien, mais ne boudons pas le cœur. Nous ne nous toucherons pas du bout du doigt comme il convient quand on est frère et sœur, mais le Rêve face à face, le Rêve à deux cœurs, vous ne pouvez vous en défendre : Nebo, nous aurons un minuit semblable à ce midi.

Elle sortit vite, pour échapper à son désir d'étreindre ce jeune homme en blouse de satin blanc, dont le regard lui durcissait les seins.

XV

Extaticon XI

Veillée d'Amour

Dans l'impossibilité d'un recul, Nebo conjectura sans résultat ce dont le menaçait le rendez-vous nocturne.

Le baiser, un renouvellement de la tentative de Saint-Fulchran; il se sentait encore trop le maître de la situation pour redouter que Paule bravât sa défense formelle. Qu'avait donc conçu cet esprit d'amoureuse insatisfaite? Sa perspicacité ne voyait rien.

Il mit le haut-de-chausses noir d'Hamlet, une chemise de soie à canons de rubans rouges, et attendit en fumant.

Au tintement de la sonnerie, il eut la respiration coupée et aux jambes le moment paralysé de l'acteur qui va entrer en scène et qui ne sait pas son rôle.

— Gentil Obéron, Titania a choisi votre toit pour y dormir cette nuit.

— Des rêves, c'est tout ce que possède Obéron; cela suffira-t-il à Titania?

— Oui, pourvu que vous la regardiez rêver.

— Quel emploi de mes yeux, plus doux à eux, plus noble à moi, que le sommeil de ma fée.

— Eh bien! Obéron, menez-moi à votre couche.

Nebo interrogeait du regard, hésitant au sens de ce mot.

— En vulgaire, à votre lit.

— Vous voulez dormir dans mon lit?

Elle affirma de la tête. A hésiter, il perdait du prestige. Résolument, il saisit un flambeau et la précéda dans sa chambre.

Tendue de soie jaune, cloutée de clous dorés, sans aucun ornement qu'une lampe d'argent de ciselure italienne, qui oscillait à des chaînes; un prie-Dieu dans un coin, et au milieu, des piles de coussins en cuir jaune, près d'un lit très étroit, de cuivre.

— Pourquoi est-ce tout jaune, ici? — dit la princesse qui avait cependant vu cette chambre au temps du périple, la traversant pour se travestir dans le cabinet qui s'ouvrait au fond.

— Pour attirer l'influence solaire.

— Ah! je voudrais attirer la lunaire, ce soir; c'est symbolique chez vous, incommode aussi; où vais-je mettre mes chiffons pour n'avoir pas de peine à me rhabiller au jour?

Nebo la regardait avec une inquiète stupeur qu'elle ne voulait pas voir.

— Je vais vous laisser à vos aises, vous m'appellerez...

— Vous pourriez rester tout aussi bien, mais si vous

préférez être absent de mon déshabillé, absentez-
vous.

Il la salua et sortit décontenancé. Voulait-elle
tenter une décisive agression? son calme surtout irri-
tait Nebo et lui faisait prévoir quelque habile subter-
fuge qui éludait les conventions et le poussait malgré
qu'il se raidît. Quelques minutes s'écoulèrent, an-
goissées pour le Platonicien. Enfin, elle l'appela.

O stupéfaction! au lieu d'une femme dans ses
draps, il vit un page en satin blanc étendu sur son lit
non défait.

La princesse jouit de la surprise de son aimé; elle
avait mis, avant de venir, sous ses jupes, ce travesti
charmant.

En effet, il eût pu rester tout aussi bien. Un
maillot de soie blanche avec bouffants de satin, et
justaucorps du même dénudant le cou et sans une
dentelle ni un galon; ses cheveux ramenés en casque.

— Maintenant, Nebo, éteignez votre flambeau et
ouvrez la fenêtre à la lune, qui est ronde, ce soir,
comme la joue d'un ange.

Nebo obéit, puis il disposa des coussins et s'y
accroupit, le coude sur le lit.

— Eh bien! mon doux seigneur, vous ai-je bien
déplu?

— Las! ma princesse, c'est le trop plaire qui est
votre défaut.

— Je ne me corrigerai pas; le page noir qui veille
le page blanc malade d'amour; quelle jolie légende,

pour une gravure sur acier, anglaise. Comme la lune
nous regarde; elle se demande pourquoi j'ai un habit
si virginal et vous, un si funèbre! Mon Nebo, tu te
tais; si ma joie fait ton chagrin, j'y renonce. Mieux
me vaut pleurer seulette que te voir sombre, quand
je puis m'accuser de te verser ce noir sur le front.

Et elle se leva résolument.

Nebo la recoucha avec une douce violence.

— Reste, mon beau page, et ne t'accuse pas de mes
angoisses. Quand tu me verras lugubre et absorbé,
bouder à ta grâce et presque rudoyer ton doux amour,
dis-toi « il cherche à écrire le mot: toujours nos cœurs
accolés ». Ne sens-tu pas la belle chose que nous
vilipenderions, si j'oubliais un moment que nous
nous voulons pour la vie?

— Pour la vie! Est-ce assez à ton gré? La vie
n'est que le premier baiser de l'amour; cette porte de
la mort qui ouvre sur le mystère ouvre donc sur l'injustice?

— Si toute la vie je t'ai portée dans mon cœur, parce
que le viscère pourrira, crois-tu que mon cœur ne
battra pas toujours, et toujours pour toi; et si, toi-
même, tu quittes ce monde avec mon image, ne sens-
tu pas que les courants de l'éther nous porteront l'un
vers l'autre? Si nous avons à expier, Dieu qui nous a
permis de souffrir ensemble ici-bas, nous permettra
d'expier ensemble aussi là-haut. Même si tu étais
seule encore au Purgatoire, crois-tu que Notre-Sei-
gneur me refuserait de pleurer, pleurer jusqu'à ce que

je n'aie plus d'yeux ou que le feu de ton supplice fût éteint? Lors, tous deux purifiés, nous demanderons aux trois plus grands saints, à saint Joseph, patron du mystère, qui doit t'être familier, au Précurseur et à celui de Pathmos, qu'on nous laisse chanter au même lutrin. La vierge Marie ne permettrait pas que j'agonise toute l'éternité à un bout du Paradis et toi à l'autre.

— O mon bien-aimé!

Nebo avait pris la main de Paule et la baisait onguement.

— Tu vois, doux ami, que toi-même quand tu sens trop vivement, tu ne parles plus, tu caresses.

— Si j'étais sûr, mon doux ange, que telle caresse n'amenât pas fatalement à telle autre!...

— Ici, c'est moi qui t'arrête. Cette même princesse qui s'ingénie désespérément pour se donner à toi sans que tu la prennes, respecte ta volonté; et le baiser, le premier, c'est toi qui le donneras. Ceci n'est pas un défi, c'est de l'obéissance. O mon ami, je t'aime à ne plus savoir le dire!

Elle s'avança tout au bord du lit.

— Écoute une invention de ma tendresse; appuie ta chère tête sur mon sein et... rêvons.

Nebo, docilement, appuya sa joue brûlante sur la gorge de la princesse; mais la sensation fut telle, qu'il s'écarta.

La jeune fille eut un geste navré; et, se reculant, s'étendit sur le dos, l'œil perdu dans l'espace de la fenêtre ouverte.

Elle tourna la tête vers lui.

— Ne crois pas, mon Nebo, que j'ai de l'humeur, si ce n'est contre mon peu d'esprit à accommoder mon désir et le tien.

Elle se recueillit, toute à l'idée qu'elle reposait sur le lit de l'Aimé, et bientôt son visage se teignit de satisfaction.

— Ne sois pas sombre, ô mon frère; ta sœur est heureuse, — fit-elle.

Elle reprit ensuite :

— Je suis heureuse, te dis-je, d'un bonheur subtil et beau, calme comme une prière de nonne; être sur la couche de l'aimé, sous le regard de l'aimé, — oh! pour que Dieu nous laisse durer ainsi, je ne veux pas souhaiter plus avant. Songe, Nebo, que mille kilomètres nous séparent au tintement de ce minuit, que je pourrais appartenir à un homme inaimé qui s'appelle un mari. Oh! l'horrible pensée! Qui dira le nombre des forçats du mariage à cette heure; comment ne s'étouffent-ils pas au lieu de s'étreindre! ceux qui ne s'aiment pas, s'ils ne peuvent se fuir.

Elle se dressa secouée d'émotion :

— La jeune fille qui se refuse à l'amour véritablement rencontré, sait-elle à quoi elle renonce? A-t-elle conscience de la ridicule compensation que le monde lui donnera, en échange de son désistement d'amoureuse? L'honneur d'une femme, ce vase fragile d'une pâle fleur qu'il faut protéger d'une trame habile et hypocrite ou bien arroser du plus pur de son sang, vaut-il d'être conservé encore, quand on a trouvé des pieds assez beaux pour l'y effeuiller!

— Ah! chère amante, vous croyez que toutes les femmes sont princesses, c'est-à-dire riches, car on ne fait de l'amour qu'avec de l'or, et l'ironique destin ne donne presque jamais une bourse pleine aux grands cœurs.

— Pouvez-vous mêler la question d'argent au sublime don de soi-même, fait à l'Aimé ?

— Vous rêvez, je crois, et perdez conscience de la terre et de la vie qui s'y mène. Malheur, malheur au pauvre qui aime; l'amour est un luxe, le plus fou.

Que j'aie moins d'or, et pour entrer dans ma chambre vous auriez été dévisagée insolemment par une concierge, ou bien nous serions dans un garni où une descente de police vous demanderait votre nom! Que j'aie moins d'or, et au lieu d'être vêtu du costume de la fiction, voyez-moi en chemise déchirée, en souliers trop grands, et que la princesse Riazan soit étendue sur une paillasse? Aimer sans or c'est aller au combat sans épée; figurez-vous que vous êtes, madame Nebo, condamnée par la Faculté; l'unique espoir réside en des changements successifs et opposés de climat et veut des consultations de sommités médicales, l'une de Pétersbourg et l'autre de Leipzig, et monsieur Nébo n'a que six mille livres de rente, Ah! plutôt que l'amour misérable, point d'amour! A moins d'être très simples de nature, d'émigrer avec un rifle, et d'aller disputer au jaguar et au boa sa vie dans les pampas! Pour les lys, ceux d'entre les êtres qui ne savent filer et faire œuvre servile, qu'ils étouffent leur cœur, ce sera moins de douleur que le saignement perpétuel de l'être aimé.

Comprenez-vous la *Portia* de Musset? Encore, est-ce un pêcheur; faites de Dalti un bureaucrate ou un modeleur industriel. Oui, vous allez me donner la réplique de l'heure enthousiaste, parce que vous n'avez jamais songé à ces choses et qu'elles ne pourront pas exister pour vous.

Vous êtes libre, Paule, et vous passez la nuit chez l'homme aimé. J'aurais pu vous rencontrer plus tard, vous rencontrer mariée.

— Même pour n'être que ta sœur, j'aurais tout quitté et je t'aurais suivi.

— Enfant, si je n'avais pas eu à te donner même la vie bourgeoise, te vois-tu, ô princesse, raccommodant les chausses de Nebo. Figure-toi une seule pièce, où nous mangeons, où nous couchons; vois le poêle qui entête, les loques qui traînent et pas une robe pour sortir! Ah! ce tableau-là arrête la protestation, n'est-ce pas?

Un singulier souvenir me revient.

Et le jeune homme se leva, et marchant par la chambre:

— Elle avait trente ans, épouse et mère exemplaire quand vint LVI, le vainqueur, l'être irrésistible et qu'on suivrait dans le feu et sous la foudre, et qu'on suit jusque dans le crime et par la boue : il

vint dans cette vie luxueuse, sans or. Que fit cette
amante? elle se prostitua. Oh! à quatre seulement; et
depuis dix ans, ils vivent heureux, dans un petit
hôtel de l'avenue du bois de Boulogne; et je connais
la femme, elle n'aura jamais de remords. Il y a des
aspects où l'adultère, un certain adultère, arrive à une
coupable plausibilité que Boccace a très subtilement
indiquée dans une phrase, à propos du Dante; le
riche est destiné à orner la femme d'exception pour
l'amour du rêveur, Las! que devient la morale quand
l'esthétique la barre : n'est-il pas aussi important
qu'une femme soit belle, que si elle est chaste.

Sa beauté sera peut-être une source féconde d'aspirations et même d'œuvres; mais sa chasteté satisfait à l'œil des anges. Ah! Paule, il y a des instants
où l'esprit comme un aigle aveuglé, tournoie et roule
dans l'espace sans plus sentir s'il monte vers le soleil
ou s'il descend vers la terre.

Il s'agenouilla près du lit, joignit les mains et,
comme s'il eût prié, très doucement, il soupira :

— Je t'aime, mon beau page...

Le frisson de cette parole courut sur la princesse,
elle se tourna vers lui câline, et l'œil humide.

— Tu m'aimes et tu m'as — et tu n'es pas heureux!
La prévision du demain t'empoisonne aujourd'hui; tu
repousses la coupe enchantée à l'idée d'en voir le
fond! Tu veux avant de t'enivrer, être sûr que
l'ivresse sera éternelle, et parce qu'il est momentané,
tu ne crois pas au plaisir. O mon Nebo, ne te laisse

pas glacer aux théories froidissantes, filles de l'esseu-
lement et fausses comme tout ce qu'enfante la solitude d'un esprit; ne te dupe pas du fantôme d'une
contestable grandeur, et vis les heures heureuses à
mesure qu'elles sonnent! Tu me sembles un Adam
qui ne voudrait toucher à aucun fruit de l'Eden, de
peur d'en être un jour sevré. Tu as vu l'amour tôt
finir, mal finir; et toi, le courageux, tu ne veux pas le
commencer. Oh! ce ne sont pas mes nerfs tendus qui
s'expriment à l'instant que je parle, je ne te désire
pas en chair; par une sublime harmonie, ma tendresse s'épure et va au devant de ton vouloir, comme
une douce fiancée, et je crois enfin t'aimer comme tu
veux, n'est-ce pas?

Nebo lui baisa longuement la main qui devint moite
de plaisir.

Elle eut soif, le jeune homme sortit de la chambre
solarienne et, quand il revint, Paule avait quitté le
haut-de-chausses et la veste; et sous le maillot de
soie blanche, elle était comme nue.

Elle but, et lui rendant le verre :

— Maintenant, mon ange, souviens-toi de ta puissance; je veux dans toute ma beauté, que le sommeil
me prenne et que ton regard me berce.

Elle étendit ses bras ouverts, et, les paupières
closes, souriante, elle ne remua plus.

— Tu cherches s'il n'y a pas une embûche dans
cette exposition de mes formes secrètes, en ce dévoilé
du giron; non, frère, ta sœur veut que tout son être

t'ait appartenu, et puisque seuls de tes sens, tes yeux m'acceptent, en cette dernière impudeur, je me donne à eux... toute.

Nebo lui posa sa main sur le front et l'y laissa jusqu'à ce qu'elle dormît.

Alors, il admira le genou comme il avait admiré la gorge; l'artiste s'enivra des lignes pures et nobles de ce ventre effacé.

— N'aurais-je pas d'autres devoirs, elle est trop belle pour être possédée.

Il se mit à genoux, appuya ses mains jointes sur le lit, et il veilla et il pleura toute cette veillée; jamais il ne l'avait tant aimée : en lui l'ardeur de la passion se traduisit magnifiquement par des oraisons vibrantes de ferveur, il demandait à Dieu de faire grâce à cet ange qui lui souriait en rêvant.

Quand l'aube vint pâlir, avec les dernières étoiles, la veilleuse de cette nuit d'amour, plus pâle encore était le jeune homme, mains jointes, les yeux mouillés et à genoux.

XVI

Extaticon XII

Possession sentimentale

Tout le temps qu'il avait combattu le désir entêté
de sa princesse, Nebo s'était senti fort devant elle;
elle obéissait, et, désarmé par cette docilité, semblable à un fantasque qui aurait voulu être aimé sur
le Gaurisankar, et qui demanderait lui-même à descendre de cette altitude de passion éthérée négatrice
de la chair, de ces neuf mille mètres au-dessus de
l'humanité, son amour aigle las d'immensité fermait
son aile : son fécond esprit n'apercevait pas un sommet au-dessus de cette veillée d'amour.

Au-delà, il n'y avait plus que le grand vertige de
la bilocation, les projections du corps astral et le
terrible jeu de l'extase.

Il avait créé plus qu'un androgyne, un génie inter-
médiaire entre l'homme et l'ange; mais Prospero
aimait Ariel!

A quoi l'eût-il employé? à de l'ambition; il ne voulait de la société que son indifférence; à des passions,
elle se groupaient toutes en couronne au front de la

jeune fille sublimée ; à son devoir, il ne s'en connaissait qu'envers le Dieu qui défend qu'on soit servi
par un ange, alors qu'on n'est pas saint. Néanmoins,
se pensée glorieusement répondait au défi de Mérodack.

Avoir inoculé sa volonté à ces vibrantes veines
bleues ; régner absolument sur l'être le plus beau et
le plus fougueux dans sa beauté, c'était le grand
œuvre réalisé, si profitant du volontaire vasselage
de cet être, il l'eût mis dans l'impossibilité de lui
désobéir, en lui ôtant son vouloir. Il le pouvait,
il ne voulut pas mêmement que Dieu : le Créateur,
laissât à sa créature la faculté de lui dissembler, d'enlaidir et de se refaire à l'image de la brute.

Iavhé ne souhaitait pas que de vivantes Cariatides
de son trône éternel ; il ne vit de divin et digne de
lui que l'hommage libre et conscient de l'âme : il
voulut que l'homme, ce Christophore, cherchât à
travers la création et la rose des vents d'aspirations
qui soufflent sur le mortel ; il voulut que la créature
à demi matérielle, après mille vaines tentatives de
bonheur, ayant servi sous ces durs seigneurs qu'on
nomme Vices, vînt à lui l'immatériel, l'unique
Soter.

Nebo concevait Dieu si hautement, qu'en magie il
ne le nommait pas ; n'osant, méditatif, mettre un
nom sur le nombre absolu, le un dont tout n'est
qu'un reflet de lumière, condensé en forme de vie ; et
par une ambition icarienne, il se haussait jusqu'à

l'imitation des desseins de Dieu, imparfaite, dérisoire, belle cependant comme tout ce qui s'élance et monte, flamme, regard ou pensée.

Au point de possession morale où il tenait la jeune fille, il pouvait, sans qu'elle souffrît, sans qu'elle cessât d'être heureuse, lui faire une opération morale dont le mystère n'a jamais été écrit par ceux qui l'ont pénétré : et le téméraire, scélérat ou fou qui jetterait ce secret dans l'océan de la foule, serait immédiatement frappé par les anges, si les derniers du Temple manquaient à leur devoir. La châtrer de son libre arbitre; lui faire l'ablation de sa personnalité, la transformer au moral en un eunuque incapable de lui désobéir; mais ce pouvoir qui ne nous est jamais donné qu'à un moment toujours très bref de la passion, celui où l'être aimé se complaît dans le *perinde baculum ac cadaver* et où il désire être absorbé par l'Aimé et se dépersonnaliser en lui.

Cet état le plus glorieux à susciter, si semblable, malgré son moteur mortel et imparfait, au phénomène de l'ascétisme chrétien et hindou, ne dure pas : voluptueux spasme de l'entité qui abdique, ivresse d'inertie et de passivité, s'il n'est pas exploité, maintenu, fixé par une volonté colossale, jouant avec maîtrise aux grandes orgues de l'harmonie des Normes; cet état se résout réactivement en positivité victorieuse; c'est un peu en l'ésotérisme légendaire, cette heure, ce coup de minuit, qui sonne séculairement, où le Dragon endormi ne défend plus le trésor, livré à la discrétion de l'audacieux qui arrive s'en emparer.

Nebo avait écouté le sablier écouler les grains de propicité sans jeter l'emprise d'un amant et d'un frère, sur la femme, la sœur adorée : et maintenant, sans regret, il mesurait l'étendue de son renoncement, la loyauté de son amour qui laissait, inutilement miroitantes, les armes enchantées dans la pénombre dédaigneuse de son esprit, méprisant l'hommage involontaire d'une âme serve, et voulant être l'Aimé comme l'est le pape, par la génuflexion du fidèle, gratuite et faite de soi.

Ce qui réduit les couronnes à poudroier devant la tiare, c'est la liberté du catholique romain, restant romain par amour et libre sans difficulté ni crainte de se dégironner. Ainsi Nebo voulait ne tenir son amante que par un libre amour; s'apercevant que la puissance magique, si chère à acquérir, n'est presque jamais employée par celui qui l'a acquise avec d'indicibles efforts; le cœur, béatifiant à recevoir, n'est à prendre qu'un muscle; et employer le narcotique de l'âme est d'un aussi pauvre orgueil que le viol.

Revenant, après la veillée d'amour, Paule lui tendit son front qu'il baisa.

Un calme singulier succédait à la fiévreuse attitude ; la princesse se sororisait, inconsciemment.

Dans le petit salon où il la recevait cette fois, un

tête à tête, ce meuble si propre à magnétiser ou à flirter et qui est la curiosité du mobilier actuel, fit s'écrier Paule :

— Vous vous efféminez, mon frère; de la cathèdre de bois dur nous venons à des peluches; c'est tant mieux pour ma douillette personne, et comme une récompense de ma sagesse, n'est-ce pas?

La bergère, la causeuse, le sofa laissent l'imagination concevoir les faiblesses complètes; le tête à tête signifie l'amour à mi-corps; mais avec de telles complicités! Entrant chez une femme dans cette situation, on ne peut voir qu'à ses lèvres et à ses yeux, si la porte en s'ouvrant n'a pas coupé un baiser.

A se pencher un rien, les bouches sont aux bouches et les postures étant précisées et forcées par la forme d'une S, chacun n'a qu'à rejeter un peu la tête en arrière, à la brusque entrée du mari ou d'un domestique.

Le nom de l'inventeur devrait être conservé, car c'est le plus joli confessionnal d'amour sauveur du désir dans les situations les plus inquiètes.

La princesse assise, une main posée sur le tournant du meuble serpent qui enlace licitement et affronte les visages en s'opposant aux promiscuités inférieures, regardait Nebo avec une intention soutenue.

— Vous êtes beau, mon ami, d'une beauté qui s'augmente à l'examen; votre pâleur blondit depuis que vous laissez croître vos cheveux; vos yeux ont une continuité de regard, d'une douceur qui subjugue parce qu'il y a mélange de grâce et de force en leur expression double; froide à tous, chaude à moi; et vos lèvres, du corail qui serait mou, vos lèvres me rappellent :

Sa bouche, seuil divin meurtri par les baisers.

Sous le nez arqué des grandes races commanderesses et au-dessous de ce bas de visage mystique d'étroitesse, la bouche s'ouvre, fruit sanglant et trop mûr, d'une pourpre humide avec des moues adorablement sensuelles.

— Adorable panégyriste, mon âme est belle — par son aspiration vers vous avant de vous avoir rencontrée; maintenant parce qu'elle devient le sanctuaire où vous êtes honorée.

— Mon madrigalier, depuis la soirée de l'hôtel Vologda, vous avez embelli et tante et tout le monde dit même chose de moi-même; magnifique preuve que nous sommes bien la paire admirable : l'Amour nous fait beaux, et nos flammes spirituelles reverbèrent la splendeur de nos cœurs jusque sur nos corps.

Elle reprit bientôt :

— Je commence à sentir l'ivresse de la possession mentale, qu'étouffent les spasmes, aux vulgaires amours.

Le silence du corps obtenu, la bête enchaînée, il se fait dans tout l'être un religieux silence d'oraison où l'Aimé resplendit comme une hostie. Nous nous pénétrons bien plus avant par nos regards qu'en des étreintes; et si la sensation est moins vive, elle est perpétuée et d'un ordre où l'orgueil se satisfait mêmement que le cœur. Nulle menace qu'un événement nous sépare; le supposant, nous emporterions chacun, de plus durables impressions que si nos corps s'étaient pressés. Oui, Nebo, voilà l'initiation sentimentale, aimer un être jusqu'en son mode d'aimer, et n'avoir son plaisir qu'à complaire.

A ton Verbe, je me sens métamorphosée, une soif de renoncement m'altère; crédule et fanatisée, vous me diriez : « Voyons-nous moins, je t'aimerai davantage, » je vous croirais. Certes, les joies de la présence sont seules joies, cependant une autre austère et grandiose consiste à se dire: « je sens et je fais ressentir un tel sentiment, que ni l'absence, ni les torts, ni la vie, ni la mort ne l'affaibliront jamais. »

Cloués chacun à un des pôles, nous serions désespérés; nous aurions encore notre amour! nous nous sentirions mourir de cette impossibilité de se voir et de se toucher, la plus atroce! privés de regards, de caresses, de paroles nous ne serions pas privés d'amour! Oh! Nebo, je l'ai retenu, et je te le répète du plus intime de moi, le crédo des Androgynes :

« Absents ou présents, nous nous souviendrons que nous avons nourri ensemble ce chef-d'œuvre passionnel : une communion nous lie, autrement

étroite que celle qui unit les pères et mères des enfants, selon la nature!

« Oui, nous sommes enchaînés par le plus indes-
tructible des amours, nous qui sommes en commu-
nauté du plus haut sentiment et des plus immortelles pensées. »

Sa main qui tenait le poignet de Nebo s'avança
dans la manche; et ce contact réveilla le volupté un
instant omise; le jeune homme se penchait vers elle,
la baignait d'œillades aimantes; elle se pencha aussi:
attraction où leur plaisir se masquait d'un défi jeté
à leur chair, ils échangeaient leur souffle, des baisers
tremblaient sur leurs lèvres, des baisers qui ne se
donnaient pas, mais qui échauffaient leur haleine et
la rendaient brusque et courte.

Les yeux dans les yeux, se respirant l'un l'autre,
la main de la princesse crispée sur le bras nu de son
amant, ils n'entendirent pas sonner l'heure; hors du
temps, hors d'eux-mêmes, ils se pénétraient d'un
fluide extasié.

A peine si Nebo put faire dévier sur sa joue le
baiser qui visait ses lèvres : Paule resta un moment
étourdie à redescendre du diapason nerveux où elle
était montée; puis, très grave, l'air raisonnable, elle
lui tendit encore son front, fit une fausse sortie,
et revenant se poser devant le jeune homme :

— Mage, fais des charmes; sinon nous n'irons
pas loin sans baiser... et c'est toi qui me le donneras.

XVII

Extaticon XIII

Cœur contre Cœur

Être las est plus triste qu'être vaincu. La défaite que nous infligent des adversaires favorisés ou de formidables événements nous laisse encore vibrant; l'entité garde toute sa grandeur, lorsqu'elle tombe sous le nombre senestre des hommes ou des forces : Judas Macchabée écrase Bacchides, son vainqueur! La lassitude, cette déficience de l'âme, ne peut rien accuser: arc non brisé, détendu ; épée non faussée, détrempée; parfum non répandu, évaporé; ressort non cassé, insuffisant, l'âme lassée, s'avoue impuissante; aucun tremplin ne la fera plus rebondir; inerte au taon, rebelle au stimulant, inappétente et qui se traîne, elle oublie son but d'amour, de vertu ou de gloire.

Quelle humanité en cette parole de femme à un amant, après de longs mois d'absence et d'impropicité : « Non, je n'ai plus envie de toi, je t'ai trop longtemps et trop vivement désiré : j'ai usé mon désir : la volupté ne nous viendrait pas. » Celui qui

scrute un bal de l'œil psychique aperçoit un tel croise-
ment d'attraction, une si grande fomentation
sentimentale qu'il croit voir une assemblée de pro-
chains amants. Peut-il suivre dans la vie intime la
plupart de ces couples formés par un désir d'a-
mour, pas un ne demeure souvent. Il faut tant d'âme
pour aimer, et l'amour est si ennemi du repos que
les êtres moyens se rendent non à la vertu, non au
devoir, à la seule lassitude.

Comme les véritables amoureuses se rencontrent
parmi les mal mariées, la souffrance, plus encore que
l'expérience, les fait hésiter et rétrograder. A ce moment de trente-cinq ans, où la femme a fait le plus
dur de son devoir, elle hésite à risquer le bénéfice de
quinze années de résignation conjugale, sur la carte
souvent biseautée de la passion. Un vaincu est encore
combattant; las, on se rend.

Or, Nebo se lassait de dérober ses lèvres au baiser
de la princesse; le perpétuel souci de cette défense si
difficile, quand on veut rester décoratif et qu'on
aime, lui harassait l'esprit; il s'accoutumait à cette
idée et ce n'était pas la volupté qui le faisait faiblir,
c'était la fatigue d'un homme que la tension d'esprit contre la chair ennuyait. On n'imagine pas
l'importance du bâillement dans le déterminisme
amoureux. Des femmes cèdent pour se débarrasser
de la physionomie souvent grotesque et obsédante
de l'homme qui les désire; d'autres désaiment, sans
avoir perdu une des raisons de leur amour; le tracas

des billets, des rendez-vous, les soins de prudence, les fatiguent.

Don Juan expérimentateur donnerait, après un peu de flirtation, le degré et la durée de tension désireuse dont une femme est capable; seulement, chez la femme, la tension érotique est inséparable de l'enthousiasme sentimental; la vertueuse refusera même le baiser sur le dos de la main que permet la dame de Clochegourde à Vandenesse; cependant si l'idée de ce baiser n'éveille pas imperceptiblement ses nerfs, on n'a rien d'elle qu'une amitié d'homme raisonnable, dévouée peut-être et sans grâce. Nebo s'était flatté de lasser le sexe de Paule, de le débouter de ses fins à la veillée d'amour; la douce illusion de ce prodige était apparue, sitôt après dissipée. En son désir d'être l'androgyne souhaité, elle se dupait elle-même, et la moindre circonstance de leur contact les ramenait à la question volupté, où l'espoir de l'un désespérait l'autre: et comme en passionnalité on ne fait d'équilibre qu'avec des diminutions d'ardeur, Nebo percevait enfin que le jour où la princesse ne le désirerait plus, elle ne sororiserait pas. La fatalité sexuelle se dressait, inéluctable, et Sisyphe du platonisme, damné à perpétuellement remonter les sens de la jeune fille dans son cœur et sa tête, jusqu'à une sensation inévitablement engendrée par l'intimité qui allait venir, violente et renverserait son édifice.

Ce grand esprit se résolut à une concession, il crut qu'une seule caresse, celle qui les contient toutes,

le baiser, suffirait à le **sauver** de la bête mon-
strueuse.

La princesse le surprit en ces pensées; toute **en**
rose, elle tenait un lotus épanoui, dégageant cette
fraîcheur de peau, si délicieuse de la femme qui sort
du bain.

— Il y a un peu de mon parfum et de mon arôme
en cette fleur sacrée, épanouie dans ma baignoire et
séchée entre mes seins.

Nebo baisa la fleur et la main qui la tendait.

— Ceci est la scène de la reine Scheba visitant
Schlomo; seyez-vous, nous allons nous proposer des
énigmes.

— Bon Nebo, je n'ai point de temps, j'accours
mirer mes yeux dans les vôtres et vous dire que
j'aime un très bizarre personnage, qui daigne à peine
se laisser aimer.

— Oh! cher Ange, vous mêlez un reproche à votre
jolie tendresse... ne discutons pas, soyez généreuse;
aujourd'hui, vous êtes irrésistible et je me refuserai
à chicaner avec une si rayonnante princesse.

Elle s'approcha de lui :

— Tu me trouves jolie?

— Au delà du vraisemblable, vous êtes jolie à n'être
pas vraie.

— Il m'en faut profiter; croyez-vous que je serai
jolie encore ce soir?... Eh bien! invitez-moi à souper...
Dis, Nebo, veux-le... je le voudrais tant.

A son étonnement, Nebo ne se rembrunit pas.

— N'avons-nous pas, maintenant, ô la plus chère moitié de moi-même, une même volonté, ne sommes-nous pas?...

— Quoi? dis? que sommes-nous?

Elle lui prit la taille, qu'il avait souple et un peu hanchée pour un homme; le contact vague de la chair sous la soie lui donna un petit rire nerveux et presque muet.

Involontairement, le jeune homme la ceintura de ses bras et la princesse se serra contre lui, y adhéra de cette insertion d'un corps amoureux qui se moule sur l'aimé, pour l'envahir; elle coucha sa tête sur son épaule, évitant ainsi l'inévitable baiser.

Jamais encore pareille joie n'avait lui pour Paule; les yeux clos, l'oreille bourdonnante, battant des pointes de sa gorge la poitrine de Nebo et se vrillant à lui, elle était agitée d'un tremblement fiévreux: son enlacement, par saccades, se crispait. Nebo, sous l'échauffement de cette amplexion, gardait la faculté de voir et d'admirer le groupe qu'ils formaient ainsi debout et accolés; effrayé du danger de ces embrassements, le baiser lui apparut, le seul compromis possible de l'adelphat. Malgré l'effluve enivrant qui le baignait, il ne relâchait pas l'étreinte, à l'étonnement de la princesse; il attendait qu'elle tombât dans l'inconscience érotique, qu'elle la traduisît par un mouvement involontaire, bestial; il voulait mesurer le tempérament et s'instruire du point précis d'excitation où la femme oublierait la princesse.

Elle ne s'oublia pas : soit que sa divination de passionnée la maintînt, soit que la tension de l'âme jugulât
la bête, elle resta digne et noble de tout le corps, et
se dégageant par un effort infiniment douloureux,
titubante de cette griserie d'un contact, les yeux
troubles d'avoir été fermés et moralement désorbités
sur un horizon Édenique, elle s'en alla, avec une
expression qui disait à Nebo, pour le souper :

— Tu le vois, je suis sage, ne te défends plus de
mes lèvres.

XVIII

Extaticon XIV

Les lèvres de l'Androgyne

L'indifférent de Watteau, le délicieux pèlerin de l'Embarquement pour Cythère, soupira si fort de ne se plus réincarner, que l'archange qui, au domaine de Malchut, préside au joli, le seul qui ait encore un peu à faire, en une civilisation désormais insusceptible de beau, l'exauça, en le féminisant.

Le tricorne aux ganses d'or fut remplacé par un bicorne minuscule, posé de côté sur une perruque poudrée, à catogan battant la nuque.

Le justaucorps disparut; une fine chemisette fendue découvrit la poitrine; en prenant les hanches et montant jusqu'à la gorge pour la soutenir, une tayolle de foulard s'enroula plusieurs fois, piédouchant le buste et finissant par un pan à crépines d'or.

Succéda à la culotte, un pantalon de velours noir épousant le ventre et la croupe, collant jusqu'au genou et s'évasant à la mexicaine sur un pied chaussé de bas roses à coins d'or, pris en un mince et très découvert escarpin verni.

Une veste de velours noir, s'arrêtant au milieu du dos, aux manches moulant les bras, les mains dans ses poches : adorablement pervers, le nouvel androgyne était né, avec sa démarche onduleuse où se retrouve quelque chose de la danse du ventre, et le vif d'une allure de page. Un mouchoir tordu au cou nu, tel apparut à Gavarni le débardeur immortel, telle la princesse apparut au Platonicien.

— O chère devineresse de mes secrets désirs, qui les réalisez plus bellement que je les conçois..... s'exclama Nebo, quand d'un waterproof avait jailli ce merveilleux débardeur.

Elle avait le ton et les mouvements de son costume.

— Je ne me récrie nullement, Nebo; il y a des heures où je me plais, au point que je ne me résisterais pas à moi-même; oh! la baroque proposition et véridique : si je pouvais me faire la cour, ma vertu ne tiendrait pas longtemps.

Et redevenue mélancolique, subitement :

— Que ne puis-je être le débardeur de votre incurable tristesse, que ne puis-je, avec tout l'effort de ma beauté, avec tout le sens divin de mon amour, décharger votre chère âme de toutes les prévisions noires, de toutes les sinistres évocations de demain et vous voir rire! Ce doit être bon de rire comme des enfants, de rire puérilement, et je ne vous vois pas ainsi. L'esprit gaulois, tout le champagne qu'on lampe ce soir, à Paris, ne vous le communiquerait pas! Ah! à propos, avez-vous du champagne?

— Frappé?

— Non, je veux être folle ce soir.

Et sa pensée déviant :

— Un bas-relief ogival, à je ne sais plus quelle cathédrale, les montre, les vierges sages, avec leur lampe
pleine d'huile, les vierges folles... Quelle pitié dans ce
dire : folles de leurs corps... Les Aristes, comme vous
nommez les exceptionnels, sont-ils dépravés, qu'un
démon de la contradiction les fait pleurer à la farce
et rire au drame; quand brâme le premier rôle persé-
cuté, je ne vois que le ridicule de son malheur, et les
sourires tristes de Marivaux me mouillent les yeux.
Aux dramaturgies de Ribera, je me sens froide et
l'*Embarquement pour Cythère*, me saisit le cœur d'une
vague, indicible et plaisante tristesse. Où est la supériorité, entre le Roy d'Yvetot ou le Chrysalde et le
Jacques ou autre concettiste sentimental de Shakespeare?

Écoutez l'opinion, non pas celle que font quelques
caillettes et autant de mondains, mais l'écrite, la
signée des noms qui signifient penseurs : il y a à peu
près balance, les uns rabelaisient et ne demandent
à la vie que des matérialités, boire frais; les autres,
incurablement navrés et méprisant le possible, tendent
leurs bras vers la Chimère. Où sont les sages, où sont
les fous?

— Demandez pourquoi la chouette veille et voit,
quand les autres oiseaux dorment; pourquoi les pois-
sons représentent les formes avortées, l'absolue lai-

deur de la création animée tandis que le félin nous humilie de sa splendeur?

L'humanité, c'est-à-dire la collectivité de l'espèce humaine, la série immortelle a son échelle : à chaque degré, l'instinct varie. Il y a des hommes qui planent, d'autres qui rampent; il y a des pélicans et des tigres; parmi nous se trouvent l'homme de trait, l'homme de luxe, le crapaud utile et laid, l'oiseau de paradis inutile et magnifique. L'antiquité, dans le plan social, suivait le plan divin; depuis l'ère moderne, l'anarchie s'est établie et cette anarchie, hélas, s'étale dans l'enseignement même de l'Église. Qu'un Chateaubriand, un Lamartine, un Hugo, un Balzac, dise au Sacré-Collège : « Donnez-moi l'horizon qui convient à un aigle », le Sacré-Collège lui répondra : « Je ne peux rien vous donner de plus qu'au dernier des curés : aigle vous êtes, soit, mais nous n'avons qu'une même nourriture pour l'homme bovin et l'homme léonin ». Les nonces, Czascki, comme di Rende, ces prodiges de cautèle, ne croient pas qu'il y ait lieu de s'attacher les intellectuels, ils comptent le catholicisme par tête, dans le plus profond dédain de celles qui dépassent. Deux dévotes valent un d'Aurevilly, pour un nonce! Elles valent mieux, elles obéissent sans juger, et rentrent dans [cet idéal d'une chrétienté tellement souillée de protestantisme, qu'elle ne peut plus s'appeler catholicité. Quand l'Église luthéranise quelle lumière possible?

Avec l'exergue égalitaire, peut-on légiférer que

l'homme-pélican a droit au respect de tous par sa charité, et le paon droit à vivre à l'état ornemental sur un perron, par son plumage? Les optimistes sont les carpes humaines, car l'optimisme, c'est la bêtise, c'est-à-dire l'état voisin de la brute; suivez-les ces pessimistes, les grands regards éperdus devant le mystère, les âmes aux ailes éployées pour les destinées supérieures dues à leur essence héroïque et qu'ils pressentent et qu'ils attendent fiévreusement. La folie de la croix, voilà la suprême sagesse. Quand se déchire ce grand voile qu'on nomme la mort, on entre dans la réalité de ses rêves, on a l'exaucement de sa prière ou de son blasphème...

— O combien courte ma prière! c'est ton nom.

— O chère, chère, chère...

dit-il en lui prenant la taille et l'entraînant ainsi dans la pièce où les couverts étaient mis l'un à côté de l'autre, avec une causeuse pour unique siège.

— Tu veux donc m'emparadiser; tu veux donc me faire raffoler de joie.

Et elle prit la tête de son amant dans ses mains, et grave :

— Ta moindre tendresse me touche si profondément, que si tu m'en faisais trop... je te dis des choses insensées, je les sens; je les vis, ces insanités là... si brusquement tu m'accablais d'expressions d'amour, comme ferait en ton lieu, tout autre... tu me tuerais...

Un léger sourire brilla dans les yeux de Nebo.

— Tu ne vois donc pas, ô mon lynx de métaphysique, que je suis arrivée à une sensibilité maladive;
ton regard seul me saoule, la rencontre de ta main
suffit à me remuer toute, je m'évanouirais pour un
rien; tu es mon dieu, je te touche, toi Dieu, et tu t'é-
tonnes qu'une caresse divine puisse foudroyer.

— Pour que notre amour soit béni, que son encens
le plus pur monte vers Celui qui t'a fait un cœur si
beau! Ne m'appelle pas du nom de l'Absolu, moi qui
me sens l'âme humble devant ton âme.

— Tais-toi, tu te blasphèmes...
fit-elle.

Le vieux domestique entra portant des plats, et
rompit leur exaltation, car le jeune homme ne résistait plus à cette éloquence, où les paroles étaient
pâles et sans accent auprès de l'expression de tout
le corps qui les rendait surnaturelles et irrésistibles.

Nebo était vêtu d'un maillot de soie grise avec
haut-de-chausses de velours rouge et veste de satin
rouge ouverte sur la chemise de soie arabesquée d'or.

— Il y a un verre de trop, un couvert de trop, nous
ne sommes qu'un.

Elle les ôta de la table, servie en vaisselle plate,
éclairée par vingt bougies aux appliques du mur.

— Chère, — observa Nebo, — accordez-nous la
dualité des fourchettes et des serviettes.

— Non, — fit-elle joliment despotique, — je n'ai
faim que de ce qui aura touché vos lèvres. Nous

sommes ici pour manger comme on est au bal pour
danser.

Elle s'assit en s'exclamant sur l'étendue de la causeuse et résolument se colla à Nebo, grise d'une griserie anticipée; il eut beaucoup de peine à obtenir
de n'être pas empiffré comme un oison.

La princesse sentit que ce joli enfantillage de
donner la becquée à son amoureux ne convenait pas
au genre du sien.

Elle refusa résolument le champagne frappé aux
fruits.

— Paule, ma mie, si vous vous grisez, je vous
enivre.

Celle-ci, aussi crâne que son costume, emplit la
flûte, et pour lui prouver que rien ne marquait plus sur
elle des tableaux de dégoutation, elle parodia avec la
conviction de son amour, l'étrange folie de la fille de
brasserie, au cours du périple.

— A tes yeux, Nebo, à tes lèvres, à tes bras, à tout
toi...

Brusquement, elle bouda, lançant à la cantonade :

— Les Kharites vainement essaieraient de l'émouvoir; j'aime un cerveau, rien qu'un cerveau.

— Qui vous prend la taille, ce qui est peu cérébral,
fit-il en actionnant ses paroles.

— Oui, pour une minute.

— Je croyais, ma princesse, que nos minutes va-
laient des siècles.

— Elles les vaudraient, si...

— Si?

— Vous savez bien que mes lèvres ont une autre envie que de causer.

— Les miennes aussi. Prenez, ou plutôt prenons de ce chaufroid.

— Non, donnez-moi une fraise.

— Une seule?

— Oui, mais donne-la-moi... bien.

Il en choisit une et l'écrasa sur les lèvres de Paule, qui lui lécha les doigts.

— Encore une?...

demanda-t-elle, et se renversant un peu sur lui, elle mordillait ses doigts.

Ils se puérilisaient en ces adorables riens que l'énonciation n'évoque pas et qu'il faut avoir vécus pour comprendre ce qu'il y entre d'âme et l'incroyable plaisir qui s'y trouve.

Malgré lui, Nebo louchait un peu sur sa gorge dont le bouton faisait un léger relief sous la fine chemise; avec une habileté de courtisane éprise, elle fit bâiller plus encore une chemisette qui cachait fort peu. Un instant ingéniée à faire boire son Platonicien, elle y renonça peureuse qu'il s'aperçût de son dessein. Arriver à ces lèvres adorées : un espoir singulier lui venait, sans qu'elle pût le légitimer, qu'elle aurait ce délice avant un grand moment.

Une moitié de pêche, que tenait le jeune homme, d'un ton de chair, elle la plaça dans l'entre-deux de ses seins comme une fleur.

— Venez la prendre.

Et, comme il avançait la main :

— Oh fi ! Louis XIII, les fruits sont pour les lèvres, une fois pelés.

Il se baissa sur le corsage, avançant les lèvres. La princesse lui appuya la tête, le fruit s'écrasa un peu et glissa plus bas.

Radieuse, elle avait eu un baiser de Nebo, elle avait un prétexte pour se découvrir davantage.

Nebo s'avouait le charme de ces manéges et aussi leur logique amoureuse ; tandis que Paule se laissait aller contre lui, l'œil mi-clos, avec un muet ronron de chatte sur la manche de son maître, il pensait à cette terrible question de la volupté et au périple, il souriait en lui-même. Combien de fois il avait donné le change à la princesse sur la réalité des êtres et des choses du vice. Il avait phrasé que le leno était le Lindor de la fille, et revoyant Don Juan de Montmartre il s'étonnait que le Grand Alphonse ne lui eût pas fait certaines répliques. Au reste, l'opinion tout entière s'y trompe ; le souteneur ne soutient pas ; le souteneur est le fils, masculin de fille, le prostitué et rien de plus ; entretenu parce qu'il donne savamment de variées sensations. La volupté, un art, avait donc ses artistes mâles pour cette seule raison de l'égoïsme de la sensation masculine dans les rencontres ordinaires de la haute et basse galanterie.

— A quoi pense mon Nebo?...
soupira la princesse.

Certes, elle n'eût pas deviné quelle étrange cogita-
tion hantait son Platonicien.

— Je pense que je ne donnerais pas ma place sur
cette causeuse pour partager celle d'un trône, et que
vous êtes la plus adorable femme du monde... et sans
qu'il y paraisse... la mieux adorée.

— La mieux... vous avez dit la mieux, j'aurais
voulu entendre « la plus ».

— Sur quel ton, mon exigeante, vous le faut-il?

Elle se renversa dans ses bras, les yeux noyés, la
bouche vibrante, sa gorge gonflée d'attente.

Nebo lentement se penchait : se raidissant contre
son avidité, elle attendit, avec de longs frémissements
qui la secouaient toute. Elle lut le baiser permis dans
le regard débordant de tendresse du jeune homme.

— O bien-aimé, ô adoré, — balbutia-t-elle...

La bouche de Nebo s'agraffa à sa bouche; elle
l'étreignit furieusement, ivre et sursautante à l'idée
de cette victoire, mais la volupté la fit défaillir; elle
haleta sous ces lèvres aimées qui ne quittaient pas
ses lèvres. Un instant, supplice adorable, elle crut
étouffer, demandant grâce; ce baiser qui ne se ralentissait pas pour la respiration, avait des acuités si
intenses qu'elles devenaient douloureuses. Même elle
fit un mouvement pour se dégager et n'en trouva pas
la force. Les lèvres de Nebo dévoraient les siennes,
implacablement. Ce seul baiser, pensa-t-elle, c'est
le total de tous ceux refusés; il me rend en une fois,
ce que mes yeux lui donnèrent. Puis elle ne pensa

plus, elle se convulsa, étouffée, ayant d'impérieux besoins de crier, se retenant pour ne pas griffer Nebo comme une chatte.

La notion du temps disparut; elle ne sut plus même ce qu'elle éprouvait, atroce et divin en même temps. Ses lèvres mordues lui brûlaient, elle les sentait enflées, les dents se choquaient d'énervement; passant de l'extase aux crispations douloureuses, presque folle sous l'excès de ce plaisir qui devenait supplice, incapable de rouvrir les yeux, roulant dans l'inconnu de la sensation, elle perdit conscience et se raidit crisiaque et le cerveau en feu.

Quand Nebo décolla sa bouche de la bouche de Paule, elle était évanouie. Haletant, il porta la main à son cœur, où une palpitation douloureuse le poignait; cependant, sur ses lèvres sanglantes et un peu tuméfiées, se dessinait un sourire de triomphe; il avait fait, selon sa subtile volonté.

LIVRE II

LE BAISER

Ultima profanis voluptas, congressus
Solæ autem Uraniæ veræ, adsunt
Divina magibus oscula basiaque
           Opus utriusque Veneris.
           Nunquam publicandum.

LE BAISER

OSCULON

I

« Baiser, descente de l'âme, ascension du corps !
Fibule du cœur et des reins, tremplin vibrant qui
lance le rustaud même jusqu'aux étoiles ; beaucoup
de poètes n'ont bu qu'au Permesse de ta salive. Est-
il mortel, par cent ans, qui se soit grisé d'idée
pure ? tu es le vin consolateur, tu es le signe du bonheur, tu es le gage des charités, la redite éternelle
des couples emparadisés et le geste des anges !
Caresse la plus chaude et la plus chaste qui suffirait
à l'amour s'il était prescient.

« Véritable communion des sexes demeurant
vierges ! O séraphique volupté qui n'est pas péché si
mortel, à l'avis du prêtre et du monde, et qui contient
plus de plaisir que n'en peut porter la Bête à deux
dos ! O territoire contesté entre l'esprit et la matière,
lèvres qui ouvrent sur le ciel, diseuses de beauté,

donneuses de bonheur; ô rebord rougeoiant de l'être, margelle au puits d'où sort la voix tendre ou sublime! Bouche, seul lieu de vérité en la duperie corporelle; en te pressant on fait jaillir de l'ivresse: allumée, tu répands la divine étincelle, ta turgescence illumine les nerfs, tu transfigures, charbon ardent d'Isaïe, tu purifies notre nature pour un moment magnifique, tu nous ravis au-dessus du moi, avec l'illusion de grandes ailes et le sentiment d'être complets en un, nouveau et demi-dieu. »

A cette mélodie d'amant, Nebo mêlait un accompagnement étrange de réflexions attristées. Des conséquences du baiser, il se sauvait par la syncope : l'Ophélie du parc, le débardeur de la veille, tous deux évanouis; mais tout à l'heure la princesse allait venir: au nouveau baiser, quelle nouvelle issue! Aux baisers quotidiens, comment dire halte quand le corps s'emballe, s'enrage?

Une vierge amoureuse pouvait-elle marcher le même chemin que son expérience d'éphèbe aux savantes aventures d'amour? Lui-même pubère avait été attiré vers la totale possession; et sa conception de n'aimer qu'au-dessus de la ceinture, de nier l'existence des beautés et des ivresses inférieures était le fruit de nombreuses épreuves; une sorte de conclusion des expérimentations de la vie de jeune homme : ne niaisait-il pas en demandant à la jeune fille ignorante, de sentir, avec ses sens neufs et ignares, de la même sensation qu'un retour de Corinthe?

La disparité de l'antécédance érotique ne permettrait pas longtemps ce mode passionnel! N'importe, sans se l'avouer, le platonicien, forcé à la volupté, la boirait du moins à la coupe de sa fantaisie; profitant de son pouvoir encore obéi, pour maintenir sa sœur dans la sororité relative de cette caresse où le péché est si profond que l'œil aisément le peut ignorer, et l'âme l'absoudre; en cette demi-inconscience, conséquentielle de toute attraction, ou magnétisation vive.

Paule, au sortir de l'hôtel Vologda, avait un pli au front, et quoique la volupté l'attendît, sa démarche se hâtait moins que de coutume. Pour assombrir une aussi belle perspective que la bouche si pourpre de Nebo, quel épais nuage?

Il s'était formé sur son esprit, dès que l'air du matin l'avait défrisée, en rentrant.

Obtusement, les implacables lèvres qui pendant une demi-heure, peut-être, l'avaient baisée, voulaient plus qu'elles n'aimaient.

Que voulaient-elles? Lui donner une sensation fauve, la terrasser de cette façon qui fait dire : « O mon vainqueur ».

A se remémorer, elle pressentit que là où ses lèvres étaient les bords de son âme, les lèvres de son amant restaient serves et instruments de son esprit.

Il ne l'avait pas baisée d'entraînement et de folle
passion ; non, il l'avait baisée avec arrière volonté et
d'un dessein précis. Il l'avait baisée par force de situation, après une mûre délibération sur la nécessité
de concéder cela : c'était un caprice d'enfant gâté
qu'on écoute pour avoir la paix ; jamais de lui-même,
il ne l'eût touchée des lèvres dans un élan d'ivresse ;
et il lui faisait l'aumône avec sa bouche, lui, le très
parfait et impavide Nebo, à elle, la bestiale et gros-
sière princesse? De cette lancinante humiliation, une
seconde vue sur l'avenir de leurs caresses, lui montrait un amant appliqué à ce qu'elle jouît, et per-
dant la jouissance personnelle dans le soin même
à la donner. « Jamais » pensait-elle « je ne lui verserai autant de volupté que j'en boirai de lui.
Mon corps, si beau qu'il soit, si frémissant qu'il
devienne, ne lui rendra pas une ivresse semblable. »

Son infériorité d'apport dans l'accouplement futur,
l'incapacité où elle se sentait d'enivrer l'homme
aimé, lui versaient de la désolation.

Il lui paraissait illogique, déloyal, indécent même
qu'un des amants conservât son sang-froid et fût
spectateur et donneur au lieu de compagnon d'i-
vresse.

L'abécédaire du métier dictérien, elle le savait,
consiste à jouer la réciprocité de la sensation, à
feindre le partage du plaisir : et semblance irri-
tante, plus elle se sentait la chair vivante, palpitante, extasiée, plus son étrange Roméo s'immaté-

rialisait planant au-dessus de ce qu'il faisait éprou
ver.

Elle tendait l'esprit, inutilement pour mieux per-
cevoir le fond de cet être vertigineux ; parfois un
éclair lui simplifiait le problème de tant d'ombre en
une âme de lumière.

Il voulait une sœur; elle voulait un amant, et le
frère répugnait à l'inceste, et ne cédait que pied à
pied le terrain à l'envahissante maîtresse. Qu'il fût
blasé ou anormal, son rêve niait celui de la jeune fille;
de là, leur dissonance au duo d'amour. Aussi s'exclama-t-elle mentalement : « Pourquoi rêve-t-il in-
sexuellement, absurdement ? » Mécontente d'elle-
même et doutant de sa beauté, elle présenta un front
maussade au baiser de celui qui souriait, aux heures
où mourante d'amour et se tordant de plaisir, elle
pantelait.

— De quelle idée noire sort cette princesse de la
triste figure? — dit Nebo.

— Je ne sors pas d'un noir, j'y baigne; vous ne
m'aimez pas, Nebo... Non, vous n'aimez pas la Paule
réelle que je suis, mais une Paule fictive, artificielle
et que je ne serai jamais.

— Voilà de tes jeux, Éros; à peine entré sous ta
loi et par la porte presque idéale du baiser; le reproche, l'injustice, les inquiétudes de la passion surgissent. Le premier long baiser a fait jaillir un
doute; que serait-ce donc, grand Dieu, si nous
osions les caresses ?

— Vous ne m'aimez pas, Nebo.

— C'est au lendemain de la nuit où j'ai respiré votre haleine au lieu d'air, où nos lèvres se sont gonflées sous nos morsures, que vous m'accusez de ne pas chérir la Paule visible et charnelle?

— Vous ne sentiez pas ce que je sentais, il s'en faut d'un monde, et celui qui ne sent pas autant que l'autre, aime moins; et moins, pour moi, c'est point.

— Oh! la belle querelle! je dois justifier d'une vibration semblable à la vôtre, et si mon bonheur s'exprime autrement? Je manque donc à l'amour que je vous ai voué, en ne m'évanouissant pas, quand vous vous évanouissez.

— Oui, — fit-elle.

— Ce oui humilie en moi le Mentor, en vous souvenant un peu de mon cours sentimental, vous penseriez que si je suis votre premier baiser, vous êtes pour moi le...

Elle se dressa :

— Nebo, vous avez tant embrassé que ça. Oh! que c'est triste pour une femme de penser...

— Un peu de jalousie rétrospective! et l'illusion sera complète; je m'aurai l'air d'être mal tombé en maîtresse.

— Pour moi, je me trouve l'air d'une bien mal tombée en amant, je vous jure!

— Vous pouvez jurer, car vous ne tomberez que malgré moi et je ne vous posséderai qu'à corps résigné; votre fierté est avertie.

— Les génies avoisinent les fous, mon pauvre Nebo.

— Les colloques comme celui-ci avoisinent les diminutions, ma pauvre princesse!

Les yeux de la jeune fille s'emplirent de larmes.

— Quand on se sait le maître, Nebo, on a la parole moins dure; pourquoi ce terrible mot? énorme pierre jetée à un pauvre être qui vous obéira toujours.

Il lui baisa les yeux pour réponse.

— Ah! j'ai beau me révolter! Sous tes lèvres, je redeviens la vaincue, qu'une caresse désarme.

— Ta rébellion, mon adorable sœur, est une démence. Que t'importe ma façon de jouir de toi; si mon bonheur de t'avoir sur mon cœur est si profond qu'il s'extériorise peu, pourquoi préjuges-tu qu'il est moindre que le tien? Que sais-tu de mes joies secrètes pour les mésestimer? La volupté vibre sur trois portées, que t'importe; que ce soit ta peau, ton cœur ou ton esprit qui me délecte, si je suis délecté? Je bois sur tes lèvres une ivresse suprême; et parce que je ne chancelle pas, tu m'accuses de n'être pas ivre.

O mon cher ange, laisse-toi béatifier et n'analyse rien!

Si mon baiser rougeoie et brûle ta bouche; si mon œil s'allume à l'éclair du tien, mords le baiser et bois le regard, tu es aimée.

— Oui, mon adorable Nebo, tu m'aimes, mais tu

ne te livres pas complètement; tu m'aimes car tu
veilles sur notre amour, mais la prudence et les précautions me chagrinent; je sens que tu te possèdes
toujours quand moi je ne me possède plus.

— Cette perception exagérée, attribues-en la réalité très relative à l'éternité que je veux conquérir
à notre ardeur. Oui, je défendrai notre passion,
contre nous-mêmes.

— Tu es grandiose, sage et admirable; mais je
te voudrais humain, fou et ordinairement irréfléchi.
L'amour, quand il est absolu, ne garde pas en lui
un Vauban sentimental ni un casuiste prévoyant.
Il y a cent mille façons de s'acheminer à l'Amour,
je ne vois qu'un mode de le vivre, et ce doit être un
beau spectacle que le génie niaisant, l'habile nigaudé,
le parleur muet, l'orgueilleux servile et Nebo tombé à
la bonhomie d'un gars des champs.

Le platonicien se rembrunit.

— Paroles de Circé, détestables et viles : pour
cette Cythère-là, je ne suis pas le nocher qu'il fallait prendre. Le jour où ces métamorphoses seraient,
notre amour ne serait plus. Ah! éternelle incohérente, femme, être lunaire et inférieur, qui veut
briser les couronnes, déboucler les armures et qui
ferme son cœur quand le prestige a fui! J'oublierai
pour votre gloire cette insufflation du Malin : Nebo
vous élèvera avec lui, jamais il ne descendra avec
vous.

Enfant, ce que j'aime en toi, ce sont les ailes

belles, pures et battantes; pour trébucher sur le sol
fangeux, j'aimerais mieux m'embourber seul. Je
cherche l'ange en toi, et quand je l'incante, c'est la
femme qui paraît et répond!

— Pardonne-moi, j'étais folle.

— D'une folie intermittente, et qui reparlera les
mêmes proférations.

— Veux-tu que je mente et me montre autre que
je suis?

— Non, certes, aie toujours le courage de ton impression, mais comprends que je dois refouler les
pensées ennemies; reconnais que ma prudence a
raison et permets-moi, ô ma sœur très aimée, ce
que l'Église nomme en ses œuvres pies, la correc-
tion fraternelle.

— Permets-moi, en retour, l'interruption sororale.

— J'ai toujours répondu.

— Pourquoi m'as-tu fait évanouir?

— Parce que nous ne devions pas aller au delà du
baiser.

— Et à chaque baiser tu veux me...

— Enfant, il le fallait hier parce que tu étais
grise, et que la nouveauté de l'émoi ne te laissait
plus ni pudeur ni souci de mes volontés.

— Alors, désormais, on s'embrassera sans syncope?
demanda-t-elle un peu crispée, et reprenant :

— Mais ne sens tu pas que ton ordre de limitation
m'incite, malgré moi, à le transgresser?

— Oui, mais tu te souviendras d'une parole qui maintient.

— Cette parole, rêne incassable, dit : — provoqua-t-elle ?

— Ne feignez pas l'oubli ; ma sœur, toujours, ou ma maîtresse quelques mois ; l'arrêt est sans appel.

— Et si vous, Nebo le fort, vous êtes l'incitateur à la chute, je serai toujours la victime ?

— Vous savez, vous sentez que s'il y a un jour viol, c'est vous qui me violerez.

— En quel lieu du monde, à quelle vierge cette monstruosité fut-elle jamais dite ?

— Tenez-vous à découvrir des précédents à cela ?

— Je tiendrais à vous confondre.

— Encore la lutte bête du sexe : lequel tombera l'autre. Toujours cette préoccupation du croc-en-jambe érotique ; et s'il se trouve un homme assez supérieur pour ne pas s'amuser à cette goujaterie de passer la jambe, cet homme tombe sur une femme qui la lui voudrait passer.

Elle prit ses gants.

— Je m'en vais, Nebo, nous nous déplaisons aujourd'hui ; c'est peut-être la faute de ce temps d'orage.

— N'accusez que l'état de votre âme qui se révolte contre le plus doux maître. Voyez les conséquences d'un peu d'humeur : au lieu d'unir nos lèvres, nous antipathisons nos pensées.

— Comment ! Vous, vous me rappelez au baiser.

Quelle antienne imprévue ! Je croyais que vous préfériez la prise de bec au ....

— Vous êtes injuste, ma princesse ; cette prudence que vous vitupérez ne retire rien de l'accordé et du résolu ; je vous donne mes lèvres, et je serai bienheureux que les vôtres acceptent ; seulement je ne veux pas d'autres caresses.

A moi de vous la faire trouver suffisante.

Il faut croire, en perfection amoureuse comme pour la chrétienne, il faut que le plus scient guide l'autre....

— Il faut, ô parleur, me convaincre... des faits, des faits et non des mots.

Et lui prenant la tête en ses belles mains, elle colla sa bouche à la bouche de Nebo.

Un long frémissement lui courut de la nuque aux pieds, elle se serra étroitement contre le jeune homme ; et quand ils se déprirent, étourdie, un peu vacillante, et le regard noyé :

— Tu as les lèvres pleines d'arguments irrésistibles, ô mon Nebo, baiseur incomparable.

Je crois en ta bouche !

Osculon II

Les lèvres véridiques

Tout le corps de la femme ment ; ses lèvres seules sont véridiques, sous l'humide, chaude et longue pression d'une bouche. A toutes la feinte du spasme est aisée ; aucune ne saurait falsifier le baiser collumbin, le baiser que Cléopâtre employa pour enivrer Antoine.

Si l'acception des mots exprime un changement des choses, le sourire effarouché ou salace des mardistes à la Comédie Française, et le Ah ! des publics de province au « souffrez que je vous baise » de Molière et de Marivaux, montreraient une matérialité accrue depuis ces génies.

La fille joue l'amour souvent fort bien, mieux qu'elle ne le vibrerait ; son baiser seul dissonant désillusionne, et beaucoup de viveurs sont morts inconscients de ce qui se boit sur la lèvre éprise.

Beaucoup d'amants aussi : il y faut le cœur, mais encore le don.

Les femmes à très petite bouche et à lèvres minces ignorent le baiser, n'en déplaise aux illustrateurs romantiques qui montrant leur inexpérience attribuent ces traits à des héroïnes passionnées. La disposition à l'ardeur se signale par le débordement de la pulpe rouge et au déni des modistes, les bouches baiseuses sont grandes et à lèvres fortes. On doit mentionner que si l'éréthisme des lèvres détermine toujours l'érectibilité inférieure, son action étant périphérique, l'excitation organiquement sexuelle peut concomiter avec l'atonie de la bouche. Le baiser est un domaine sensoriel si autonome que la plus grande moitié de la féminité bien mariée n'en a point notion. L'adultère dira à son amant jaloux du mari : « Il n'a que l'obéissance de mon corps, je sauterais par la fenêtre plutôt que mes lèvres, qui sont tiennes, il les touche. » La gouge détournera sa bouche, sa bouche érumatrice « tout ce que tu voudras, mais je garde mon baiser pour mon amant. » Ainsi dans la prostitution conjugale ou vénale, les lèvres sont les lieux d'asile où se refugient la réticence du devoir et de la complaisance. Dans l'esprit de la femme amoureuse, la bouche est l'arche de l'amour vrai qu'elle sauve de son immersion complète du vice ou de la dette matrimoniale.

Remarque curieuse, les somnambules qui sont à l'état superlativement instinctif et partant d'un sentiment très juste, si vous leur faites surprendre une femme qu'on baise sur la bouche, s'écrient « maintenant, elle se donne ! » ce baiser eût-il lieu dans des conditions ne permettant pas autre caresse; tandis que la vision d'un baisotement sur les joues, les yeux, les mains, la nuque même, ne leur paraît qu'une caresse qui n'engage pas l'idée de possession !

Le plus grand clerc du monde ne peut se flatter d'être aimé, avant que le baiser de Cléopâtre n'ait vibré d'elle à lui : c'est la seule caresse de touche où s'éprouve un sentiment douteux. En dehors, on peut exciter l'admiration, le dévouement ; l'amour non pas. Son immensité Balzac, a tout deviné, mais la délicatesse de l'expression, une pudeur féminine devant la passion lui font traduire certains arcanes sexuels, en expressions inexactes de noblesse et de style. Quand il dit qu'une femme, en étudiant un homme, se le figure à ses genoux, et l'estime suivant qu'il lui plairait en cette posture, il faut ajouter que si l'attention de la femme se prolonge, elle se le figure, la baisant sur les lèvres, et l'estime suivant le baiser fictif qu'elle évoque.

Aurais-je du plaisir à en être aimée? première question que pose la vanité de la coquette.

Aurais-je du plaisir à son baiser ? première question que pose la chair de la femme qui se permet d'aimer. Car, il faut bien se l'avouer, l'attraction de la chair, si infime qu'elle soit devant la communion des âmes, ne se supplée pas plus que la couleur en peinture, et pour écrire, le calame.

Nergal reprochait un jour violemment à une actrice de désespérer un grand poëte, alors qu'elle écoutait nombre de gens ordinaires. « Oh ! que vous êtes donc bêtes, les génies — s'écria-t-elle. — Figure-toi, Nergal, qu'il y ait une mère Michel, ornée de plus de vertus

que de chats : au nom de ses vertus, on te demande
de l'inviter à coucher ? Oui, ton poëte est immortel et
j'apprendrai, si tu veux, son œuvre par cœur ; je
lâcherai le bras du prince de Galles, pour lui venir
présenter mon hommage ; mon esprit est à lui, car
spirituellement il est beau ; mais comment veux-tu
que j'embrasse un homme qui n'a pas la lèvre
rouge ? »

Faire épanouir la rose du baiser, sans aucun
en-deçà de contact, telle serait peut-être la version
complète et suprêmement aristocratique du plaisir
dans l'Amour.

Cette synthèse de la sensation, qui a été en des
temps mystérieux et calmes, la seule luxure de l'intellectuel, ne paraîtrait qu'une perversité ou une impuissance, à une époque assez niaise pour confondre sous
le terme décadent et ceux qui remontent, de tous
leurs efforts vers les vérités aurorales de l'esprit
humain, vers les sources pures de la révélation primitive ; avec les histrions de la forme qui se font un
visage de grimaces, et une pensée au moyen de
déhanchements de grammaire et de petits-bon-
heurs de lexique.

Jadis, en des civilisations où le métaphysicien était
défrayé et respecté comme Edison par son pays, le
dernier de tous cependant, on connaissait le mystère
des attractions ; et l'homme de pensée brûlé par les veilles, savait paraître et jeune et beau et frais à celle qu'il
choisissait. Démarche inouïe comme psychologie

d'une date, la visite de la Reine de Scheba au roi Schlomo !

Elle vint pour éprouver le monarque par des enigmes sexuelles.

Une reine qui apporte en présents autant de splendeurs qu'elle va en voir, ne se dérange pas pour admirer l'architecture d'un temple, moins encore pour faire de la métaphysique.

Elle lui dit tout ce qu'elle avait dans l'esprit, or l'esprit d'une femme est toujours sentimental ; elle, la femme la plus célèbre de son temps, allait à la couche du plus grand cerveau vivant : la voix d'alors les fiançait ; ils se devaient l'un à l'autre de s'être connus. Si vraiment elle cherchait de la sapience théologique, la Bible indiquerait qu'elle sacrifia à Iavhé, convertie par Schlomo : «Que loué soit ton Elohim» c'est-à-dire ton initiation est belle et bonne, en sous-entendant « comme la mienne. » La Reine de Scheba était une Diotime androgyne qui voulait savoir l'éclair jaillissant de sa beauté sous le génie de Schlomo ; mais le monarque aux sept cents femmes et aux trois cents concubines ne fixa pas la reine de Scheba. O la mélancolie de cette phrase biblique : « après des présents mutuels, elle s'en retourna en son pays, elle et ses gens. »

Tandis que le roi juif se nourrissait de volupté et non d'amour, la reine seule digne de lui, avait peut-être aussi ses princes éthiopiens et ses trois cents concubins. Mémorable rencontre de deux sommités humaines devant le sphinx de l'Amour, dont pas une parole ne nous est parvenue.

Cette évocation obsédait Nebo ; il se voyait, Schlomo chaste, affronté avec la virginité d'une reine de Scheba. La Curieuse, risquant sa réputation et sa vie pour voir les mœurs infâmes et nocturnes ; que ne risquerait-elle pas, quand l'amour allumerait ses reins des feux grégeois de la concupiscence.

La princesse Riazan ne s'en retournerait pas au pays des convenances, du mariage, et des adultères bénins et cachés ; elle s'était lierrée à lui avec un défi de la dégironner.

Allait-il se plier à la passion ordinaire ou dévaster cette âme, saccager cette vie? Impuissant à sauver son rêve et gémissant sur lui-même, il ne résolvait rien.

Osculon III

Phosphorescence

Le tête-à-tête de peluche fut le meuble propice de leurs premières osculations; insérés chacun dans un demi-cercle opposé qui les réduisait au mi-corps de la possession, ils s'y affrontèrent, Paule heureuse et avide, Nebo résolu et serein. Vers dix heures du soir, Paule arrivait montant l'escalier avec une hâte de gamine et s'abattant dans les bras de son amant avec des bredouillements de passion insensée « c'est toi, toi que je tiens ainsi... c'est toi, toi qui me serres, comme cela ». Elle haletait un grand moment de la sorte, et s'arrachait brusquement à l'étreinte pour quitter son chapeau et sa mante.

Puis, c'étaient de ces riens qui forment le grand tout de l'amour, œillades singulières, intonations chargeant le mot veule d'un éclat du cœur, chatteries de félin passionné, manège de sultane favorite, invention touchante de femme qui veut plaire, naïveté de vierge ou perversité d'imagination surchauffée. Jamais elle n'apportait de ces papotages du dehors, de ces racontars de la vie mondaine dont la maîtresse ennuie l'amant; le seuil franchi, elle n'était plus nièce, ni princesse, elle était sa Paule pour qui l'univers se limitait à leurs deux ombres.

Entre eux, pas un mot ne les faisait ressouvenir du dehors; aussi isolés, aussi tout à eux en esprit qu'en réalité; et cet amour que la vie ne traversait d'aucune préoccupation, qui avait la sécurité totale, semblait une rêverie éveillée à la princesse et la dégoûtait à jamais de son autre vie sociale et vide.

Elle s'asseyait enfin, disait à Nebo d'éteindre les flambeaux et quand, venu à côté d'elle, il lui renversait la tête sur son bras, pâmée d'avance, elle s'abouchait à lui voracement. C'était d'abord une fringale de baisers: gloutonnement, ses lèvres fourrageaient comme celles de Vénus dans l'Adonis de Shakespeare, avec des arrêts brusques où elle portait la main au cœur défaillant. La reprise était plus lente aussi, appuyée, et parfois violemment elle se dérobait, se dressant titubante et faisant quelques pas vacillants « pardonne-moi, ami aimé, il vient un moment où je ne peux plus supporter ta caresse. » Quand Nebo aggravait la volupté d'une sorte inconnue encore, elle criait sous l'étreinte de sa bouche, cette exclamation involontaire, extasiée devant la nouveauté intense de la sensation et que tout passionné a attendue: « Oh! qu'est-ce que tu me fais... qu'est-ce que tu me fais donc? »

Un soir, Nebo, moins maître de lui, s'enivra à son tour, lui, qui d'ordinaire, versait le plaisir en dominant le sien. Son baiser cessa d'être savant et devint

terrible ; leurs deux poitrines s'enflaient et s'abais-
saient âprement ; ils se suffoquaient de leur haleine
de feu et une cuisson aiguë leur piquait la lèvre ; dans
l'obscurité où ils étaient, le râle de la princesse et le
sifflement rauque de Nebo éveillaient des échos sinistres ; les éclairs d'un orage zébraient l'espace encadré
dans la fenêtre ouverte ; le meuble craqua et leurs
ongles griffèrent ; quand ils se désenlacèrent, épuisés
et les nerfs tordus, la princesse, d'une voix épouvantée, souffla de ses lèvres blessées :

— Nebo, tes lèvres luisent dans l'ombre, et j'y ai
senti le goût.

— Les tiennes luisent aussi, Paule, la matière nous
reprend toujours au tournant de l'idéal : le baiser
des platoniciens est chimique et dégage du phos-
phore.

Paule resta béante et endolorie, devant ces lueurs
d'enfer surgies.

Osculon IV

La Marée des Yeux

Après cette phosphorescence, Paule vint de jour :
un levain de superstition qu'elle ne se connaissait pas
lui fit redouter la vue de ces lèvres lumineuses ; il lui
semblait presque impie de pousser l'ardeur jusque-
là : sa tante et tous ceux qui l'avaient vue lui trou-
vaient l'œil cerné, la bouche enflée. Elle ne se troublait
pas, heureuse du stigmate de la possession, en mystique amoureuse. Toujours une idée la hantait.

— O mon bien-aimé, comment t'extasier et que
préfères-tu de moi ? N'est-ce pas le spectacle de mon
âme que la volupté fait monter dans mes yeux ?

Et la lèvre de Nebo lui dit « oui ».

Sous le baiser de son amant, lent, grave, constant,
quelque chose s'éveillait dans les yeux de Paule, qui
ne se définissait pas, un flux de sentiments s'y montrait dans la paupière agrandie ; marée de sensations
sous l'attirance de son amant solaire.

A un moment, le regard se fixait, extatique, fasciné
d'amour, le regard d'une Brigitte sur l'ostensoir,
injecté d'âme et aveuglant de désir ; haute mer de ce
cœur de vierge, et la passion débordait des cils.

Puis, le regard se voilait un peu, la prunelle s'as-

sombrissait, la pupille rapetissée; c'était le reflux des
sentiments, le rouleau de cette âme qui se repliait; un
cargage de toutes les voiles de l'amour; enfin cette
expression trouble et aux paupières mi-closes de la
femme qui se réveille du plaisir; ces yeux battus de
vaincue, ce regard de gratitude infinie qui couronne le spasme et la dépression, d'un endolorisse-
ment rêveur et tendre.

La jeune fille ne comprenait pas que le spectacle de
ses yeux enamourés fût la suprême joie de Nebo. Elle
estimait plus la volupté de ses lèvres et plus que ses
lèvres elles-mêmes, la volupté de tout son corps.
Elle ignorait par quel pouvoir singulier puisé aux in-
folios poussiéreux, le Platonicien lui faisait sortir
l'âme par les yeux, et la psychologie de son bien-aimé,
si elle l'eût pu faire, lui eût révélé un satanique orgueil,
imperceptible parce que ses manifestations étaient
habiles. Nebo se mirait dans l'âme de la jeune fille,
qui lui renvoyait une image divinisée; il se grisait de
la griser, et ne jouissait que par réfraction des voluptés de Paule.

Quand elle soupirait, au désenlacement, les « je suis
morte... tu m'as tuée » de la fatigue nerveuse, lui
haletant mais souriant et formidable de puissance, en
sa façon de passer sa langue sur les lèvres comme un
félin qui se pourlèche, restait l'Anteros maître de lui
et d'elle.

Quand elle fermait les yeux après ces ivresses du
regard, c'était lui qui était ivre et disait « je suis

aveuglé... tu m'as arraché les yeux ». Inquiétante
subitement à cet aveu de son Alcide, l'Omphale
inconsciente qui se montre dans la femme qu'on cesse
un instant de rèner, curieusement, se demandait si
un jour, en ses yeux, ne luirait pas un tel napht,
qu'aveuglé vraiment et se désobéissant à lui-même,
il lui tomberait dans les bras, à merci d'amour.

Osculon V

Querelle

— Une idée qui vient d'un désir bucolique : je
fais de tante ce que je veux; si je la ramenais à
Saint-Fulchran, vous camperiez dans le voisinage,
et nous aurions le clair de lune sur nos lèvres agraf-
fées.

— Paule, vous n'avez pas de mémoire.

— Je me souviens, au contraire!

— Et vous espérez que le grand Pan me poussera
sur vous.

— Nebo, cette grossièreté...

— Ouais! l'idée vous plaît, vous la caressez, et
quand on l'énonce, protestation ; ceci, princesse,
n'est rien moins qu'un complot contre notre royale
personne. Vous espérez une connivence de la nature,
et que les parfums de la terre saouleront celui qui ne
défaille pas aux émanations de votre beauté. Vous sentez que l'ombre et la nuit et les gazons et les sources,
les fourrés et les clairières sont des alliés d'Éros; impuissante à me sexualiser, vous voulez que l'instinct
me terrasse de son ambiance et que je sois vaincu par
une nuit d'été. Vous avez oublié que, comme amant,
je me libère envers vous de toute parole; qui jure la

fidélité est un fol ; l'amitié tient quelquefois sa promesse, car elle délibère avant de la donner ; l'amour
n'est jamais conscient, et partant jamais engagé. Ah !
plaisantes histoires que ces serments à l'instant même
où on n'est plus maître de soi, que ce don qu'on
fait de soi-même, alors qu'on ne se possède pas.
L'amour est sans honneur et sans devoirs : tant qu'il
dure, tous les faix lui sont légers ; meurt-il, il ne faut
pas insulter son souvenir.

Anathème sur l'inconstant qui emporte votre âme,
et salut courtois au partenaire qui emporte votre fortune. Même chose cependant : un jeu, un jeu vous
dis-je.

— Vous redevenez l'atroce et amer personnage du
parc.

— Pourquoi m'y avez-vous ramené ? Quel daïmon
vous pousse, malheureuse Psyché, à allumer en moi
cette lampe de luxure qui consumera en quelques
mois notre amour, sans espoir que les dieux nous
réunissent jamais ? O femme au crâne étroit, penses-tu
que ce soit le charme de la continence qui m'empêche
de te posséder ? Tu te consumes à me tenter absurdement et je souffre de te voir arder ainsi. Ma bonté
pleure sur ta privation ; je n'ai pas la charité res-
treinte. La moins désirable des femmes me désirerait
comme tu me désires, que je la satisferais, elle m'aurait mérité, et un accouplement fût-il une souillure
pour moi, s'il était la joie d'un être, je n'hésiterais.

Seulement, ô cœur lamentable, je t'aime, je veux

te garder; et voilà pourquoi je ne te prends pas.

Frère, je réponds de nous, je serai toujours plus fort que la vie, l'instinct, toutes forces cosmiques ou sociales fussent-elles liguées contre notre amour. Ma force réside tout entière dans la négation du sexe; le jour vraiment fatal où tu deviendrais ma maîtresse, je ne réponds plus de nous; la moindre jalousie, et tu en aurais d'excessives; le plus petite exigence, et tu les ferais grandes; l'emprise de ma personnalité, et je te prévois absorbante, me diminueraient à mes yeux; et si je pardonne toutes les bassesses, je ne pardonnerais jamais à qui m'aurait abaissé. Je me flatte souvent je ne m'aime guère; comme je me détesterais! et qu'espères-tu d'un être qui s'exècre lui-même?

J'ai creusé la psychopathie comme on creuse la physiologie; la parabolisme de notre sexualisation, c'est ma fuite. Oh! tu dis en toi-même « il ignore la magie de ma possession », je sais la sorcellerie de mon humeur.

.— Bon Nebo, puisque vous avez sur un timide rien remis tout en question, édifions-nous, une fois. Depuis que le baiser règne sur nous, êtes-vous donc diminué, ou suis-je devenue ennuyeuse? Si les bras que je vous jette au cou étaient nus, nue aussi la gorge qui bat votre poitrine, notre amour persiste-il pas? Et si la passion nous amène à nous donner de tout le corps ce que nous nous donnons des lèvres; si nos chairs ne sont plus séparées par des vêtements, leur contact va-t-il amener votre fuite?

— Bon apôtre du désir, que vous escobardez joliment. J'y prendrais plaisir, n'était notre double destin suspendu. Quand vous m'aurez forcé à une énonciation physiologique, belle avance ! Figurez-vous que ma fantaisie, qualifiez-la à votre guise, réside à être aimé d'une vierge et que, devenue femme, vous perdez votre charme à mes yeux.

La princesse se crispait.

— Et si je ne peux pas, — s'écria-t-elle.

— Je pourrai pour deux... dit Nebo.

— Pour un idéaliste, vous ravalez singulièrement la passion. Ces chicanes sur la chose de chair me paraissent plus laides que n'importe quel ébattement, et en plus, grotesques. C'est à faire pitié, votre bizarrerie jouant de ma pudeur comme un chat d'une souris. Vous oubliez un peu trop, mon maître, que l'on ne me tient que de ma propre volonté, que j'ai l'âme d'une princesse et la force, moi aussi, d'une rupture, dussé-je en mourir : l'impavide Nebo, qui arrive à me malmener pour le plus innocent désir, pourrait bien s'attendrir trop tard et se retrouver tendre, étant quitté.

Nebo se fit sévère :

— Paule, soyez violente, mais ne mentez pas, sinon... sinon, je vous punirai, mon élève.

— Eh bien ! si j'ai menti, je maintiens le mensonge, voyons la punition.

— Jamais notre amour n'aura lieu hors de ces

murs, amenez-y le grand Pan, s'il veut vous suivre,
ce puissant auxiliaire...

— Je ne serai plus jamais votre Paule que hors
d'ici, — s'écria-t-elle en colère; le jeune homme la
saisit violemment :

— Tais-toi, malheureuse enfant que la douleur
affole. Nous ne sommes pas des amants, pour nous
tant maltraiter. Apaise tes esprits irrités et ouvre-
moi le ciel de tes yeux et que j'y lise le doux avenir
que ta sagesse promet à notre flamme.

— Rétractez-vous votre punition?... — fit-elle en
se raidissant contre l'attendrissement de sa rancœur.

D'une voix qui demandait pardon de la parole :

— Non, — fit-il.

Alors, elle le regarda, et séduite par l'exquise douceur de sa fermeté, avec l'élan de la femme fière de
l'homme qui la mâte, elle lui sauta au cou :

— O mon maître ! mon doux maître !

Quand elle fut partie, il s'attrista; cette nécessité
du domptage, quelque forme qu'elle prît, l'écœurait.
Quoi! toujours, même la vierge la plus douée, veut
être maîtrisée; comme le peuple qui veut un gouvernement assez fort pour être secoué sans tomber, la
femme veut qu'on réprime ses rébellions et n'a
jamais la lèvre si éprise que lorsqu'elle a pleuré. Faire
saigner les cœurs pour les conserver, imposer de douleur l'âme qu'on veut sienne, faire souffrir pour rester
aimé, ces évidences désolaient le rêveur. Déjà son
idéal lui échappait; gardait-il l'espoir d'échapper à la

fatalité du lit? L'être sororal entrevu s'évanouissait. Chaque jour, Paule se féminisait, et aux yeux du Platonicien, c'était diminuer. Ce grand esprit se découragea, des larmes coururent sur ses joues et élevant le mouchoir humide de sa tristesse :

— *Fatis ignotis!*

Sombre, il se laissa tomber sur le tête-à-tête, et demeura prostré et immobile jusqu'au soir.

Osculon VI

Esoterisme amoureux

Agenouillé devant elle qui se penchait et lui pressait les mains, Nebo, magnifiquement vêtu de velours violet passementé d'or, disait de sa voix profonde :

— Tu demandes ce qui me rend insatiable de ton regard, c'est qu'il est infini, océan à l'horizon de rêves où passe la procession magnifique de la Fête-Dieu de ton âme.

Recueillie comme l'enfant de chœur fier de son rôle religieux, émue du cantique chanté par ton cœur comme la blanche fille des chorales, l'expression de tes yeux est pieuse. Elles claquent au vent et s'envolent des hampes, les glorieuses bannières; les bleues avec la pure devise « un seul amour », les rouges « ma vie pour son baiser », les vertes ont partout le « semper », et celles de brocart d'or « *ille ut sol* ».

Et voici que ton âme monte dans tes yeux, et au rebord de la paupière, comme à celui d'un reposoir, tu élèves mon image bénissante...

— Tais-toi, cher amour et me baise, car tout ce qui passe dans mes yeux n'est qu'une oration vers tes lèvres, tes rouges lèvres, *janua cœli!* L'encens que tu respires brûle en tout moi, imploreuse de la chère

idole, à la bouche épanouie et mouillée. Tais-toi,
Nebo, car aucune parole ne me dit autant et si bien
que le mutisme caressant de ta chair bénite, de ta
chair spirituelle. Tais-toi, Nebo, ou dis quelque chose
qui vaille mieux que ton baiser,... tes lèvres,... tes
lèvres, dont la pression, dont la succion, dont la morsure m'enlève au-delà des étoiles.

Ils fouillaient leurs bouches.

Quand deux êtres parviennent à un tel désir d'identification voluptueuse qu'ils donneraient la récitation
de Kalidaca pour le moindre contact, le langage des
idées disparaît de leurs lèvres, et le peu de mots qu'ils
gardent de la langue de leurs aveux s'électrisent d'une
signification maçonniquement mutuelle.

Une des joies de l'amour qui a eu une croissance
heureuse et un peu longue, c'est la cryptologie qui y
règne.

Deux mots, un seul, moins encore, un « tu
sais », un « dis » ou « tu te souviens », transmet la
pensée magnétiquement et produit la plus pénétrante
évocation. A cet instant d'imprégnation réciproque, où
la jumeauté des âmes s'accomplit, on pourrait ne pas
avoir un idiome commun, être même muets sans en
pâtir, car si on parle encore, on ne s'écoute plus. Un
balancier frappe sans répit les médailles de la minute
au coin du « je t'aime », et à la perpétuité de cette
secousse intérieure, l'oreille physique s'obtuse, l'entendement s'hypnotise. En proie à l'idée fixe, momentanément fous, les amants sont moralement isolés de

tout, et cette extase profane entrevue explique toutes
folies.

Nebo, l'analyste sempiternel, sentait les idées s'en-
voler de son esprit, il ne s'expliquait plus ses sensations. Le vertige de la passion faisait tournoyer maca-
brement ses vouloirs vacillants, il se redressa furieusement, livide et halluciné, et d'une voix que creusait
l'épouvante :

— Je me sens devenir un amant.

Osculon VII

Éréthisme

Une sensibilité maladive s'enfanta de la résorption de leurs désirs : ce formidable régime d'excitations sans satisfaction, aisé au Platonicien, était atrocement pénible pour la princesse. Sa fierté, la crainte de compromettre son bonheur, suffisaient à peine à contenir sa fièvre et à l'amendement de ses sens.

Maintenant, la volupté se dolorisait pour eux; le baiser se crispait pour ne pas mordre; leurs corps se rébellionnaient d'être sollicités, puis rênés. Ils devinrent fébriles. La main de Nebo, en effleurant la joue de Paule, la pâlissait d'un frisson courant jusqu'aux reins et la pâmoison relâcha parfois leur étreinte.

En se résignant au baiser, Nebo avait pensé en distancer les moments et les écourter, mais Paule vint tous les jours, à moins d'impossibilité, et souvent passait presque la nuit. Or, c'étaient vraiment de dangereuses ivresses, que ces baiseries ininterrompues du coup de minuit jusqu'au premier blanchîment de l'aube! Tandis que son amant restait prostré de longues heures, elle rapportait à l'hôtel Vologda une hébétude invincible où demeurait seule vibrante l'idée

irrésistible de retourner rue Galvani, aussitôt qu'elle
pourrait. Sa gouvernante Pétrowna, avec son tutoiement russe qui n'est pas irrespectueux, à Moscou :

— Tu vas enlaidir, princesse, si tu continues; Petrowna est ta serve fidèle, mais ne la désole pas en
devenant malade. Si tu y allais moins, chez le prince?
(car dans l'idée de Petrowna sa maîtresse ne pouvait
aimer qu'à son rang).

— Si j'y allais moins, je mourrais, — disait Paule
d'un air si sombre que la gouvernante se taisait en
priant.

En buvant l'eau de leur bouche, une saveur salée
les étonnait parfois : c'étaient des larmes nerveuses,
jaillies de l'œil, à l'insu du cœur.

La princesse, en additionnant son expérience d'androgyne et d'élève platonicienne, avec celle de sa vie
officielle et mondaine, concevait assez justement en
amour l'homme ardent à obtenir l'amoureuse merci,
et celui qu'elle aimait ne semblait même pas savoir
qu'il y eût un au-delà de possession, après le baiser.
Elle sentait qu'il ne souffrait rien de ce renoncement
si dur pour elle; même, se disait-elle, cette volupté-là
doit être la volupté de son choix, en dehors même de
ses idées étranges.

Quand une femme qui se donne n'est pas prise, ou
elle tourne bride et désarme, ou bien s'acharne de façon souffrante, avec un doute pénible de son charme et
de sa beauté. Sortant vierge d'une nuit passée sur les
lèvres de son amant, la princesse interrogeait les

glaces, inquiète de sa grâce, prête à croire qu'elle
n'était pas belle. A oser une brusquerie, elle courait
trop honte, et toute sa volonté de Slave à peine suffisait à lui rentrer ces colères des reins qui animalisent
une femme de race et la font violer l'amant qui ne les
satisfait pas. Son intuition, toutefois, lui disait que
l'épreuve ne durerait plus beaucoup, qu'une mine
se creusait sous le sororat, l'engloutirait, faisant
place à l'amour de tout le corps, à la totale possession,
à l'absolue volupté des amants libres, jeunes et beaux.

Osculon VIII

Innumération

Cet amour à mi-corps, de baisers seulement satisfait, se compliqua d'inventions mignardes et la seule
caresse convenue se proteïsa, à l'inspiration érotique.

Au festin de la passion, comme à l'attablement de la
gourmandise, quand la fringale s'est satisfaite goulûment, il reste une appétence au détail, au picorage
hasardeux et mièvre, et parfois une nouvelle avidité
paraît, suscitée par ce butinage.

Le livre composé par Cléopatre sur le baiser, livre
perdu, énumérait, paraît-il, et sans poésie d'expression, sur le ton monographique, bien décrit, et
catalogué d'un inventaire de trésor royal, quarante sortes de baisers proprement dits, c'est-à-dire
de baisers plastiquement beaux et dont le dessin ne
serait pas blâmable en publique exhibition.

Au lieu de s'accorder le grand poème de la chair
avec ses vingt-deux chants, ils avaient circonscrit
leur joie dans une forme étroite, analogue au sonnet,
et ils y mettaient toute leur flamme. Leurs lèvres
seules vivantes, ils se complaisaient à la recherche
de leur application et à sa nuance.

Le baise-main d'abord, qui frise nerveusement sur l'avant-bras et tourne s'appuyer à la saignée, pour redescendre lentement jusqu'à la paume.

Le baiser au front, le baiser fraternel, qu'ils dépravaient en le laissant glisser et fuser sur la tempe.

Le baiser sur la joue, qui s'appuye et laisse une marbrure blanchâtre, comme une pudeur de la peau d'où le sang s'est écarté.

Le baiser sur les yeux, qui colle les cils et donne, quand il cesse, la sensation d'avoir dormi selon son cœur.

Le baiser sur l'oreille, qui stupéfie et semble parler cette voix que la grande mer a mise en ses coquilles.

Le baiser sur le cou, qui contourne la nuque et met un collier momentané de chaleur.

A la rencontre des bouches seulement, la volupté se sérénisait : le feu de l'intensité la purifiait et ils sentaient plus noble cette rencontre des lèvres, parce qu'elle était ardente, tandis que l'agacement luxurieux des autres caresses, à leurs yeux, diminuait leur amour en le galantisant.

Quand leurs lèvres sèches d'ardeur se retroussaient en se prenant, et qu'au claquement de leurs dents l'eau de leurs deux bouches se confondait, leurs langues se dardaient l'une vers l'autre, comme en ce dessin de Léonard où deux guivres croisent leurs dards fourchus et venimeux ; alors ils se sentaient au-dessus des définitions morales et décentes, ils se sentaient des ailes profanes, mais magnifiques, ils se sentaient beaux d'extase et concevaient un état nouveau de leur être, où le corps ailé, emporté par l'âme, suivait l'esprit dans un rêve aigu et indéfinissable qui faisait dire à Paule, en un sens d'idéalité pure, après de telles baiseries :

— Que nous sommes montés haut, mon bien-aimé. Mon front a peut-être touché le pied des anges!

Osculon IX

...Et morsu

Pour un personnage aussi complexement blasé qu'était Nebo, et qui n'aimait de la volupté que la part transfigurable par l'imagination, cette possession des seules lèvres était bien l'ode extasiante de la chair. Quelque fous, intenses et prolongés que fussent les baisers, ils ne l'animalisaient pas à un point où renversant la borne par lui-même placée, Paule pût voir se dresser le mâle souhaité. Il s'enivrait, à l'unique coupe consentie, sans garder toutefois assez de coup d'œil et de sang-froid pour deviner à certains soubresauts, à d'étranges regards de colère que son amante, vierge et par conséquent illusionnée sur l'au delà de la sensation, se cramponnait à son orgueil pour ne pas tenter quelque folie possessive.

A mesure qu'il s'amourachait son discernement diminuait; la vibration énervait sa prudence et il perdit le sens de ce qui se passait chez la princesse. Comme il l'en avait averti, de l'égoïsme apparaissait en lui; et voluptueusement heureux, il s'inquiétait moins que par le passé, des sensations de sa partenaire.

Paule recevait de l'amour une intuition psycholo-

gique nouvelle, car si l'homme même de génie se
médiocrise dans la passion, le femme y devient supérieure, et en se réjouissant de le sentir s'humaniser
elle s'attristait de le prévoir, bientôt diminué. Cela
n'était qu'à l'état de nuance; mais le ton d'un rendez-
vous à l'autre se saturait jusqu'à la couleur de l'évidence.

— Crois-tu, cher amant, — disait-elle, — qu'il y
ait eu plusieurs femmes de ma docilité au programme
d'une fantaisie si outrancière? Oh! tu m'entends bien,
c'est de la nature de ma docilité ou de celle de ta restriction qu'il s'agit : car, entre androgynes, n'est-ce
pas, toute question s'aborde : est-il permis, parce que
tu appelles les Normes, que notre cœur résiste très
longtemps à ce genre d'aimer, et que cette vie puisse
durer? Remarque : je ne mets en doute ni ta volonté ni la mienne, je nous attribue une parfaite en-
tente au même entêtement et je te demande si notre
organisme ne se vengera pas en nous jetant l'un ou
l'autre dans une maladie.

Je suis arrivée à ton mépris du corps et de l'instinct. Terrassons la bête ou dupons-la; mais la bête
est félonne et pourrait nous rendre détraquement
pour dédain.

Toi malade, je peux venir à ton chevet; moi malade, comment y serais-tu après le refus de ma main
qui t'a hostilisé ma tante?

— Quelle étrange vision t'obsède, mon bel ange, —
éludait Nebo. — Déjà les plaisirs de la présence, les

joies de l'intimité, les délices du baiser s'épuisent et pâlissent.

— Non, mon Nebo aimé, je suis heureuse et cependant je souffre; j'ai le besoin maladif d'une caresse plus violente... et qui m'apaise en me brisant. Mords-moi...

Il la mordillait des lèvres en souriant, elle fit la moue.

— Tu deviens folle? que je te mordisse vraiment...

— Oh! oui, fais moi mal... Si tu savais quel bien tu me ferais, en me faisant mal;... méchant de ne pas vouloir...

Le Tapis de Dejanire

En rentrant un soir, Nebo fut stupéfait : dans le petit salon des baisers, vide de meubles, le tapis était recouvert entièrement de peaux d'ours noirs.

Il appela le vieux domestique.

On avait apporté les peaux sans dire de quelle part et une heure après la princesse était venue et les avait étendues elle-même; et comme l'ordre était de lui obéir, Benoît avait cru bien faire en n'objectant rien.

Le jeune homme croisa les bras et considéra ces peaux. Simplement envoyées, c'eût été un présent explicable; mais étendues par elle-même et avec un soin particulier, haussées contre la plinthe de façon à la rembourrer contre un heurt possible, il avait compris et son découragement fut tel qu'au lieu de jeter loin de lui ce tapis de Nyssus, il s'y affala, morne et nerveux; ses mains crispées se plongeaient dans la toison et en arrachaient des touffes.

Il découvrit bientôt le dessein de Paule, sur lequel on se serait mépris avec facilité.

Ce n'était pas litière d'accouplement, mais prétexte d'enlacement; lice pour un corps à corps voluptueux, théâtre d'étreintes ophidiennes!

Comment se défendrait-il? son commandement n'était pas transgressé; et cependant l'amour à mi corps était clos.

Ces peaux de bête amenaient le contact inférieur et peut-être que Paule voulait ainsi interroger le corps, et s'éclairer sur une des versions de cet impavidité masculine, si inouïe, qui déroutait son expérience et torturait son désir.

Ces idées irritaient le platonicien; sa défaite lui apparut certaine et devenue une question, pas même de mois, de jours.

Voilà donc l'aboutissement pratique de la suprème science; la faculté dérisoire de ralentir la marche inenrayable des instincts, et dans sa douleur il oubliait que sa situation n'infirmait pas la Norme, et que son vouloir ne se réalisait pas, par anormalité seulement.

Salamandre au feu du désir, ondin aux larmes qui implorent, sylphe aux souffles amoureux, gnome au vertige de l'horizontalité, il conjurait le quaternaire des forces; cependant sa princesse en proie à toutes les incitations mêlées de l'idéal et de la chair devenait pour lui l'Ève fatale qui entraîne à la chute, si on ne fuit pas. Il résolut d'échapper au moins au corps à corps, ce jour-là; d'un ressaut se levant, il reprit son chapeau et ses gants, et à Benoit qui annonçait le diner servi :

— Je ne souperai pas ce soir; desservez... Vous direz à la princesse qu'une affaire me force à sortir, que j'ignore l'heure tardive où je rentrerai, qu'elle ne m'attende pas.

Osculon XI

Corps à Corps

Nebo rentra vers une heure du matin; il eut la précaution, avant de mettre la clé à la serrure de la grille, de regarder si une lumière à la fenêtre du boudoir n'indiquait pas la présence de Paule dont il savait la ténacité.

Tout dormait dans le petit hôtel : il monta, et sans frotter d'allumettes ouvrit la porte du boudoir qu'il fallait traverser pour passer dans sa chambre. Son premier pas sur les peaux d'ours butta contre un corps immobile; un éclair d'épouvante lui traversa l'âme : à sa lueur il vit la princesse suicidée; c'était absurde, mais le cœur ne connaît pas l'absurde, il ne sait que battre.

— Paule! ma Paule! — cria-t-il en se précipitant sur elle.

Elle était chaude, mais muette; soudainement rassuré il restait pantelant de sa terreur et déjà prévoyait un jaloux : « d'où viens-tu? »

Elle colla son visage mouillé de larmes au visage de son amant, sans un reproche, sans une plainte ; elle frappait ainsi sa tendresse et aussi son jugement.

Il la câlina de baisers, cachant la rancœur d'une

double défaite. Il était étendu à côté d'elle sur les peaux d'ours, le soir même où elle l'avait voulu ; et au lieu de reproches qui auraient permis de prendre de l'offensive, rien que le silence et des larmes. Les siennes coulèrent aussi amères, et jaillies de l'orgueil pantelant : entre ses dents serrées, il murmura rageusement le nom de la force cosmique qui le battait :

— Eros basileus !

Il s'attendait à être étreint, et s'inquiéta de la nouvelle immobilité de Paule.

Rien n'est poignant d'appréhension comme le silence boudeur d'une femme aimée, dans l'obscurité qui est un autre silence et s'y ajoute : il se roidit contre l'angoisse, et quittant la main de la jeune fille, s'écarta un peu.

Couchés l'un à côté de l'autre, sans parole, sans caresse, ils souffraient tellement qu'ils ne savaient pas de quoi ; leur état purement impressif était atroce d'angoisse vague. Car il ne s'étaient pas dit un mot mauvais, ni refusé un attouchement tendre : seulement Paule avait senti la lèvre de Nebo se crisper sur la sienne ; et elle avait eu peur de son audace.

Au lieu d'étourdir de caresses son amant, un froidissement lui monta au cœur ; et comme en ces cauchemars où l'on n'a qu'un mouvement à faire pour éviter la mort, mouvement impossible, inexplicablement sa voix ne pouvait rien proférer ni sa main se tendre.

Une pendule sonna deux coups, qui semblèrent des glas : la princesse frémit, horrifiée sans raison et tâtonnant des mains vers Nebo, elle bégaya :

— J'ai peur, frère, défends-moi... Oh!. parle-moi ou je deviens folle; il semble que nous sommes morts... morts... si j'étais morte, ma virginité, Nebo, tu l'aurais laissée aux vers de la tombe! Aux vers aussi, si tu étais mort, tu aurais laissé ta virilité... Parle-moi... je deviens démente... Tu m'aimes, cependant; le cri que tu as étouffé tout à l'heure partait des entrailles; en l'entendant, je me suis repentie de t'avoir si douloureusement secoué... et en me repentant j'eusse été prête à recommencer. Oui, mon mage, tu as raison, la passion cherche sa pâture même dans les souffrances de l'Aimé; mais tu me rends douleur pour douleur et ne peux rien me reprocher... Tu as tressailli... j'ai dit vrai...

— Il est triste, ô mon âme! — dit enfin Nebo, — que vos satisfactions soient mes déplaisirs; et ce moment détestable de vie passionnelle qui a semblé durer cent ans, explique pourquoi on se quitte, on se fuit tout à coup parce que la souffrance a vidé, centuplé le sablier des jours : terrifiante ironie de ce qu'on nomme prudence, notre effort vers le bonheur nous accable plus lourdement que l'existence même et désormais nous allons nous blesser et nous maudire pour nous accuser après, pleurer et nous reblesser et nous remaudire...

L'envers de cette médaille infernale c'est un spasme,

moins que rien, une trépidation du cervelet au rein,
et puis de la lassitude ; je n'étais presque plus un
homme, mais vous êtes venue...

— Et?... fit Paule avide et soulevée.

— Ah! — dit-il ironique, — l'oreille fine aux choses
désirées... Non, je n'allais pas dire ce que vous
attendiez, et surtout, pas du ton attendu.

Elle retomba sur la peau d'ours et soupira.

Soudain un rayon de lune entra ; ils tressaillirent
et Nebo vit alors que Paule était en maillot de soie
blanche, propice aux enlacements !

Il ferma les yeux et tomba sur le dos, les bras
inertes et mous ; et sa volonté aussi tombait ; l'horizon de cette retraite de ses rêves devant la
sexualité de Paule apparaissait impossible ; il se
rendait par sa pose même ; mais sa reddition ne
flattait pas sa conquérante ; en cette aventure,
comme en la plupart des duels, la victoire de la
femme n'est rien que le désistement de l'homme :
Nebo était pris par la fatigue morale, comme un
chef de forteresse par la famine ; il se rendait, non
pas à l'amour et à la beauté de la princesse, mais
à son entêtement.

Fatiguer les âmes, les harasser d'aiguillonnements
imprévus, de guerroyements inopinés, d'escarmou-
ches énervantes, tel est le glorieux moyen dont se
sont servi celles qui ont maîtrisé les génies. Plus
un esprit est élevé, plus la puérilité féminine le fait
concessionner.

Semblable à un géant qu'on provoque à des combats d'épingle, sa forte main se blesse à l'imperceptible acier, sans pouvoir s'en armer : l'intellectuel par son envergure même n'aperçoit pas les infiniment petits, les éphémères toujours renaissants qui forment les sentiments de la femme et ses moyens d'action.

Tandis qu'il réfléchissait, la jeune fille s'était dressée sur les mains et, penchée vers lui, l'aspirait de tout l'être.

Sans lever sa paupière, Nebo vit cette attitude d'animal féminin guettant sa proie. A quatre pattes, la narine vibrante, elle s'avançait du haut du corps.

Les nuages voilèrent la lune : Paule, enhardie, de ses mains fiévreuses, cherchait à ceinturer son amant et à lui agraffer la bouche. Lui, ne se défendait pas, il eût été ridicule, mais sa passivité aurait fait reculer d'humiliation la princesse, si quelque chose de plus fort que l'orgueil ne l'avait tenue et couchée sur la poitrine de l'homme aimé.

Tombé dans cette arène amoureuse, Nebo ne voulait pas que la jeune fille s'en relevât femme : et cela était de sa force ; mais bouder à cette bouche brûlante et ne pas jeter l'écharpe de ses bras autour de cette taille : voilà ce qui était plus fort que lui.

L'orgueil sexuel, auquel la femme est redevable de presque tous ses plaisirs, ce point colossal de la vanité du mâle qui veut extasier et s'y épuise pour une gloire d'étalon ; cet amour-propre d'emparadiser celle qui se donne, Nebo le sentit naître, mêlé d'un peu de rage à cette étreinte qu'il consentait sans joie.

Il l'étreignit, un peu comme on étreint un jouteur ennemi, avec la volonté de lui faire beaucoup de plaisir et aussi un peu de mal.

Paule attribua la violence de Nebo à une subite ardeur et révéla la fauve d'amour qui couvait en elle ; ce fut effrayant.

Noués l'un à l'autre, s'incrustant, s'écrasant, ils s'aimèrent comme on se hait. A voir ce nœud de deux corps qui roulait sur ces peaux en rugissant, l'œil n'eût pas discerné s'ils se caressaient ou bien s'ils s'égorgeaient. L'amour furieux, aussi terrible que la haine, lui ressemble par cette loi qui analogise les contraires venus à leur excès d'intensité. Les membres craquèrent en cette roue d'amour qui, imposée, hors de leur état d'âme, les eût vraiment suppliciés.

Aux boutons de Nebo, qui n'avait pas un costume approprié à cette escrime, la princesse s'éraillait la peau, la veste de satin déchirée, son maillot craqué à une jambe ; dans l'écume de leurs bouches, ils sentaient le goût du sang, ils devaient s'être mordu la lèvre ou heurté la gencive !

Les cheveux de Paule se dénouèrent, et comme ils étaient admirablement longs, ils s'embarrassèrent à une contorsion sous le corps de Nebo, qui, se retournant, en arracha, sans qu'elle le perçût.

Maintenant, ils râlaient, les lèvres écumantes, blessés, brisés, hérissés, les vêtements en désordre et arrachés, tout le corps fou; à bout de forces, par un vouloir qui l'épuisa, il la frappa de sommeil.

Un rayon de lune reparut, éclairant ce désordre, le Platonicien se souleva avec peine et regarda douloureusement son amante :

— Mérodack l'avait prédit! — et il retomba anéanti.

La Fausse Maladie

La plus grande joie de l'amour, la plus pure, doit être la présence, libre de ses paroles et de ses caresses, d'une femme qui vous aime à votre chevet de malade.

C'est devant le lit, son autel, que la femme est grande : mère, sœur de charité ou amante. Qui a vu une femme soigner son amant présumera ce que peut être un ange! L'idée que l'aimé souffre, les immatérialise; cette duchesse, qu'un négligé de toilette refroidissait, n'aura point de nausées aux soins les plus répugnants; quand l'homme aimé s'alite, la maîtresse se transfigure et devient une mère.

Il faut bien, sous peine de remettre tout en question ce qui est résolu, voir dans le rôle de la femme celui de la récréation masculine, si contestable qu'on la juge; l'instinct est une logique expérimentale, et n'est-il pas de toute visibilité que le féminin ne possède cette force si souvent désastreuse d'attraction que pour enivrer l'homme et lui faire subir la vie, en variant sa souffrance, ce qui est un bien, si on n'accorde pas à la volupté une contingence virtuelle et réconfortante. Or, si la femme doit, dans l'économie

providentielle, de la volupté à qui souffre seulement
de vivre, celui que torture la maladie lui appartient,
car, seule, elle a les grâces d'état et les facultés néces-
saires à ce sacerdoce si touchant, qu'il obtiendrait le
respect de l'enfer. Il n'y a pas d'autres démons que
ces voyous français, butors, sans même de lectures
fanatiques, sans même de foi, qui ont demandé, à la
solde de cinq francs par jour, des vertus que l'Église
récompense par des joies éternelles. Avec de l'or seulement, on n'a que de la matière; Danaé se vend, mais
la pluie métallique ne lui ouvre pas le cœur. On sait
le prix d'un président, d'un ministre, en ce temps où
les peuples n'ont plus d'âme, mais un budget. On
peut, avec de l'argent, faire tout ce qui constitue un
peuple moderne, de la prostitution et du patois; deux
types humains ne seront jamais laïcisés, car ils des-
cendent du ciel et y remonteraient plutôt : l'homme de
génie et la sœur de charité.

Au lendemain de leur étreinte léonine, quand la
princesse se précipita à l'excitation d'une semblable
volupté, l'aspect de son amant, maladivement étendu sur son lit, la glaça. Son ignorance physiologique lui évoqua d'indéterminées et terribles conséquences du corps à corps, elle s'accusa amèrement
d'avoir provoqué un plaisir dont il pâtissait, et
lorsque, revenue de cette émotion repentante, elle le
regarda des yeux de son amour, un sentiment pénible
la prit, il lui sembla que nul terrain n'était gagné et
que le Platonicien ne se souvenait plus de l'enlace-

ment. S'attendant à retrouver à sa parole et à son regard un peu de la chaleur restée de leurs fougueux baisers, elle fut déçue et dans son cœur et dans sa gloire. Ces lèvres qui gardaient la trace des siennes, ces lèvres encore tuméfiées, ne se souvenaient pas et parlaient comme avant. L'impassibilité du jeune homme reparaissait, il était tendre, mais calme et oublieux des sensations reçues. A mesure qu'elle le considérait, elle perdait foi en sa conquête et doutait même de sa mémoire.

Ce jour-là, la façon dont Nebo était vêtu, paralysait un peu la jeune fille, sans qu'elle se l'expliquât, et il souriait intérieurement à la réussite de son double stratagème. En se maladisant, il s'était efféminé ; or, niaisement on confond l'être soumis au plaisir et celui que maîtrise une femme.

A chercher dans l'histoire ou autour de soi, c'est le mâle, l'homme à poils, le sanguin martial à carrure athlétique, à voix tonnante, qui donne les plus serviles exemples d'amants domestiqués, tandis que les solariens mitigés de Mercure, presque féminins de forme et de peau, dominent la femme ou du moins ne sont pas dominés.

Nebo était littéralement paré : des manchettes de dentelle lui tombaient sur les mains ; sa blouse de satin noir brodée d'or s'échancrait sur un drap d'or ; des cothurnes de pourpre lui serraient les pieds ; en sa posture repliée, Paule devinait sous le satin noir et le drap d'or de la batiste, quelque chose d'aussi soigné que les dessous de la femme qui s'élance sur le pavé de Paris par un soleil de mai, avec un sourire prêt au coin des lèvres, pour le hasard des rencontres.

De plus, il était parfumé d'odeurs orientales inconnues à la coquetterie mondaine.

Pendant qu'il fermait les yeux, elle contemplait sa belle main, son bras blanc, ses jambes fines, son pied petit, sa taille souple, et elle sentait en lui quelque chose de féminin qui le défendait de la femme : elle n'était pas en face de lui l'Ève gracieuse et écrasante de beauté vis-à-vis d'un lourd chasseur, et la mise en valeur de cette androgynéité la diminuait à ses propres yeux. Elle donnait moins qu'elle croyait : des contours et une peau incomparables, voilà ce qui lui restait, au sortir de son parallèle comparatif de lui à elle, où sa tristesse calomniait sa propre beauté.

— Mon Nebo, la maladivité vous va ravissamment, vous êtes beau comme un jeune dieu.

Il avança ses lèvres à la rencontre de la main de Paule.

— Je viendrai passer la nuit à ton chevet, cher aimé.

— Non pas, cher ange ; j'ai grand besoin de sommeil et votre présence serait mère de l'insomnie, insomnie paradisiaque ; mais en me soignant, j'épouse vos plus chers intérêts, et j'ai tant humilié monsieur mon corps que je me méfie et qu'il le rende à mon esprit : ce qui nous ferait également pâtir.

Paule se pencha sur lui :

— Et pourquoi l'humilier, ce corps, moyen de tant de joie?

— Vous trouvez, — fit-il d'une voix froide, et il referma les yeux.

— Hein! — fit-elle, croyant avoir mal entendu et restant stupide sur ce déni de volupté à leur étreinte de la veille, sur ce « vous trouvez » qui dépréciait leur amour et ses charmes.

Lui respirait calmement, comme s'il n'eût dit qu'une indifférente parole. Un soupçon s'éveilla dans l'esprit de la princesse, elle douta de la maladie, peut-être n'était-ce qu'une comédie pour la tenir en respect; voulant s'éclaircir avidement, elle abrégea sa visite et s'en alla, fermant la porte.

Sitôt, le Platonicien, que l'horizontalité ennuyait, sauta sur ses pieds, arpenta la chambre, alluma une cigarette, et sifflotant prit un crayon qui traînait et dessina une tête sur la tenture.

Avec une attention prévenue, peut-être eût-il entendu une respiration haleter derrière la porte; la princesse avait collé son œil au trou de la serrure, et stupéfaite de voir son amant si subitement guéri, même guilleret, elle quitta l'hôtel sans bruit, avec la résolution de brusquer tout, de brûler sa pudeur et d'en avoir le corps net.

Résistant au désir de la femme au lieu de le provoquer, Nebo inversait les rôles et prévoyait que la jeune fille, en sa qualité d'androgyne, oserait comme un homme, puisqu'il se dérobait comme une femme. Ce phénomène fut aidé par la mise de Nebo, mise féminine qui dotait de mâleté le désir de la princesse.

Quand elle le sentait nu sous sa robe rouge, quand sa manche relevée montrait son bras un peu maigre, mais blanc, lorsqu'elle baisait ce cou rond et parfumé, elle sentait en homme.

C'était le prince Paul qui suivait d'un œil concupiscent la baguette d'or du bas noir de l'énigmatique Nebo, qui s'amusait ainsi à lui ôter ses atouts de séduction, les jouant lui-même et si habilement, qu'elle doutait de sa grâce.

Il se laissait baiser la main, s'abandonnant à la pose de l'efféminé et sans déchoir, car son esprit virtuel et fort, en une parole, refoulait l'idée d'un amollissement.

Il se faisait faire la cour et désirer comme une coquette et son but, cependant, était de retarder la sexualisation. Théoriquement, clerc incomparable, connaissait-il bien la parabole que décrirait cette inversion, chez un être aussi enflammé? En son rôle inconsciemment accepté de soupirant, de jeune amoureux, la princesse était capable d'entrer dans le travesti psychique jusqu'à prendre son amant, comme les bien élevées et bien enflammées en ce point semblables, les unes pour économiser les frais de pudeur, les autres pour se sauver du désir à vide, — à le prendre d'assaut.

.ᵥ.

Osculon XIII

Le Viol

La chaleur accablait; Nebo n'attendait pas Paule, ayant manifesté un besoin absolu de sommeil; quand Benoît l'avertit que la princesse sonnait, il avait les bras nus, les mollets nus, une simple blouse de soie rouge jusqu'au genou et ses cothurnes; avec dépit, il se jeta sur son lit.

— Eh bien, cher Nebo?

— Mal! — dit-il, — l'électricité qui charge l'air m'appesantit.

Elle ne put résister au plaisir de lui baiser l'épaule.

— C'est d'une caresse d'homme à femme, cela — observa-t-il.

— Pourquoi avez-vous des joliesses de femme?

— Comme androgyne.

— En somme, Nebo, en quoi consiste l'androgynisme?

— A ne pas faire causer un malade, à ne pas demander de définition à une tête que tenaille la migraine et à laisser reposer les gens qui ont sommeil, quand on les aime.

— C'est bien, mon ami, je ne vous parlerai pas,

dormez; vous ne m'entendrez pas partir. Voulez-vous
que j'éteigne ce flambeau?

Nebo fit un geste vague et las; elle souffla les bougies et quitta son cache-poussière. Le Platonicien qui
la guettait la vit sans corset, sans tournure et s'inquiéta.

Puis, elle passa derrière sa tête, il ne la vit plus, et
au bout d'un moment :

— Paule, où êtes-vous?...

— M'entendez-vous...

— Non; venez donc ici...

— C'est que... je suis un peu allégée.

— Diable! — murmura-t-il anxieux. Il crut meilleur
de se taire et de feindre le sommeillement.

Elle vint enfin dans le rayon visuel des yeux appa-
remment clos du jeune homme; nu-bras, mais vêtue
jusqu'au cou d'une sorte de robe blanche... Le mot
« allégé » lui avait fait voir un dénudement. Elle devait avoir quitté ses escarpins, Nebo ne l'entendait
pas marcher; il voyait sa forme blanche aller et
venir et sentait le léger courant d'air de sa déambu-
lation; il s'agaçait et remua.

— Nebo, qu'avez-vous?

— Très chaud, princesse.

— Je vais vous éventer.

Elle vint s'accroupir près du lit en agitant une grande
palme.

Nebo la vit mieux et étudia son vêtement, y cherchant un dessein possible, sinon probable.

C'était une robe très ample, d'un tissu léger, opaque cependant, mais certainement rien dessous.

En paraissant attentif à respirer l'air qu'elle lui faisait, il se questionnait ainsi : « serait-ce un vêtement propice oui ou non ? »

— Vous êtes très mal ainsi posée, et tenez, voici qu'il pleut.

En effet, de lourdes gouttes bientôt suivies de hachures crépitantes, commencèrent une violente averse.

— Ma chère enfant, puisque vous vous obstinez à veiller un grognon qui n'en a pas besoin, je vais égoïstement vous fausser compagnie et me confier aux bras berceurs de madame Morphée, votre victorieuse rivale de cette heure. Approchez votre front... il est brûlant. Bonsoir, ma sœur.

Il feignit de dormir : quelques minutes s'écoulèrent; aucun bruit ne lui expliquait ce que pouvait faire la princesse. Il s'était tourné vers le mur, laissant derrière lui, sur la couche étroite, un peu d'espace.

Tout à coup, un fléchissement des matelas et lentement, avec d'infinies précautions, Paule s'étendit à côté de lui; il admirait qu'elle pût tenir si peu de place; elle devait être bien mal, la vierge amoureuse!

Bientôt, elle s'appuya un peu contre lui, il soupira comme s'il allait se réveiller; cela la rendit immobile un grand moment, puis elle rétablit son contact.

Nebo balbutia confusément des mots, il la sentit

frémir; son bafouillage devint plus distinct, il parla comme en un cauchemar :

— Tort... comment? Oui... Androgyne... je ne veux pas... toi tu veux... et les Normes... fatalité... L'amour... non, sœur... et mon frère... Paule... très belle... tu es... je te dis que non... les Œlohim ne permettent pas... si tu savais la gnose... O la femme.., celle qui donne le vertige... la grande étourdie... je te dis que c'est dans le texte... chinois... le Baphomet... calomnie... oui, tu es belle, mais tu n'es pas sage... ô, pas sage du tout... du tout... du tout...

— Nebo, tu n'es pas malade et tu ne dors pas, — s'écria Paule, et elle osa ce geste dont avait parlé Mérodack.

Nebo se dressa, la poussa à terre et y sauta.

— Je ne suis pas de ceux qu'on viole, princesse.

Elle cachait son visage dans ses mains, confuse pour la première fois.

— Je ne suis pas non plus de ceux qui s'entêtent inutilement. Vous voulez déchiffrer avec moi l'énigme des corps? Soit, mais le corps est mortel, rien ne dure des sentiments où il entre. Tu auras des ivresses, mais tu me perdras.

— Je saurai te retenir, ô bien-aimé.

— Souviens-toi, il n'est plus temps de reculer ! Souviens-toi que je ne suis plus lié à toi, que les serments que je te ferai par la suite ne vaudront rien, fils du spasme imbécile !

Elle voulut lui jeter les bras au cou, il l'écarta du geste.

— Va-t'en, et laisse-moi sept jours pleurer ma sœur.

— Nebo! — et elle supplia.

— Mon rêve est fini; laissez-moi me recueillir avant de réaliser le vôtre.

— Tu m'épouvantes!

— Si vous pouviez estimer ce que je perds, vos cheveux soudainement blanchis, tomberaient d'eux-mêmes à vos pieds.

Elle se tordit les mains.

— Pardonne, j'obéirai, je serai ce que tu voudras, ô mon frère.

— Le frère est mort, laissez naître l'amant..........
et de la main, il la força à sortir, désespérée.

Dès qu'il fut seul, ses larmes coulèrent, les larmes de sang de l'homme qui a vu sa chimère, vécu son rêve, et qui tombe pour toujours dans la détestable, basse, puérile et crucifiante réalité de la femme et de l'amour.

LIVRE III

LE RITUEL D'AMOUR

> Les nabis lui prédirent mal-
> heur ; car il avait bâti un temple
> sur les hauts lieux où il célé-
> brait son amour pour l'étrangère
> avec les parfums sacrés, les paroles
> solennelles, tous les rites réser-
> vés au culte d'Adonaï.
>
> *Les Proses lyriques* (inédit).
> J. P.

LE RITUEL D'AMOUR

I

Amant malgré lui, Nebo voulut du moins timbrer
l'amour du cachet de son esprit, le blasonner de ses
couleurs, en frapper la médaille liminaire à ses
armes et à l'effigie de son orgueil.

Platonicien condamné à une orgie de chair, métaphysicien voué aux spasmes, il chercha les pompes
les plus grandioses pour ces fêtes de la Bête, où il
allait officier,

Posséder la femme aimée comme tout le monde
la possède; et dire si « j'ai des successeurs, ils lui
donneront la même impression, sinon la même sensation »; être banal et semblable aux autres sur le
terrain déjà si banal de la bestialité, il ne s'y résigna
pas. Il prépara son entrée sexuelle, comme un po-
destat italien son entrée en une ville qui s'est
livrée, il en composa le décor, régla les détails de

mise en scène soigneusement, et ne respira un
peu qu'après s'être prouvé qu'il réalisait un stupre
digne d'un Mardouck-Baladan ou d'un Toutmes. Ce
grand artiste machina son amour en féerie; et comme
il ne savait vivre que pour contrarier la nature et
vaincre la réalité, il conçut la mise en rêve et la
mise en art de l'œuvre de chair.

La pensée d'arranger sa passion, suivant un mode
esthétique, et d'aimer en ce Paris sceptique vêtu de
noir, comme au temps de la pourpre impériale, le
consolait presque de la féminisation de sa chimère.

Il y a dans les civilisations extrêmes des esprits
si subtils qu'ils meurent sans avoir été compris; ils
sont aimés, étant mystérieux; mais ils lassent les
cœurs même infatigables, car jamais leur coupe
ne s'emplit, quelle que soit la beauté qu'on y verse;
en se penchant sur ces âmes, on n'en voit pas
le fond; la rancune les dit égoïstes malgré leur
dévouement; l'amour malheureux les dit froids
malgré leur âme en feu : et les dépits plus naïfs expriment mieux en termes inférieurs : « On n'est jamais
le plaisir pour eux, on n'est qu'un prétexte; leur jouissance vraie est toujours à côté de celle qu'on leur
donne et qu'ils prennent comme on s'ennuie, étant
très bien élevés, en jurant qu'ils s'amusent : ils ne
veulent pas vivre la vie; et votre corps nu et votre
cœur saignant ne leur sont que des tremplins pour
l'élan vers l'étoile; et ils vous retombent dessus,
écrasants et plaintifs. »

Quand ils œuvrent, ils stupéfient; stériles, ils sont rubriqués fous, à moins de cette hypocrisie de médiocrité, de cet effacement sans départie qui valait à Nebo l'indifférence d'une société dont toute la bonté réside en cette négative de ne pas mal vouloir, entre maçons de la loge mondaine.

Si la princesse avait lu dans l'âme de son Bien-Aimé, que l'amour tout seul, même en sa nouveauté, lui suffisait mal, et qu'il s'y résignait mieux en s'atavisant roi d'Orient, elle eût désespéré, et compris peut-être que les androgynes sexuellement infixables, ne sont fastes qu'en adelphat. La seule fidélité possible à l'être replié sur sa pensée comme un serpent gardien d'un trésor, ou volatil comme un arome qui chercherait à se griser lui-même d'une senteur, — n'est-ce pas la fidélité spirituelle?

On n'abandonne jamais moralement la femme qui, à force de vous écouter, identifiée et devenue votre œuvre vivante, vient pleurer ses souillures et raconter ses amants, comme on lui raconte ses vilenies et ses maîtresses. Ce pacte d'indulgence consolatrice, cette filialité de la femme devant un père spirituel aussi défaillant et pécheur qu'elle est pécheresse, semble abominable : c'est pourtant une des formes neuves que la charité chrétienne a fait éclore en des âmes trop stériles pour de plus pures frondaisons; telle, la bassesse de la vie passionnelle que son tableau sacré au milieu des scènes de profanation, ce sont ces deux êtres qui s'aiment

assez au-dessus de l'amour pour ne se retrouver
que dans les larmes et bercer leur douleur au lieu de
leur luxure.

Cette confession sans repentir ni pénitence, cette
direction qui est quelquefois selon l'idéal et jamais
selon la vertu, n'ont lieu qu'entre deux êtres
qui ne se sont pas possédés, car l'antécédence
d'un lien de chair corromprait leur mélange de
larmes : il les faut tous deux blessés et vaincus de
la vie, non pas de blessures qu'ils se soient faites
ou de lutte consommée entre eux. Ainsi Mérodack
concevait la réalisation de la sororité, comme le dernier baiser de deux âmes à leur automne, baiser
d'apaisement très doux et très profond, et cependant
sans fièvre; baiser de discernement donné avec la
conscience de tout ce que les précédents fiévreux
et amers ont coûté. Peut-être Nebo eût-il accepté
cette diminution, seule possibilante de sa chimère ;
mais rencontrant, vierge, jeune, admirable, elle, la
désirée, l'élue, sa jeunesse et cette virginité que fait
le blasement, lorsque la chair est sevrée des voluptés
vulgaires, devaient fatalement le pousser vers Paule:
elles le poussaient si bien, qu'il n'hésitait plus que
sur la manière noble et grandiose de tomber dans
ces bras si blancs au veinage de ciel.

Forcé de déployer devant elle la carte de Tendre,
et de vivre les sentimentalités par lui montrées
sous leur jour puéril et atroce, il avait dû, par
un grand effort, hausser jusqu'à l'extase la con-

templation et féliner le baiser jusqu'à la morsure.

Voilant des nuageuses phrases de son adoration, les acerbes analyses de l'*initiation sentimentale*, et dans l'écume du baiser, noyant le souvenir de ses enseignements, Khironie d'où il espérait sortir une Achilléide; ce patient et dangereux enchiridion du mal passionnel, non seulement avait été de l'horreur perdue, de la nausée sans effet; même aujourd'hui que la main folle de la princesse d'un geste déchirait tout le mirage séraphique en formulant la sommation de la chair, il considérait son maître tableau de dégoûtation, la grande horreur, et voulait le splendifier : sous sa volonté, l'accouplement deviendrait une céleste vision. L'orgueil plus fort même que la conception le tenait, d'élever en sa personne tout ce qu'il avait méprisé et vilipendé dans l'humanité.

— Comment menez-vous donc votre mari?

— Je l'appelle, tous les soirs, en nous couchant : « Mon roi »; et nous levant, tous les matins : « Mon empereur ».

Or, Nebo voulait se coucher empereur et se relever Dieu!

La magnificence d'un despote asiatique ne suffisait pas à son ambition, il voulait se donner, et plus encore lui donner l'illusion d'un accouplement de dieux païens, sur des nuages d'Empyrée.

Excessif en toutes ses voies, mêmement qu'il avait voulu le cœur sans le corps, il combinait main-

tenant les moyens physiques et spirituels de la plus
grande ivresse possible.

L'éducation et la pratique catholique imposent
leur sceau miraculeux à toutes les manifestations
de l'être, il semble qu'un peu de religiosité se mêle
aux prévarications mêmes.

Il a été mis en circulation par des gens qui man-
quent et de foi et de culture chrétienne, cette parfaite
absurdité que le remords et l'enfer éternel sont les
piments du péché d'un croyant. La présidente de
Tourvel devenue le prototype de la dévote coupable,
on a cru et écrit des psychologies aussi catholique-
ment fausses que le père Cenci, de Schelley. Il n'y a
du remords que lorsque la passion ne flambe pas
ou qu'elle décline; est-ce bien même du remords,
ce sentiment fait de peur et d'art qui joue la
pénitence; ou est-il le repentant d'un beau péché,
c'est-à-dire d'un acte mortel où l'orgueil s'é-
panouit sans que la prudence s'alarme? Ce qu'on
prend pour une conscience de son illégalité devant
l'Église, n'est jamais qu'une peur de déception ou
de conséquence : et les vertus qui ne sont pas
des enthousiasmes rentrent dans les lâchetés et les
impuissances. Pleurer ses fautes signifie pleurer ses
laideurs morales consenties et tant que le cœur se
croit en voie de beauté il n'a aucun souci du péché
qu'il côtoie; Paule l'avait déclaré : son amour lui paraissait le devoir même. Nebo rebiffé et sophiste aux
représentations de Mérodack ne percevait son mé-

fait, tant il lui apparaissait splendide. Il se pré-
munissait contre le remords esthétique, le seul qui
lui fût possible. Sa volonté de faire de l'illusion au-
dessus du cubicule, mettait en scène fictive la possession matérielle et la positivité du contact complet. La Bête se dressait invincible; ne pouvant la
chasser, il l'enguirlandait, la dorait, l'enjolivant de
tout le conceptible.

Un moment il avait pensé à ce que Suë a précisé
quelque part; le courage de l'abstention n'était pas
un courage pour lui; mais la force de bouder à tant
de beautés en émoi, il ne se la croyait pas, malgré les
illusions qu'il nourrissait obstinément de garder la
mesure et la maîtrise de soi, quand la princesse dé-
ployerait librement toute sa puissance de statue
ignée de vie amoureuse.

Pendant une semaine, ce fut au petit hôtel de la
rue Galvani, un va-et-vient de tapissiers et de fleu-
ristes; la nuit du jeudi au vendredi il y eut de la
lumière et du bruit jusqu'à l'aube.

Paule, consumée d'attente, n'osa pas venir avant
le jour indiqué; elle n'avait pas ce sentiment de dominer, qui fait désobéir une femme en se disant :
« Je le tiens ».

Elle ne le tenait pas, en effet, quelque invraisemblable que cela lui parût à elle-même : cependant une
confiance sans borne dans la possession, l'assurait du
triomphe dès que la sexualité consentie par Nebo
donnerait carrière à sa fougue de femme admirable.

Ce singulier renvoi à sept jours était-il gros de mystère; pourquoi sept et non six; elle attribua une intention fatidique à cette énumération.

A quoi employait-il ces sept jours? question qui la rendait plus curieuse qu'elle n'avait jamais été. Ce furent sept jours torpides et lassants; l'appréhension du bonheur devient douloureuse; réfléchir à la volupté, c'est à la fois la rêver immense et en redouter la déception. Nebo s'était tant défendu, exorcisant la chair, que la malheureuse enfant, oscillante entre la joie et la peur de l'inconnu, tantôt exultait à des songeries grisantes, tantôt convulsée d'indéfinissables frayeurs, craignait un mécompte pour elle ou pour lui, peut-être pour tous deux.

En se préoccupant de cérémonialiser le stupre, le Platonicien qui obéissait à son besoin d'art et à l'orgueilleuse idée de ne pouvoir jamais être assimilé à un autre amant, satisfaisait aussi à l'état d'âme de son amante. Si longtemps, si ardemment, l'imagination de la vierge avait algébré l'x de la sensation totale, que logiquement et pour parer au « ce n'est que ça », qui ruinerait à la fois les deux termes de passion et de sororité, il devait, à cette attente fiévreuse et exaspérée, une sensation extraordinaire qu'elle ne pût jamais revivre; et si imprévue, et si captivante, que cela lui parût invraisemblable, même pendant qu'elle la vivrait.

A tenter cette aventure merveilleuse d'envelopper d'idéal, la matérialisation de l'amour, et de l'enve-

lopper extérieurement pour tous les sens, sans les
paralyser occultement ; à laisser à un être toute sa
liberté cérébrale et cependant le faire sortir du temps
de l'époque, il fallait une sûreté prodigieuse d'exé-
cution ; car l'insuccès c'est un ridicule sans borne à
tuer la plus vivante passion, pour l'amant qui ose dire
« je t'enlève dans la nue, au pays de Shakespeare
et des Mille et une nuits, sur le Vénusberg, il y a un
temple à ton invocation ; viens présider à la célébration de tes mystères » : au lieu de la perspective niaisement sensuelle de l'alcôve bourgeoise et maritale.

Un pressentiment, persistant et aigu, lui soufflait
que c'était le dernier acte de sa puissance désormais
vassale de la maîtresse acceptée ; mélancolique, il
considérait ses préparatifs comme ceux de l'introni-
sation d'une reine au royaume de sa pensée et de sa
personne ; comme ses ancêtres, les prêtres de Kaldée,
savaient sauver l'honneur d'un Sardanapale en
engloutissant sous un grand désastre, une plus
grande indignité, il était résolu à s'évanouir des bras
de sa bien-aimée, si elle les nouait trop fortement
autour de lui ! N'importe qu'il fut sûr d'échapper lui-
même à l'écroulement de son amour, il s'avouait :
« ce que je fais, c'est ma dernière volonté, avant l'abdication ».

Au dernier jour, quand tout fut prêt, de sa baignoire
où de longues heures, il fit macérer sa chair dans les
baumes, envoyant porter le télégramme qui indiquait
l'heure où il attendait la princesse, un orgueilleux

sourire sillonna sa lèvre et passa dans ses yeux : « La reine de Scheba peut venir — murmura-t-il — elle trouvera la réalité d'un amour salomonique. Je sens les ancêtres revenir, invisibles témoins attendris d'une réception d'amour chez un Mage roi d'Our, en Kaldée. »

II.

Le jour était un vendredi, qui finissait l'exil de la princesse, inaugurant une *Vita Nuova* qu'elle se promettait autrement passionnée que celle où Dante a soupiré la mélancolie de sa grande âme obscure, étoilée du souris de Béatrice Portinari. Après avoir vécu un poème de contemplation et un poème de baisers, au lendemain d'étreintes où les bouches écumeuses mordaient, une *Vita Nuova*, c'était la grande luxure du cycle oriental ; où la reine toute-puissante se murait dans sa passion, insoucieuse de tout, absorbée seulement à épuiser les caresses avec l'Aimé.

En recevant la dépêche de Nebo qui la conviait l'après-midi et non la nuit, comme elle l'attendait, elle eut une grande perplexité sur le choix de son costume, et s'arrêta à le simplifier le plus possible. Une fièvre la poussa comme une flèche vers la rue Galvani ; arrivée à la grille, elle s'appuya une minute avant de sonner, défaillante et honteuse de la précisation de ce qu'elle venait chercher.

Le vieux domestique l'introduisit dans une pièce du rez-de-chaussée, voisine de l'atelier ; un rideau la coupait en deux ; sur une table un large pli. Invincibiement, elle y jeta les yeux : « Pour la princesse ». Tout son sang lui monta au cœur; elle crut qu'il était parti, lui laissant cette lettre d'adieu. Tremblante, au point de ne pouvoir déchirer l'enveloppe, les yeux trop injectés pour lire tout d'abord, à grand'peine elle déchiffra :

« Derrière ce rideau est votre parure, mon idole, revêtez-en votre nudité; puis, poussez la glace à l'endroit où il y a un scarabée, vous serez dans le temple; un trône vous y attend, seyez-vous tenant le lotos sacré d'une main et le bâton royal de l'autre, et l'adorateur viendra faire ses dévotions, accomplir les rites, dire les hymnes et balancer l'encensoir. »

Elle ne comprit d'abord que deux choses, qu'il l'appelait « mon idole » et qu'il allait venir : immensément soulagée, elle relut, et pour une princesse, qui avait tant présenté à l'esprit la contemporanéité des mœurs, elle s'étonna; cela dépassait tellement les étrangetés auxquelles cependant Nebo l'avait habituée : ces mots « temple » et « trône » qu'elle entendait en « chambre » et « lit », elle se demandait s'il fallait les prendre au propre ou au figuré. Elle s'arrêta à cette idée qu'il voulait la dessiner dans un costume d'idole, avant de la posséder. « Mais pourquoi, pensa-t-elle, dire qu'on balancera l'encensoir, quand on veut faire courir un crayon sur du bristol. Il eût bien pu me dire la chose en langage naturel, puis-je lui refuser rien? s'il l'a pu croire il est sot; mais voyons ma parure. »

Elle tira le rideau et s'étonna davantage : sur un mannequin était posée une armature éblouissante de perles et de gemmes d'une incroyable variété, et c'était toute la parure. Elle rougit à la pensée de se vêtir d'un réseau de pierres précieuses posées non sur une étoffe, mais sur la peau même, éclairant le nu, au lieu d'en rien voiler. Elle regarda autour d'elle cherchant une tunique, fût-elle de gaze ; il n'y avait pas un lambeau d'étoffe, mais une légère aquarelle où elle y vit la façon de se vêtir de ces seuls bijoux.

Étrangeté du féminisme ! Elle venait se donner et l'idée de s'exhiber nue, la confusionnait ; son âme consentait déjà, que son geste hésitait encore au déshabillement. Elle mit sa robe sur la glace, puis, la chemise, pour ne pas se voir. Cette toilette hiératique était compliquée et sans le lavis, elle y eût mis beaucoup de peine. D'abord, elle dénoua ses magnifiques cheveux, fixa le diadème avec un diamant qui pendait au bout d'un fil d'or, juste à la naissance du nez, entre les deux sourcils. A ses oreilles, de lourdes pendeloques ; au cou, un carcan de brillants où s'agraffait un plectrum en trois pendentifs ; celui du milieu, fil de perles variées, tombait dans l'entre-deux des seins qui étaient cerclés à leur naissance d'une bordure d'or d'où partaient des fils d'argent soutenant deux bagues disposées pour les pointes de la gorge.

Le même carcan étendait deux épaulettes de gemmes à longs fils d'or qui tombaient sur le gras des

bras, serrés d'un cercle d'argent qu'une chaînette
reliait au bracelet du poignet. Au-dessous de la poitrine, une large ceinture de gemmes laissant battre un
rubis sur le nombril, et plus bas un diamant.

De la ceinture, descendait sur les jambes un tablier
de fils emperlés et bruissants. Deux très minces lames
d'or suivaient le dessin de l'aine et s'angulaient à la
chute du ventre. Aux chevilles des anneaux, aux
pieds des sandales à haut talon en bois de rose, et
des bagues aux doigts de pied.

Quand elle eut fait minutieusement cette longue
vêture, elle prit le lotus du vase où il trempait, et de
son bâton d'ivoire à la crosse gemmée, elle fit tomber
sa chemise et sa robe et poussa un cri d'admiration.
Elle s'apparut si belle, si solennellisée par la fulgurance de toutes ces pierres qui se renvoyaient leurs
feux, qu'elle s'oublia à se contempler.

Elle ne demanda pas si la plupart de ces gemmes
étaient fausses, si elle jouait la fée dans une pièce
à spectacle, enfin, si Nebo paraissant en costume
analogue, ils allaient pouvoir se regarder sans
rire et mener sérieusement jusqu'au bout cette
mascarade. Paule aimait, et Paule était lyrique;
cette peur d'être dupe même en étant heureux, ce
besoin français idiot de blaguer au lieu de jouir, lui
étaient inconnus. Pour paraître devant son bien-
aimé, elle se jugeait irrésistiblement belle, elle était
donc heureuse, sérieuse surtout, car les symboles
sont des forces. Se couvrir, s'entourer des formes,

des couleurs qui correspondent à un dessein, c'est commencer à le réaliser. L'occultiste qui, avant une cérémonie magique, revêt une robe constellée, a peut-être l'esprit aussi fin que M. de Voltaire, mais il l'a plus profond; il sait la relation de l'idée à la forme, et l'effet psychique qui en résulte. Paule s'apparut héroïsée; séparée du monde et marchant sur des nuées elle se sentit, enfin, état psychique indécrit, devenir idole.

Elle étendit l'amour de Nebo à l'humanité, il était dieu, comme elle était déesse: le reste c'était du mortel! Or, arriver un moment, fût-il court, à cet exhaussement du moi, c'est, n'en déplaise aux prosaïques, une des plus belles coupes où une créature puisse boire une ivresse rare et grandiose.

Quand elle se vit marcher, un peu de rougeur lui passa au visage; le mouvement du corps accusait l'humanité presque évanouie dans l'immobilité d'une pose hiératique.

Impressionnée, anxieuse même, elle toucha d'un doigt un peu fébrile le scarabée de la glace qui tourna lui livrant passage, et dès qu'elle eut passé avec la hâte de son appréhension, le panneau se rabattit.

Elle était dans l'atelier de Nebo, mais tellement transformé qu'elle ne le reconnut pas.

Une profusion de lampes de cuivre eût aveuglé de clarté, sans la fumée odorante qui s'élevait d'un trépied et embrumait la salle.

Au fond, un grand rideau rouge fermé et comme

gardé par des lis. Au milieu, un trône cubique revêtu
de brocart d'or, exhaussé de trois marches tapissées
des peaux d'ours noirs du corps à corps qu'elle
reconnut. Devant le trône, un trépied allumé, une
table des propitiations en métal, portant une boîte à
parfums, une patère à libations, la harpe de néocore
et une coupe d'argent.

Sur les murs étaient peints des lingams historiés
de motifs hébreo-phéniciens qui se continuaient
curieusement au plafond et sur le sol.

Elle monta les trois marches recouvertes de peaux
avec l'allure d'une abbesse en cérémonie de chœur ;
sa main droite tenait le bâton pastoral d'ivoire, sa
main gauche, la fleur sacrée.

Elle regarda : en face d'elle, une figure drapée de
saint Jean à tête d'aigle, comme sur les miniatures du XIIᵉ siècle. La fumée lui lassait la paupière
et sa sensation l'intéressait autrement que le détail
de l'examen. Nebo faisait-il de la suggestion, phénomène scélératement produit, mal déterminé et igna-
rement isolé de la mathèse par le corps médical de
Paris, qui n'inspire que des sourires de pitié et de satisfaction aux occultistes : de pitié parce qu'eux seuls
peuvent expliquer sans bêtise et appliquer sans
crime le dynamisme magnétique, de satisfaction encore et surtout, car le jour où un savant découvrirait
la vraie science de la volonté et des émissions nerveuses, dans leurs rapports avec les forces cosmiques, il n'y aurait plus assez de juges, de prisons,

de gendarmes, pour la criminalité centuplée, et les barbares viendraient, même châtiment qui a détruit Babylone et Ninive, villes qui n'avaient pas un vice de plus que Paris ou Londres, mais qui se satisfaisaient avec une toute-puissance d'Antechrist.

Un symbole a tout le pouvoir de ceux qui, croyant, l'ont aimanté : le signe de la croix, fait par un saint, représente, même au physique, une force déterminable à des milliers de chevaux vapeur. Celui qui le fait de tout son être, devient le condensateur de toutes les émissions psycho-nerveuses dont il le pentacle.

Soutenir que la volonté de Salomon n'est pas morte, que faire ses signes, c'est appeler à soi des forces salomoniques; affirmer que le Verbe non seulement est éternel, mais perpétuellement en latence de virtualité et que celui dont la foi, le virtualise, s'en augmente et s'en arme littéralement : pareilles thèses ne servent qu'à provoquer du ridicule sur qui les professe, et justement : ce qui est le testament oral de la vieille humanité ne doit pas être écrit, si ce n'est sous des voiles obscurs comme ceux des alchimistes ou éblouissants tels que le mythe grec et la partition de *La Flûte enchantée*.

A se servir des mots impropres de la Faculté que le public entend, il y a une suggestion dans les choses, il y a une spiritualité dans la matière, puisque tout fait animique se corrélative dans l'entendement. Chez l'être de haute civilisation, la sensation

est toujours sentimentale; le nerveux, même inculte,
le pâtre, a perception d'un au delà de la perception, c'est-à-dire que derrière la sensation crépuscu-
laire d'une diminution d'éclairage, il sent de l'ombre
aussi descendre dans son âme qui se teint moralement, comme un caméléon, de la tonalité du paysage.
Or, dans le traitement des maladies mentales, telles
que le spleen, il y aurait des cures de psycopathie
coûteuses, mais intéressantes à tenter, avec un im-
presario pour médecin et le magasin du Châtelet
pour pharmacie. Revêtir un costume, quel qu'il soit,
en conscience ce qu'il symbolise, c'est pour un moment le revêtir jusqu'au moral. Les très superficiels jouisseurs et farceurs qui mènent le branle de la
décadence latine n'ont pas vu, entre leur danseuse et
leurs liards, que la disparition des symboles était
une précursion de la débâcle d'un peuple; les col-
lectivités n'ont que des raisons abstraites d'exister;
or, la raison de l'existence française n'existera plus,
le jour prochain où de républicaine elle sera devenue
américaine. Symboliquement, l'Amérique n'a pas
lieu et n'existe pas, si ce n'est en la personne de
quelques femmes et quelques artistes, qui se latinisent
de culture. Il est dans la psychologie de la France un
fait admirable, elle ne sait pas les mi-chemins; dégoû-
tante ou sublime, elle fabrique la pensée et la beauté
du monde ou du fumier; son destin, c'est de n'être
jamais médiocre. Or, l'absence de symboles dans
les mœurs les avilit aussi bien qu'un gouvernement,

et comme la passion se détermine toujours par des extériorités, sous ce rapport jamais époque ne fut si déshéritée; le mot belle dame désigne encore de l'existant, celui de beau cavalier ne signifie plus. Personne n'a osé un opéra avec les costumes que nous portons et le drame ne peut que faire un jeune premier pathétique ou grotesque; il n'a pas la possibilité de réciter la tirade de Don Juan: « Quoi! tu veux qu'on se lie ». Le bonheur n'étant qu'une illusion prolongée, en renonçant aux moyens d'illusionner, on s'interdit des éléments indispensables au plaisir; une des formules les plus abrutissantes, aux conséquences les pires, le « faire comme tout le monde » aboutit, sauf les nuances de canaillerie, à vivre comme on voyage et comme on va en terre, en première ou troisième classe. En omettant la province, qui n'est qu'une sauvagerie d'épiciers mécréants, occupés à mettre au poteau de torture de l'opinion les blancs, les êtres nobles et ptériens, les albatros, forcés de vivre en cette terre d'exil; à Paris même, ceux qui ont une vie personnelle ne sont pas légion. Voit-on pas l'ardente curiosité de celles que Baudelaire a chantées en *Femmes damnées,* forcer l'intimité des réputés exceptionnels, dans l'espoir qu'ils ne font pas en amour comme tout le monde.

Montant l'échelle sociale, la femme qui penche reste souvent penchée très longtemps sans tomber, comme la tour de Bologne : elle serait trop volée de ne pas plus trouver d'illusion au péché qu'au devoir.

Au théâtre, au roman, toute mondaine a vu et a lu comment les Dianes de Lys viennent dans l'atelier des artistes, et quand tombe le rideau où finit le chapitre, l'imagination se repaît d'une chambre banale et d'un monsieur en pannais.

Vraiment, il faut des sens exigeants ou peu d'orgueil, pour vider cette cyathe vulgaire. S'il y a encore quelqu'une de ces femmes conscientes que le mirage de leur beauté est un second soleil de joie et de fécondation cérébrale, ne doit-elle pas se mélancoliser, en songeant à la galanterie d'il y a deux ou trois mille ans, où le roi amoureux dédiait un temple, attribuait des prêtres à la femme aimée! Ce grand sacrilège de la passion, abaissant les honneurs divins jusqu'à l'aimée, cette suprême expression de l'amour, Nebo l'avait réalisée pour la princesse Riazan. Sans doute, dans quelques heures, l'idole, descendue dans la rue, serait coudoyée par le passant, mais avoir été l'absolu, fût-ce un moment, être monté à ce sommet de plaisir orgueilleux, avoir senti son orteil au-dessus du réel et hors temps, le péché, fût-il mortel, valait la peine d'être commis. L'idéalité de cette idolâtrie dépassait tout ce que l'imagination féminine brode des fantaisies et des caprices de son désir; comme initiation sexuelle pour une dévirginisation, rien de supérieur ne se pouvait concevoir, et Nebo aurait pu se dire, sans se flatter : « Mon stupre sera le plus beau qui ait lieu depuis les grands siècles ».

Pour un esprit aussi conscient des Normes, il y

avait une faute impardonnable en cette mise en scène, et quoique sa cérémonie fût d'un archaïsme païen, lui qui avait de savantes raisons pour respecter les cultes antérieurs aux catacombes, puisqu'ils étaient vrais pour leur temps et que la vérité qui était en eux se retrouve encore dans le catholicisme, seule religion de l'Occident; il buvait le vin de sa passion dans la coupe des vieux sanctuaires; comme Balthazar il osait apporter les vases du Temple à la table de l'instinct.

En esthétique amoureuse, c'était un chef-d'œuvre véritable que cette transfiguration de la chair, où il n'y avait plus ni mâle ni femelle, mais un grand-prêtre dont le désir de feu allait animer l'idole en un si prestigieux vertige que la possession, au lieu d'étaler sa bestialité, se célébrerait en mystère.

Tout à coup, en face d'elle, un encensoir de cuivre étincela en demi-cercle ascendant dans l'épaisse fumée.

Elle ne voyait pas le visage : nu-bras, nu-cou, coiffé de la tiare kaldéenne, en robe d'écarlate, la main gauche sur le cœur, la droite balançant l'encensoir : après chaque balancement, Nebo faisait un pas : près du trône, il fléchit un genou et posa l'encensoir.

Leurs regards se rencontraient maintenant, mais tous deux, fatidiques et graves, ne se disaient rien en se regardant; dans le silence, les seins de l'idole remuaient les verroteries et c'était le seul bruit.

Nebo, de la main gauche, fit le signe qui enchaîne les forces ténébreuses, tandis que les trois doigts levés de la droite en l'air, appelaient les daïmons de lumière. Un moment ainsi, il sembla dire ce que l'Église appelle une « Secrète ». Puis il avança jusqu'au trépied : un genou en terre, il prit de la main gauche la navette de fer à compartiments qui contenait les parfums, de l'autre saisit la spatule d'ivoire et, le feu invisiblement produit, il psalmodia d'une voix claire et volontairement monotone, d'une voix d'officiant : à chaque strophe il jetait des résines dans le bronze aux flammes bleues.

Assise sur son trône, recueillie en sa pose de bas-relief hiératique, heureuse d'un bonheur inexprimable, la princesse n'avait point de hâte de voir son grand-prêtre venir, elle s'imprégnait l'âme de l'idolâtrie qu'elle inspirait et non pas à Nebo, à l'humanité, aux sphères!

Chaque fois que le cuivre enflammé lui soufflait au visage son encens, elle y respirait avec le « je t'aime » du pontife, une illusion magnifique que toute la terre l'aimait aussi; ce mirage d'orgueil où jouissait la chair, où exultait l'âme, en associant l'idole et le prêtre, les environnait imaginativement d'une nuée olympienne, ils étaient dans un nuage et ils avaient la sensation d'être sur un nuage; ils vivaient la plus grande orgie de personnalité qu'on puisse concevoir : le moi de la princesse s'épandait sans bornes, elle ne se souvenait plus ni de son catholicisme, ni de sa vie moderne ; toute notion philosophique oubliée, montant dans la sérénité divine, à chaque minute de cette prodigieuse hallucination, ivre de son rôle d'olympienne souriante, elle se sentit vraiment l'idole, elle fut la grande Istar, l'Aphrodite de Kaldée, forcée par le destin d'habiter son temple d'Our, jusqu'à l'incantation de Nebo, le Mercurius qui la rendrait à la vie céleste, par sa magie plus forte que la fatalité.

III

LE CANTIQUE DES PARFUMS

A toi, déesse de l'Amour, endormeuse du mal de vivre, mère des illusions douces et des prestiges nerveux, Istar!

A toi, déesse! j'offre la myrrhe de mon cœur.

Tes yeux publient la gloire du Très-Haut; quand il eut fait le ciel et l'océan, il les refléta tous deux unis dans ta prunelle.

Ta beauté vermeille comme un beau jour, Istar, répand une odeur de blonde.

Louée sois-tu avec le canour, le nabal et l'ogab, et la cymbale retentissante!

Plus pieux que tout ce bruit, Istar, écoute mon cœur battre — battre vers toi.

A toi, déesse des baisers, consolatrice des anges déchus, maternelle berceuse des rêveurs au front lourd, Istar!

A toi, déesse, le cinnamome de mes lèvres, le benjoin de mes soupirs.

Ta bouche, seuil du ciel, sourit comme l'aurore et rougeoie comme le couchant; la fraîcheur des matins et l'ardeur des midis tour à tour y passent.

Toutes les fleurs de la terre embaument ton haleine.

Le chœur mortel pousse vers toi ses précations nocturnes; on t'appelle sur les hauts lieux. Plus tendre, ma voix t'incante, Istar, exauce mes lèvres tendues, — tendues vers toi !

A toi, déesse des folies, verseuse du Léthé, maîtresse des oublis, qui panses les plaies de nos saignantes âmes, Istar !

A toi, déesse, et le storax et le sandal de mon amoureuse plainte.

Tes bras blancs enlaceurs sont les hampes où s'enroule et flotte la claquante oriflamme de mes reins irrités.

Processionnellement, l'humanité dévote pour conjurer l'ennui des jours, t'éclabousse de ses hoquets d'orgie, et t'incante par la débauche et par l'insane.

A celui qui se croit sage de t'aimer et dont la flamme monte droite et radiante lécher l'azur de ta peau, ouvre le ciel, — ouvre tes bras.

— A toi, déesse des délires, sœur des poètes et des fous, sœur charitable qui enfièvres mes âmes inertes, Istar !

A toi, déesse, le musc et l'oliban de mes concupiscences.

Ton giron est le port où la volupté sainte bercera les élus pendant l'éternité.

Le cri des sexes te proclame, Divinité des corps unis ; jaillis de l'Absolu au ventre de tes formes, nous pleurons jusqu'au jour où la mort nous ramène au même seuil. Mais je n'attendrai cette heure délivrante et je m'élancerai, téméraire argonaute, sur l'aile des prières, conquérir ta Toison.

A toi, déesse des chimères, inciteuse aux célestes audaces, magicienne qui montres à l'animal humain, l'au-delà du héros et le songe de l'art, Istar !

A toi, déesse, l'ambre et les baumes que mon verbe distille.

Souveraine des apparences, maîtresse des horizons faux, des perspectives consolantes, montreuse de paradis fictifs. C'est toi qui donnes les projets tentants, les ambitions nobles ; fretteuse des Argos, mère des Prométhée et muse des Aèdes, l'univers gravite autour de ta fantaisie.

A toi, déesse de bonté, doux féminin, apprivoiseur du mortel fauve, artisane des belles charités, Istar ! A toi, déesse, l'encens de mon hommage.

La forme de ton sein apaise nos douleurs, nos nuits s'éclairent de tes yeux et ton sourire est la bénédiction des âmes tendres. Les Orphée sont tes missionnaires qui promènent le baiser et la lyre au milieu du heurt des instincts.

Le peu de bien du monde, le peu de beau sur terre, n'est qu'un rayon, n'est qu'un reflet de ta beauté.

Pontife extasié, sacrilége, qu'importe, j'oserai, Déesse;
tu es femme, et tu pardonneras si tu n'exauces!

Istar! Istar! j'ai livré tes combats et partout salué
tes prêtresses insultées. Et je me suis dressé contre
l'Edom impie, étouffeur de héros et souilleur de la
femme. Ma voix forte a tonné quand sifflaient les
vipères et dardaient les scorpions, contre celles marquées du sceau de ta puissance, toutes les condam-
nées du monde sans amour : les folles et les saintes
sont devenues mes sœurs, et ma bouche a baisé pieusement les plaies de leurs âmes vibrantes, où caillait,
impuissament versée, la pourpre de leurs veines. J'ai
consolé ces cœurs trop grands pour leur poitrine, j'ai
essuyé ces yeux dont le regard reflète des choses in-
nommées au-delà du formel; ma main a relevé les
pauvres pèlerines et remis à la leur, le bâton du chemin.
Car ce sont les élues, car ce sont les vivantes, ces
femmes consumées d'un invisible feu et qui pressent
la vie d'une caresse avide, avide de l'amour d'un dieu.
Et j'ai vengé ton nom, en les prenant pour sœurs,
je les ai célébrées en rythmes de lumière, les étranges
filles d'Orphée; mais mon amour, au lieu de descendre
sur elles, s'est dressé devant toi; mon esprit comme
un aigle amoureux du soleil qui le fixe des yeux et
s'aveugle en montant, a pris essor vers toi, Istar, et
brûlant et fatal, ira comme un défi te violer en ton ciel.
Descends et deviens femme, ou m'aime et me fais
Dieu.

IV

LES DÉVOTIONS

Ayant ainsi psalmodié, il se prosterna, et se relevant sur les genoux, posa sa mitre.

Puis, la troisième marche montée, il se frotta les lèvres d'hysope en signe d'humilité, et commença ses dévotions.

Il baisa d'abord chaque doigt des pieds, chargés de bagues; ses lèvres dérangèrent la cornaline de la cheville : sans quitter la peau, elles montèrent par-dessus les chrysophases qui jarretaient le genou et fusèrent jusqu'à l'aine, le long de la cuisse, écartant les fils de sardoine, d'agate et jade.

La ceinture était à trois rangs de lazuli, d'opale et de mélanite. Doucement il appuya la tête en une affrontation symbolique des deux générations; le cerveau du génie et le ventre de la beauté, émus tous deux semblaient s'imprégner l'un de l'autre et se féconder. Ensuite sa bouche suivit le fil d'or où pendait très bas le diamant, étoilant l'ombre ctéinne.

L'idole palpitait; de longs frissons parcouraient sa nudité : les seins battants secouaient leur armure de pierreries, et le lotus tremblait dans la main heureuse de la déesse.

Il baisa le grenat almandin du nombril.

Il baisa la turquoise de l'aisselle gauche, il baisa le beryl de l'aisselle droite.

Il baisa le bouton des seins qui se gonfla dans les bagues; il baisa le zircon hyacinthe du menton; il baisa la tourmaline des épaulettes.

Il baisa le saphir des tempes, l'émeril des oreilles, baisa trois fois le diamant du front.

Puis, son baiser se plaqua sur la topaze de la nuque, descendit le sillon dorsal pour s'évaser de l'une à l'autre hanche, au-dessous des feuilles d'or.

L'idole, en sa curiosité du pontife qu'elle ne voyait plus, allait tourner la tête au mépris de la rigidité hiératique, quand elle fut frappée d'une fulgurance de clarté qui l'aveugla.

Nebo était devant elle, ayant sur sa tiare un demi-cercle de fils de magnésium incandescent, symbole de la mentalité véritable, unique miroir de la splendeur des formes.

Nebo lui-même ferma les yeux; au bleuissement des saphirs, au rougeoiement des rubis, au soleillement des topazes, se mêlaient les chrysolites verdoyantes, l'hyacinthe des zircons, éclairant la peau moite de reflets inexprimables.

Ce n'était pas le vêtement d'orfévrerie que Gustave Moreau a donné à ses figures mythiques; ici, la monture des pierres ne se voyait pas; c'étaient, non des bijoux, des foyers lumineux de toutes couleurs, harmonieusement disposés.

Sur l'admirable peau de la vierge, les gemmes semblaient le florissement, la poussée monstrueusement belle, de villosités sous forme de pierreries.

Nebo, un peu halluciné malgré lui, pensait à une idole véritable dont le sang, quand il fermentait, eût escarbouclé l'épiderme : déraisonnablement, il qualifiait de prestige, l'œuvre de ses propres mains.

Quand le magnésium s'éteignit, ils se regardèrent profondément et se virent tous deux un regard fatidique, un regard fixe et qui retient son rayon, comme une poitrine retient son souffle, à des moments solennels, de première communion, de « oui » de mariage !

C'était la célébration du leur, cette féerie merveilleuse qui, de moment en moment, les prenait en dépit de leur logique, et leur colorait l'âme au prisme même de l'imagination surchauffée.

Le pontife et l'idole se contemplaient, sans hâte de tomber aux bras l'un de l'autre : ils sentaient précieux, unique, sans revenez-y possible, cet exhaussement de leur amour, et ils le vivaient voluptueusement, ivres avec sérénité.

Dans la chaude atmosphère qui ralentissait leur respiration et la faisait plus forte, ils croyaient entendre leurs pulsations d'artères ; nul bruit ne frappait leurs oreilles, que de petits crépitements espacés dans le trépied, où bouillonnaient encore les résines odorantes.

Voici qu'une gemmation imprévue emperla la peau nue de l'idole; des gouttelettes de sueur brillèrent et une odeur de femme un instant domina les aromes épars volatilisés. Alors les perles et les opales semblèrent à Nebo la sudoration surnaturelle de son idole; malgré lui, il devenait le réel personnage qu'il jouait; l'artiste s'éprenait de son œuvre; un passionnement dont il ne se croyait pas susceptible le faisait trembler sous sa robe de pourpre.

Elle, percevant qu'elle entrait enfin dans les sens de son bien-aimé, joyeuse, resplendissait de l'âme, par-dessus l'étincellement de son corps. Un grand soupir agita le corselet de gemmes, le diamant du front, le diamant du ventre oscillèrent; l'idole leva les yeux au ciel, figuré par un velum de soie bleue étoilée; Istar était exaucée et, victoire! elle avait vu l'éveil du mâle!

V

GEMMAL

Comme il avait incanté par les aromes, il incanta par les gemmes.

Il tenait une coupe dans laquelle il plongeait les doigts, pour les secouer en rosée d'odeurs sur l'idole; mais son émotion vraie infériorisait ses improvisations; la princesse le sentait, écourtant les rites, vibrant trop pour composer littérairement; elle savait par sa propre expérience, que l'intellectuel n'est vraiment ému que lorsque le jeu des idées et de leur expression s'embarrasse sous la congestion du cœur et des reins et c'était liesse pour elle, que l'infériorité des hymnes de son prêtre; moins d'éloquence, c'était plus d'amour et de celui même qu'elle appelait de tous ses sens, l'amour des nerfs et du sang.

« Lorsqu'il rosira comme le rubis, lorsqu'il rayonnera comme la topaze, que notre amour garde sa parure de saphirs, que le pur idéal ouranien bleuisse toujours au-dessus de l'Émeril grisâtre et du bronze des Harmophanes.

« Bénie soit la ligne verte, féconde et serpentante autour du monde; pour nous, qu'elle ressemble aux lucides Bérils, que notre amour n'ait pas les taches de sang de l'Héliotrope »...

Les froides pierres, elle les sentait brûler son corps; malgré l'emprise que jetait cette mise en scène sur son imagination, elle regardait Nebo d'un œil mouillé; sa pose rigide était bien d'une déesse, son regard œilladait. Comme une âme que des anges arrêteraient à la porte du paradis pour lui chanter les airs du ciel, elle désirait vivre ce que ses oreilles écoutaient; tel était cependant le pouvoir du Platonicién que parfois il la rappelait à sa divinité et qu'elle oubliait un instant la réalité prochaine, toute à la joie du chimérique présent. Un peu de vertige lui appesantissait les paupières, irritées par les aromes violents répandus dans l'air. Elle était un peu ivre, d'une ivresse sans extériorité, presque intellectuelle, elle se voyait double : Istar la fictive et la réelle Paule lui causaient un strabisme d'imagination : tantôt les sensations de l'idole, tantôt celles de l'amante, parfois les deux impressions s'unifiaient si étroitement, qu'elle ne démêlait plus la personnalité de son rôle, chaos mental où les souvenirs du périple surnageaient inopinément et plus déroutants encore.

« Pourquoi ta peau, cette pangemmie, est-elle couverte de pierres moins précieuses qu'elle-même? Laisse-moi faire étinceler sous ma parole qui admire, l'écrin de ton corps, et lui ôter ces escarboucles qui le ternissent.

« Car les pierreries de tes formes ne sont que l'envers et l'exsudation de ton intimité éblouissante, de ton âme, trésor hespéridien. L'innocence, la franchise et la calme force du diamant luisent sur ton front. L'émeraude de tes yeux, qu'est-il auprès du saphir de ton âme; car ton âme est de saphir, comme les premières tables de la loi données par Moïse, et ton regard d'émeraude comme les tables de la sagesse que grava Hermès Thot.

« L'Abraham du Talmud tenait ses nombreuses épouses enfermées dans une ville de fer où les rayons même du soleil ne pénétraient pas. Pour les faire jouir de la lumière, une coupe de pierres précieuses éclairait tout l'espace. Ainsi, ô mon idole, je tiens les nombreuses chimères qui, tour à tour, dorment avec moi, enfermées dans la Babylone d'airain de mon orgueilleuse entité et la vie ambiante ne pénètre pas jusqu'à ces favorites de mon rêve.

« Pour les vivifier et les enivrer de lumière, je t'ai suspendue au milieu d'elles, animez-les, mon idole! Oh! quelle escarboucle, quel grenat rougeoira jamais comme ta bouche, comme la pointe de tes seins?

« Ta chevelure te casque à chaque boucle de topazes non pareilles; la spinelle rosit à tes oreilles; aux ombres de ton dos l'Harmaphone a mis ses reflets. L'émeril se cache sous tes aisselles aux formes pures; à ton giron la mélanite fait son nid de mystère.

« Ta peau est d'opale, parcourue de lazuli. Tes ongles paraissent de transparaissants onyx sur des sardoines. L'améthyste et l'ambre éclosent aux ombres de ton corps, le corail s'y cache!

« Oh! laisse un pontife pieux s'aveugler de tes charmes et arracher à ta divinité ces pierres qui te cachent au lieu de t'orner. Daigne apparaître nue, comme autrefois Istar, dans la sereine splendeur de ta clarté, vêtue de tes seules lignes nobles, vierges, fières, augustes manifestantes de l'absolu. »

VI

CONSÉCRATION

Pieusement, il toucha au diamant d'en haut, au diamant d'en bas, disant :

— Au feu de mon désir, déesse, deviens femme ! Il s'agenouilla sur la troisième marche et lui ôta les bagues des doigts de pied, mettant un baiser à la place de l'ornement qu'il défaisait. Il dénuda la cheville de son anneau, le genou de ses chrysoprases.

L'idole frémit de pudeur, quand il déboucla la ceinture, mettant tout le giron à nu.

Il désarma les seins de leur corselet; elle n'eut plus que son collier et son diadème : il les lui enleva. Chaste, l'idole, d'une main s'appuyant au bâton d'ivoire, de l'autre tenait le lotus : il le remplaça par un lis et, passant derrière le trône, il y prit toute une vêture de fleurs dont il la para lentement, presque lascivement.

Il la couronna de roses, la ceintura de verveine, vêture d'holocauste amoureux.

Puis, il fit une jonchée de fougères et de fleurs effeuillées sur les marches. A reculons, d'un geste régulier, il joncha un long et étroit sentier jusqu'au rideau de pourpre que gardaient les lis.

Secouant sa corbeille vide dans les quatre direc-
tions, il dit :

« Que les sylphes ne laissent circuler que mon
souffle, quand respirera la grande Istar; que seul ce
qui sort de moi entre en elle.

« Que les gnomes dérobent la terre à tous les pas
d'Istar, qui s'éloigneraient de moi.

« Que les ondins ne permettent aucune humidité
en Istar, que l'eau de ma bouche et de mes yeux.

« Que les salamandres n'allument en Istar, que la
flamme, sœur de ma flamme.

« Par le saint pentagramme, que je sois servi dans
les trois mondes : matière, j'ordonne; âme, je veux;
esprit, j'adjure.

« A mon ordre, à mon volt, à mon concept, qu'il
soit obéi suivant les Normes, — par la vertu des pen-
tacles » !

Il fit face à l'idole, étendit les bras et clama :

VELIS ME TANGERE!

VII

LA MÉTAMORPHOSE

L'idole se dressa, resplendissante en sa nudité florie, et comme si le magnétisme du cérémonial l'élevait au-dessus de cette même pudeur qui l'avait confusionnée à son premier pas dévêtue : lentement, le front olympien de calme et de sécurité, une main sur son sein gauche, l'autre tenant le lis, nu-pieds et semblable à une Ève biblique, avec ses seuls voiles de fleurs, elle descendit les marches et du pas fantomatique et roide des apparitions, elle vint à Nebo qui tendait les bras et qui posa les mains sur ses épaules nues. A ce contact, elle palpita.

— « Déesse descendue jusqu'à mon amour, tu ne remonteras plus sur le trône exhaussé des trois degrés symboliques; le lis même que tu tiens, tu vas en briser la tige et en jeter la fleur sur l'autel où tu seras brisée, toi aussi, et où ta fleur se fanera sous mon baiser.

« Il est temps encore. Rien n'est résolu : derrière, le trône où tu peux remonter; devant toi, le lit où je t'appelle. »

Et d'un geste, il arracha le rideau de pourpre, avec

une violence figurative de la douleur qui veille au pronaos de la possession.

Devant le lit de verdure où s'amoncelaient les feuilles de roses et les feuilles de lis, mêlées à des daphnés et à du myrte, la vierge hésita, ne trouvant pas le mouvement noble, pour s'y coucher.

Quatre trépieds aux flammes rouges lampassaient aux angles de ce tertre. Quand elle tourna la tête, l'ombre s'était faite sur le trône, les lampes subitement éteintes, et le fond de la salle, masqué par la fumée, dégageait l'impression grandiose d'une longue avenue mystérieuse.

Le moment qu'elle croyait divin, sur la foi des poètes, approchait et un recul se faisait en elle, maintenant qu'elle n'était plus jetée hors de son sexe par le formel déni érotique de Nebo; la féminité la reprenait, l'épeurant de cette anxiété spéciale, qui garde, dragon mythique, le seuil des stupres. Elle avait peur, se sentant arrivée à ses fins, une peur douloureuse, faite de toutes les transes; craignant à la fois de décevoir, d'être déçue, de regretter le passé, de paraître ou sensuelle ou froide, d'autant plus troublée que son corps était neuf, alors que son imagination avait fait plus de périples cent fois que ses pieds hardis de curieuse.

Brusquement, Nebo la saisit; elle se crut arrivée à la malheure si désirée et se convulsa sous cette violence succédant à la solennité, mais son prêtre la mit sur le lit de fleurs seulement: car il avait vu la

difficulté réelle où elle était de trouver la façon,
sinon pudique, mimiquement plastique de s'y étendre.

Sur le dos et gracieusement encaissée dans la profonde jonchée, elle souriait, tenant de ses deux
mains ramenées sur les seins un débris de son lis.
Nebo l'admirait, muettement, laissant là le rituel;
alors elle pencha sa tête et, d'un mouvement oblique
des lèvres, elle happa une rose qu'elle se mit à
manger.

Nebo, debout devant le cubicule flori, les mains
croisées sur la poitrine, parla :

« J'ai jeûné hier, veille de la Consécration, grande
Istar, j'ai enfermé dans une peau d'onagre le talis-
man des septenaires et je l'ai mis au centre même
du cubicule où tu es exposée; j'ai peint sur les murs
de ce temple douze coupes à distances à peu près
égales, depuis le trône que tu as quitté jusqu'à l'autel
où tu es, six de chaque côté et au-dessus de chaque
coupe se dessine un lingam.

« Douze lampes ont brillé tout le temps de mon
oraison; elles ont fait rougeoir la pourpre des douze
lingams qui sont sur la muraille.

« J'ai récité les secrètes et les psaumes, j'ai revêtu
la robe du sacrificateur, j'ai fléchi le genou et je n'ai
pas pris de sel, mais je me suis arrosé d'hysope au
front, aux pieds d'huile de cèdre.

« Et maintenant :

Il prit une rose et la frappa au front, aux lèvres,
au giron :

« Ouvrez vos portes, ô vous que j'habiterai désormais; qu'elles soient grandes ouvertes, tes portes, Istar, car tu m'as sacré ton roi de gloire. »

Il fit le signe de Vénus sur la poitrine de la princesse.

« A ce signe, qu'ils s'évanouissent les fantômes de ta pudeur devenus vains. Je vais, d'une lèvre possessive, m'emparer de tes sens et les sceller; toutes tes beautés, j'en marquerai le troupeau à mon chiffre, puisque j'en deviens le maître et pasteur : nul autre jamais ne prétendra à la pression de tes blanches mamelles, à la vue de tes toisons.

« Ton front, habitacle de l'indépendante pensée, ne sera plus que le miroir docile de mon despotique entendement.

« Tes yeux, ces baies par où l'âme perçoit la spiritualité des formes et des couleurs, ne verront plus que moi, seul spectacle permis à leur regard, seul homme accordé à leur contemplation.

« Tes joues, ces fruits vermeils, ne rougiront plus au désir qui les fixera : ils appartiennent à ma seule morsure.

« Ta bouche n'a plus de sourires à dépenser; tes lèvres, seul je les fouillerai; seules mes dents choqueront tes dents et tu ne boiras que l'eau de ma bouche.

« Ton cou n'aura de collier que mes bras; il n'inclinera sa rondeur élégante que pour devancer mon baiser.

« Tes épaules ne porteront que le fardeau des vo-luptés que je te dispenserai; elles ne seront doux oreiller qu'à ma langueur.

« Tes bras, lierre de mon corps, n'étreindront plus rien au monde, les belles lianes.

« Tes mains ne presseront que les miennes, car je suis tout l'horizon et toute la terre, pour ta caresse.

« Tes seins ne pointeront qu'en mon honneur; ta gorge ne battra que la violente harmonie que je t'apprendrai.

« Ton ventre, tabernacle des spasmes, ne s'ouvrira qu'à ma prêtrise d'amour; seul au monde, j'y ai l'ordre et les dispenses.

« Tes hanches ne se ceintureront que de mon am-plexion et ne délecteront que mes yeux épris.

« Tes cuisses seront fermées et comme gardées par le basilic.

« Tes genoux seront joints et ne se disjoindront qu'à mon agenouillement de hiérophante de tes charmes.

« Tes pieds, cloués au sol, plutôt que de marcher aux voies qui ne sont pas l'unique où tu entres, celle de mes volontés et de mes voluptés; tes pieds, je les ai mouillés d'huile de cèdre, pour qu'ils soient fidèles : d'une gazelle pour fuir une occasion de souil-lure, ô mon trésor que tu es; d'une statue de basalte pour attendre le bon vouloir de mon cœur — car je te consacre, à ma propre invocation, temple vivant de tout mon idéal, où je viendrai épandre les deux libations augustes : les fleurs du sang et l'escarboucle des larmes. »

VIII

LE SACRIFICE

Alors, la harpe brilla à sa main ; il fendit sa robe de pourpre ; déchirée dans toute la longueur, elle s'ouvrit sur sa nudité vermeille.

D'un geste prompt, il jeta des paquets de résine dans les quatre trépieds et quatre fumées épaisses se joignirent en une opacité étouffante : au moment de se toucher, ils ne se voyaient plus.

A la minute de Psyché, l'instant qui précède le grand déchirement du voile sensationnel, cette dernière hésitation au seuil du mystère des corps, qui en dira la mélancolique ardeur !

D'ordinaire, l'assaut bestial de l'homme ôte à la femme la conscience réfléchie de ce qui va avoir lieu ; la violence physique qu'elle subit, obscurcit sa pensée et, secouée dans son corps, elle perd pied dans sa pensée : le passage du désir à la possession est si vif que le grand trouble emporte tout, plaisir et souffrance.

Ici, la vierge, d'un esprit lucide, voyait s'avancer la fatale défaite. Jamais elle ne lui avait paru aussi menaçante de la perennité de son amour ; une intuition l'envahit que leur beau sentiment, en se carnalisant tout à fait, était livré aux lois qui veulent que tout ce qui est chair, un jour se corrompe, pourrisse et s'annihile. Si Nebo, seulement eût, en sa récitation, interrogé encore sa volonté, elle eût dit : « Je reste ta sœur. »

— Mais demain? — dit le jeune homme fantomatique, dans la fumée qui habillait comme d'un suaire opalin sa nudité. Elle eut peur de cet amant qui entendait ses pensées et y répondait au moment de leur conception; elle eut peur de cet être si calme à un tel moment; toute la terribilité de la puissance du Mage, ses actes extraordinaires du périple qu'elle s'exagérait et sa sérénité en face de la luxure, qu'elle avait pu mesurer et juger; enfin le sentiment déplorable d'humiliation pour une femme de se dire : en me prenant, il fait grâce à mon animalité; toute cette agitation bouleversa l'idole, qui redevenait l'amante désirante et peureuse d'être satisfaite de l'extaticon et de l'osculon.

La tache rougeâtre de la pourpre disparut et la silhouette nue de Nebo se détacha sur le brouillard odorant; alors nerveusement, avec un joli bruit d'animal dans un fourré, de ses deux mains elle attira sur elle les feuilles de roses, s'en couvrant comme d'un voile et d'une défense avec une adorable ingénuité, et la bonne foi de son affolement. Soit qu'il y mît un orgueil de conception personnelle, soit qu'il voulût une reddition plus héroïque, Nebo s'immobi-

lisa, sans se prendre à la grâce adorable de cette
pudicité. Il voulait s'embarquer pour Cythère sans
mièvreries, si gentilles qu'elles fussent. Sa bizarrerie d'esthète n'admettait pas qu'une célébration
de stupre, commencée en mystère kaldéen, s'a-
chevât en païennerie coquette ; en cette salle sa-
turée de parfums hiératiques, cette femme qui accu-
mulait sur sa peau nue les roses effeuillées, détonnait pour lui comme une odeur de frangipane et de
poudre à la maréchale aux feuillets d'une bible. Il
voulait le consentement du geste, plus même, il voulait l'appel du corps. L'admirable jeune fille le comprit, péniblement elle fit taire orgueil et pudeur : héroï-
quement elle ferma la bouche aux voix de la religion
et de l'éducation ; d'un grand geste elle balaya les roses
et les lis vers Nebo et à demi soulevée, elle ouvrit
ses beaux bras :

— Tu ne veux écouter qu'une prière ; eh bien ! mon
Nebo, je prie.

Alors, avec un effort vers le style et des mouvements de bas-relief qui disaient le prodigieux empire
qu'il avait sur ses sens, Nebo ploya son genou nu au
bord de la couche et serrant les bras qui l'attiraient,
leur résistant, il fixa son profond regard dans les
yeux de Paule.

Ils étaient beaux, ainsi ; l'obscénité fuyait devant le
grand artiste : jusqu'ici il avait tout sauvé de la
vulgarité ; jusqu'ici, pas un détail mimique n'avait dé-
tonné, dans la plastique du rituel : et le sculpteur

de l'Éros-Roi était fier de son action amoureuse, restée décorative, comme d'un chef-d'œuvre.

Son regard fascinait la vierge :

— Non! non, — cria-t-elle en un sursaut violent.
« Tu ne m'endormiras pas. Tu m'as fait croire à la
réalité, je ne veux pas de sommeil. »

Et comme Nebo résistait à son mouvement, elle le
ceintura de ses bras et avec une force de femme
énervée, elle l'enleva de terre, l'affaissa sur elle,
l'étreignant comme si elle eût été le mâle et qu'elle
violât.

Les flammes des trépieds se tordaient, languis-
santes. En ce temple, où tout à l'heure une voix ferme
incantait, maintenant deux souffles seulement s'entendirent, avec un bruit indéfinissable de heurts
charnels, écrasant des fleurs. Un recueillement profond planait en cette atmosphère étrange, un silence
mystérieux y vibrait.

Un cri fut-il étouffé? ce fut presque insaisissable;
les flammes des trépieds étaient près de s'éteindre.

O l'analyse des contraires; aux boudoirs et aux
chambres de torture, grésille mêmement un effluve
charnel et flotte une odeur de peau émue; l'appareil
de la volupté et son émanation voisinent incroyable-
ment celui des supplices et leur exhalaison. Serait-ce
que nous sommes dupes d'une catégorisation traditionnelle, et suggestionnés par nos prédécesseurs de
déterminer les sensations en agréables et douloureuses, comme si une sainte possédée par Antinoüs

ne souffrirait pas plus qu'à l'empalement d'un épieu rougi? La plus haute entité, c'est-à-dire l'être qui absolument diffère de tous ceux de sa série, sera toujours déçu dans sa recherche de la joie par les voies coutumières et sérielles.

Les flammes des trépieds sont mortes, une lourde obscurité cache les amants. Peut-être un baiser glisse-t-il, en s'ébruitant? Peut-être une navrante déception se glisse-t-elle entre eux?

Imprudent rêveur! il a fait le préliminaire si divin que son génie a tremblé, impuissant à suivre et à maintenir la progression idéale du stupre.

Cette fois, vraiment le silence ne vibre plus; c'est celui du sommeil ou bien il est horrible. On dirait que la douleur ouvre ses grandes ailes noires en baldaquin funèbre sur cette première volupté. On dirait que le hiérophante a oublié le rituel, son éloquence éteinte comme les trépieds; un vent de mort passe sur ces amants. Par le silence leur passion fuit, diminuée.

Par le silence, une voix de femme dit, déçue, presque ironique :

— O pontife, c'est tout ce que t'inspire l'idole? »

LIVRE IV

EROTIKON

Studieusement, j'ai vécu toutes les luxures ; j'ai découvert de nouveaux rythmes : et cette impie recherche qui pouvait me perdre, n'a que l'excuse d'une préparation à tes joies qui seront folles et qui te sembleront pures.

Le Livre de la Chimère (inédit).
J. P.

EROTIKON

I

Virtualité

« C'est tout ce que t'inspire l'idole, ô mon prêtre? »

Cette profération, la plus terrible qu'entendit jamais des lèvres de la vierge, qu'il vient de faire femme, un homme fier, ne courba pas son puissant orgueil à l'instant.

Épuisé d'une semaine de décorateur enfiévré, las de son rôle de hiérophante aux récitations longues et toutes improvisées, sa défaillance de mâle ne le honnit point à son propre jugement.

Le cœur douloureusement palpitant, le cerveau échauffé, les reins las, coureur qui, le but atteint et passé, soufflait sa fatigue, il laissa tomber sur lui ces mots qui ne le hérissaient pas : il les laissa tomber avec l'indifférence du harassement qui endort même la vanité du vainqueur, s'affalant au premier pas dans la ville conquise.

Silence des lèvres, sans paroles et sans baisers, silence des mains sans caresses, silence des nerfs détendus, silence de la peau desélectrisée et froidie; et tout ce silence glaçant une vierge enflammée par la douleur de l'amplexion et qui attend le plaisir enfin.

Elle s'écarta sans qu'il fît autre mouvement que sourire tendrement; elle se dressa sur les mains, dispersant les roses et les lis fanés à la chaleur de son corps.

Nu, gracieux et pâle, infiniment désirable, Nebo, les yeux clignés, étalait une fatigue si écrasée, que la princesse, sans espoir de rallumer la flamme éteinte en ce corps aimé, se leva du lit de fleurs.

— Pardonne-moi — dit l'aimé d'une voix pâle, — et reviens demain, j'aurai dormi, et son bras nu rama en arrière, et il fit de la lumière.

La princesse hésita; un élan vers le lit allait la rejeter aux bras de Nebo.

— Demain, — dit-il en accentuant.

Cette accentuation blessa la jeune fille.

— Peut-être? — fit-elle avant de faire jouer le panneau et disparaître.

Tandis que le Platonicien, ouvrant les vasistas, aérait le temple, puis retombait exténué sur le lit de fleurs et s'y endormait, la princesse se rhabillait, le corps taché de roses et de lis, la peau marbrée par les plis des fleurs. Vêtue, sortie avec la hâte de l'heure avancée, elle sentait le grand Nebo se rapetisser dans son imagination, et son amour s'atténuer et devenir sororal pour la première fois.

Certes, elle aimait toujours l'incomparable diseur de lyrismes et de profondes idées; elle aimait toujours les rouges lèvres aux savants baisers; mais un sourire méprisant un peu, agitait sa lèvre en pensant au « *Noli me tangere* ». La péremptoire raison de refuser ce qu'on ne peut donner que mal ou insuffisamment. L'androgyne expliqué par l'impuissance, et la vertu, effet de débilité! Soit excès dévirilisants, soit déshabitude, soit inappétence chez un être aussi artificiellement dévoyé de la Norme sérielle, Nebo lui apparaissait impuissant, ou du moins insuffisant.

Car, jamais femme, pour supérieure qu'elle soit, ne pardonne le manque d'appétit au festin de sa beauté. Qu'on violente et saccage ses charmes, le ribaud et sa brutalité sont absous; mais la délicatesse ici n'est que faiblesse, et la faiblesse de l'homme insulte la femme.

Vraiment, cet être sans idée que la rengaine de l'éducation, sans expérience que de fausses et contradictoires, élevé et par la lecture entretenu dans la conviction que de se donner c'est donner un monde; devant un amant qui ne vibre pas à cette suprême heure, que pensera-t-il que sa beauté a tort, ou bien qu'elle l'a compromise avec un indigne?

La Morale ignore tout ce qu'elle doit aux veuleries de la première amplexion : un grand nombre d'adultères rebroussent chemin à cette déconvenue,

et on rencontre des vieilles femmes restées char-
mantes qui vous disent aux moments confiden-
tiels : « une amie m'a assuré que le seul amant qu'elle
eût exaucé se comporta si nullement, qu'elle revint
pour toujours à son mari. »

Les mondaines, très heureusement, tentent la volupté dans des conditions où elle est impossible à des
imaginatifs nerveux.

Si La Bruyère avait écrit de cette matière, il
aurait pu dire « j'ai recueilli les voix et je prononce ».
Plus un homme a d'amour sentimental et d'activité
cérébrale, plus il déçoit à la première affrontation
d'amour.

Ici, la physiologie seule explique la différence
extrême dans le rapport et, comme la femme qui sait
la physiologie perd tout son charme d'inconscience
si aimablement absurde, le malentendu demeurera :
au plus grand profit du foyer et des sanguins sans
âme complexe, des lieutenants de cavalerie.

L'astrologie donne Vénus pour compagne au
rustaud de l'Olympe, à Mars ; ce n'est pas que les
lunariens Mercutio, Orlando, les fils de Will, et les
Solariens soient mauvais praticiens de l'amour,
ils ne sont pas les époux du cantique de Schlomo,
d'après la Vulgate. Leur mâleté ne paraît qu'après
plusieurs médiocres moments, parce que la passion
chez eux entre par le cerveau, descend au cœur et en
troisième évolution tombe dans les reins ; le martial, au contraire, vibre d'abord au-dessous de la

ligne médiane, et l'opinion ne se trompe pas tout à fait en considérant comme les plus sensuelles, les femmes qui aiment dans l'armée : là seulement le mode de la vie garantit incomparablement d'une déception érotique.

Le romancier qui peint la première nuit alarme les bons citoyens, veilleurs du salut public ; l'écrivain qui oserait expliquer, étudier du moins, la rencontre des corps d'où dépend toute la vie passionnelle, serait criminel, et pourrait bien aller s'excuser devant la cour d'assises, car il n'est pas permis en Occident d'écrire sur le phénomène physico-psychique : il est loi en vigueur que, pour le médecin, il traitera du corps, comme vide d'âme ; et du romancier, de l'âme comme dégagée du corps, d'où les deux maîtresses sciences faussées et stériles, par défaut de mathèse.

Le psychologue accompagne ses héros jusqu'au seuil de la chambre, les attend quelquefois à la sortie, mais ne pénètre pas à leur suite. Or le grand drame de toutes les vies se joue sous la courtine ; cela humilie la fierté de l'âme, et la matière est de déploration, certes.

Cependant, la déplaisance d'un phénomène ne doit pas entraîner sa négation, ou bien on étend le domaine de la fantaisie, absurdement.

Quel que soit le couple, l'accouplement remet tout en question : il n'y a pas d'amour, là où les chairs ne s'électrisent pas. Froideur, résignation, caractère heureux, sauvent souvent ce que l'absence d'éro-

tisme a perdu; la nécessité d'attraction épidermique
et de satisfaction charnelle, demeure laide, odieuse,
avilissante, mais demeure.

Telles sont les idées préconçues de la contemporaine qu'on pardonne aisément à ce qui est licite
et dû d'ennuyer, et la pitoyabilité au mari; mais si
l'amant ne vaut pas mieux, pour qui elles courent
risques et mépris d'elles-mêmes, les pauvrettes déses-
pèrent à la fois du ciel et de l'enfer; pauvre femme, celle
qui n'a jamais cru au devoir et qui ne croit plus au
péché, et plus légion qu'on ne pense.

Eh bien! si l'intuition féminine était ce qu'on la
vante, au lieu de prendre en haine comme un insul-
teur, l'amant dont la virilité, foudroyée d'émotion,
balbutie devant elle : fière d'avoir atteint le cerveau
en visant ses reins et de voir l'âme disputer à la
bête l'honneur de son culte, elle aurait, la glorieuse
mécontente, la patience du lendemain sensoriel; et
ainsi ses amants seraient de meilleure qualité. Certes,
la décision catholique ne souffre point de conteste,
un amant, c'est un crime; mais un voleur d'étoiles
reste beau encore en sa folie et la beauté qui est prise
d'un vertige auprès du génie, tombe moins bas [que
Pasyphaé sous son taureau ou Sémiramis, sous le
soldat Bactrien.

En étudiant l'opinion, on s'aperçoit qu'elle n'est pas
si bête, ni si perverse et que le besoin la promulgue,
non le caprice. Elle supplicie les êtres d'exception;
et, à ce prix exorbitant, elle maintient l'ordre.

L'adultère doit se mouvoir, même à Paris, dans de telles conditions de hâte, de laid, d'incommodité; la chambre d'hôtel, le cabinet particulier et le fiacre, excellents pour de la luxure basse, sont si paralysants, dès que l'imagination se mêle au désir, qu'il se décourage, abominablement déçu, au premier essai.

M. Renan, qui gardera l'honneur d'avoir élégamment, lascivement même, bafouillé tous les grands problèmes, assure que si l'humanité n'avait plus qu'une heure et qu'elle en fût avertie, elle se transformerait en un immense troupeau de bêtes à deux dos. Qu'il amène son abbesse de Jouarre à un condamné à mort, et il apprendra que l'idée fixe enlise les éréthismes.

L'homme n'est pas un Saint Pierre de Rome, où plusieurs discours se prononcent vivement sans se gêner; la vibration organique n'a jamais lieu sans détente cérébrale; la simultanéité de la double congestion n'a été observée que chez les pendus.

Mettez en prélude un poème sentimental, en épilogue un second poème de dévouement et de fidèle abnégation, il reste au milieu, une animalisation. Or, si l'intellect s'obstine à centraliser la sensibilité, au détriment du périphérisme érotique, l'animal ne vient pas à son heure, et toute une vie conjugale, plus souvent un grand amour, se brise à cet écueil encore insignalé, ce semble.

Pendant que le Platonicien dormait, appesanti sur le lit de fleurs maintenant flétries, la princesse s'enrageait. Un si piètre dénouement à cette divine journée qui eût brillé dans sa vie comme un phare resplendissant; pendant les rancœurs et les tempêtes, elle eût dit : « Déferlez, réalités écumeuses, vie furieuse, secoue ma nef, ces heures de déesse aimée, je les ai vécues; leur souvenir suffit à me substanter jusqu'au moment obscur où je les revivrai pendant l'éternité. »

Nebo, menteur et comédien, avait dit ne pas vouloir, au lieu d'avouer ne pas pouvoir; l'admirable résistance et le détachement sublime, toute l'attitude prestigieuse du Platonicien tombaient comme les masques et les grimes d'un rôle, et l'homme ne restait pas! Le long désir exacerbé d'attente, les griseries d'imagination, le cérémonial splendide, contrastaient indiciblement avec ce piteux final. La princesse croyait fermement que le riforzando de l'excitation devait éclater en un tutti des forces animales; l'amoncellement de tous ces nuages, d'idées et de parfums devait receler une volupté olympienne, qui la foudroierait de plaisir. Elle avait espéré se repaitre et n'avait été qu'incitée.

Cependant assez de volupté avait lui en ce premier pas trouble et souffrant, pour lui ouvrir l'horizon des pâmoisons aux reins brisés des grandes détentes nerveuses; et douloureusement, elle désespérait de les atteindre, persuadée de l'insuffisance physique de son Mentor, et n'ayant pas même la pensée de jamais chercher avec un autre, l'énigme sexuelle. Mettant le devoir dans l'amour, elle se tenait pour liée à Nébo. N'était-il pas le premier des hommes, sauf ce point, et il grossissait ce point-là, et toute la lumière d'un grand amour n'en dispersait pas la ténèbre.

Savait-elle, la jeune femme déçue, qu'avant une imprégnation mutuelle, le corps des amants reste au duel; que la loi d'harmonie force les organismes à s'accorder comme deux instruments, jusqu'à ce qu'ils arrivent à une tonalité commune: et cet accord ne résonne que lorsque semblable est la tension des cordes virtuelles.

Une nuit d'insomnie, hantée d'idées folles, brisa la princesse; avec quelle trépidation elle attendit le jour, préparant des ironies cinglantes, férocement avide de réclamer contre le prestige faux, de retirer son admiration et de plaindre et un peu mépriser.

L'orgueil se plaisait en cette déconvenue; il se soulageait, redressé d'avoir été courbé si longtemps; et chacune de ses pensées, comme une baliste, ébranlait le piédestal qu'elle-même avait construit.

« Pardonne-moi », avait-il dit; il avouait donc faillir au devoir d'amour; « Reviens demain », il espérait donc, il promettait même une inconnue vaillance; et pour excuse de son insuffisance et comme gage qu'elle cesserait « j'aurai dormi ». Ainsi de l'insomnie l'emporte sur la beauté et la passion: ainsi la fatigue barre l'envolée érotique. O l'amoindrissante constatation, que cette vassalité perpétuelle de la passion envers la santé! La princesse ne la sentait pas en elle, et pour les femmes ne pas sentir, c'est ne pas comprendre. L'ignition de son désir eût dardé à travers la maladie et l'épuisement même, du moins le croyait-elle?

Comme elle méprisait cette science qui ne dotait son savant aimé d'un stimulant plus fort que la détente nerveuse et l'empêchant! Pour la première fois elle le surplombait; toute la vie et la jeunesse flambantes de son corps magnifique, que Nebo n'avait pas terrassées, la grisèrent d'elle-même; une force ardente la secouait, qui la faisait fière : la femelle splendide surgit de la jeune femme, instinctive, butée dans son instinct et d'une comparaison impie, en écoutant le battement de ses artères, en regardant le gonflement de ses veines; elle insultait l'homme qui appelait le sommeil, quand la volupté était là.

Erotikon II

La Chambre rouge

Jamais la curieuse princesse n'avait tressauté d'impatience, ni conjecturé aussi follement qu'à l'heure nocturne de retourner rue Galvani. D'abord où l'allait-il recevoir? Le Temple, splendide rêverie éveillée, ne pouvait encore exister; le cabinet aux cathèdres de bois sculpté devenait une absurdité; au point où ils en étaient restés, la chambre jaune de la veillée d'amour, avec son lit étroit, impossibilité autre?

Puis, quel costume porterait-il, cet amant perpétuellement travesti? la robe rouge du hiérophante, l'andrinople du royal flirteur, la veste de velours et le maillot d'Hamlet ne seyaient plus.

Enfin, quelle contenance tiendrait-il, l'amoureux insuffisant; quel geste d'accueil, quelle parole d'abord, quel discours ou bien quelle caresse? Elle s'embarrassait pour lui, s'avouant qu'en son lieu, elle perdrait tout esprit : avertie par une intuition plus forte que la déconvenue de la veille, que le Platonicien si calme en sa défaillance allait peut-être la

stupéfier, c'est-à-dire la satisfaire. Vaguement, une
renaissante confiance l'apaisait à chaque heure son-
nante qui la rapprochait de la sortie; même elle sou-
pesa l'exaspérante proposition d'une invirilité volontaire, destinée à la débouter des fins de la chair; vivement elle la repoussa, saisie de fureur à la supposi-
tion d'un entêtement si égoïste et méprisant de sa
beauté. Cependant, telle est la féminine nature, forcée à une option : l'hésitation courte eut préféré le
puissant égoïste à l'impuissant consenteur. Voyez,
par le monde mondainisant, un homme réputé d'in-
commodation, voyez-le dans le salon bleu d'Arthe-
nice où ce mot gazeur a pris cette acception singulière sur les lèvres calmes de Mlle d'Angennes;
les impeccables, les vraies vertus repoussant,
dédaignant cet homme qui n'a plus de charme
n'ayant plus de danger. Toutes les pitiés nichent
au doux cœur de la femme, il distille des baumes
pour le laid, le tortu, l'hébété; sa bonté s'arrête
à l'eunuque, devenu fer et désaimanté d'attraction
sexuelle.

Cette antipathie se pourrait raisonner : en la justifiant, on découvrirait que la mâleté est un levain
nécessaire à toute panification d'individualisme;
on ne vaut que par expansion ou résorption
sexuelle; l'une fait le héros, l'autre fait le saint : et
vive le péché, en face de l'inertie. Jamais un peuple
ne périt par ses passions, ces désordres de la vitalité; son agonie commence quand la philosophie

s'appelle indifférence, le goût éclectisme, les mœurs moutonnières.

L'obéissance à la loi, parce qu'elle est la loi, constitue la niaiserie tudesque, et fait du peuple Allemand le dernier des peuples parce qu'il est obéissant. Aux plus belles époques historiques, les Grecs et les Italiens ont été brouillons déraisonnables, ennemis d'eux-mêmes, malheureux et mauvais, mais ils ont violé l'histoire, qui est une femme, et qui s'est fait pavois à ses vainqueurs. Vertu signifie force; et la lymphatique ne peut se dire chaste, ni la bourgeoise constante, ni la Lyonnaise, mère de famille, ni la Parisienne indulgente parce qu'elles n'ont pas la force de l'amour, de l'adultère, de l'aventure et de la haine. On n'est vertueux, que sous condition d'avoir l'étoffe du vice : il faut des sens pour se dire chaste, l'imagination romanesque pour être fidèle, les ferments d'une drôlesse pour être mère de famille, et la force de la rancœur pour une méritoire indulgence. Si l'on ôtait à la Grande Béguinerie, quelque chose de plus terrible que la Grande Aumônerie de la Comédie Humaine, la pruderie des laides, la chasteté des vieilles, la prudence des timorées, il resterait une humanité qui, malgré des confessions fréquentes, cultive en son âme syphilitisée d'envie, le cancroïde de la calomnie. Quand on examine une de ces grandes vertus dont le poids écrase tout ce qui entoure, on aperçoit une femme qui ne vole pas parce qu'elle est riche, qui ne godaille pas parce qu'elle est à plus

de calcul que de désir : et n'est-il pas divertissant
de songer que la plupart des vertus sont aussi va-
lables que celle des gardiens du sérail : les femmes
à honnêteté venimeuse se parent gravement d'une
renonciation qui n'est que la naturelle conduite de
leur goût. La belle tempérance que celle d'un gourmand qui s'abstient ou pour le coût, ou pour le
manque, ou pour les suites! On offre à Dieu sa vi-
duité involontaire, et voilà le clair des mérites de
ceux qu'on nomme justes et qui le croyent, crachant
sur les errantes et nobles créatures, que le péché a
embourbées, mais qui ont des ailes, pour s'élever
aussi haut que les voilà tombées.

Paule palpitait toute, en entrant; sa vie sexuelle
allait se décider; Volupté ou Dérision? Elle sortirait
brisée de plaisir ou bien vouée aux tortures de l'in-
satisfaction? Le vieux domestique la conduisit
jusqu'à une portière qu'il souleva, en s'effaçant.

Elle vit rouge et tragique, et se crut dans une
tente de satrape mède; une lanterne de fer, vitrée
de soie rouge, éclairait un appareil de tenture qui
arrondissait la chambre, symbolisme bizarre, et obli-
quement montait en coupole.

Au milieu, bas et vaste, un lit entièrement capi-
tonné, coussiné et drapé de rouge, de ce même
rouge de la tenture qui avait le ton du sang qui va
cailler et noircir.

Appareil grandiose et prometteur de caresses for-
melles; cadre où les baisers devaient mordre et l'é-

cume argenter les lèvres; décor d'une passion sombre;
arène fauve où le spasme devait rugir et l'arc des
reins se courber en sifflant; boudoir d'inquisiteur;
théâtre d'un péché espagnol que lècheront aux
heures de remords les flammes de l'enfer; coucherie
pour un accouplement de fatalité : cette chambre
rouge l'eût effrayée, si le serpent de la concupiscence
ne l'avait pas piquée si profondément.

Nebo ne paraissait pas : elle se trouva disparate
ainsi debout, gantée et coiffée.

Le lit s'étalait, démesuré, et son rouge plus vif
fatiguait la paupière; le drap de pourpre ouvert
invitait. Elle le comprit, et se déshabilla; à chaque
dénudation de blancheur, le rouge rougeoit davantage.
En chemise, elle se sentit indécente et comme diminuée par les souvenirs du périple : elle jugeait mes-
quin ce dernier voile dont la forme coquette mais
sans style, détonnait avec cet entour sombre : et se
sachant assez belle pour l'Anadyomenat, en une
pensée plus haute que son sexe; pour toute pudeur,
d'une main elle délivra ses cheveux qui croulèrent
et lui firent une mante jusque sur la croupe tandis que la batiste glissait à ses pieds.

Elle se devina belle absolument; cette conscience
de sa splendeur l'apaisa : l'acte de foi qu'elle faisait
à sa chair se doublait d'un acte d'espérance à celle
de l'Aimé. Noblement elle s'alita, ramenant le drap
de soie jusqu'à sa taille; et à plat ventre, accoudée
et les mains dans sa chevelure lumineuse, elle at-

tendit, en une pose souple de grand félin, les yeux ardemment fixés sur la draperie qui lui avait livré passage.

Silencieusement, la tenture s'écarta et se referma derrière Nebo vêtu seulement d'une chlamys. Immobile et retenant son souffle, il la contempla plusieurs minutes; aucun mouvement d'impatience à ses magnifiques épaules, mais des soupirs échappés des lèvres, des larmes lentement roulées des yeux.

Nebo, d'un élan, qui effraya la jeune fille, fut au lit et lui entoura la tête de son bras nu.

— Tu pleures?

— Oh! que tu m'as fait peur, mon Nebo, j'examinais ma conscience, oui, je me sentais bien coupable envers toi... Veux-tu entendre ma confession?

Le platonicien sourit et son mouvement allait l'accoler à la princesse.

— Oh! non! je ne suis pas digne de ton adorable contact; il faut que tu m'aies pardonné... j'ai douté de toi...

— Je le sais, — dit-il toujours souriant.

— Oui, tu lis les pensées, mon beau Mage; mais sais-tu que je t'aimerais même...

Il lui ferma la bouche d'un baiser; elle se dégagea.

— Je veux que tu me croies.

— A l'instant où tu parles, tu es véridique.

— Non pas à cet instant, à toujours... Veux-tu que je te rende ton androgyne, veux-tu ravoir ta sœur? Dis, le veux-tu?

Elle se soulevait, enguirlandant le jeune homme de ses bras.

— Trop tard, ma Bien-Aimée; tu m'as inoculé ton désir, et c'est moi qui chercherais l'inceste maintenant.

— O sublime menteur, qui s'attribue ma même faiblesse! être délicieux et enivrant dont l'âme a des caresses plus extasiantes...

Il lui mit un doigt sur les lèvres.

— Tu compares trop tôt, ma Paule.

— Comment expliques-tu, cher grand esprit, mon état du moment? nous sommes nus, presque couchés, et mon âme seule bandée et vibrante pousse sur mes lèvres, au lieu du troupeau bruissant des baisers, les appellations pures et les émotions douces où perle une larme.

— Que nous importe le pourquoi et le comment? Vivons à deux : que ce soit le cœur qui batte ou l'artère, ou l'esprit, vibrons ensemble; si le bonheur existe, nous le trouverons dans le perpétuel accord de nos deux êtres; si la volupté est vraie, nous la boirons partout où elle sourdra, caresse ou parole, dans nos yeux et sur nos corps. Jusqu'à Aimer, il y a mille prudences et le savoir y peut. Après Aimer tout change; il n'y a plus rien qu'une nécessité, être présent l'un à l'autre, libre de nos émois, et laisser la double flamme du cœur et des reins croiser leur langue de feu et en faire un trépied à notre

effort vers l'expansion mutuelle de toute la divinité
que nous renfermons.

Elle se recula, souriante.

— Dis-moi que tu ne regrettes pas ta sœur.

— Toujours tu veux trop tôt comparer.

— Tu m'as menacée de ne m'aimer que quelques
mois.

— Une menace est conditionnelle : Penses-tu attenter
à ma liberté, me diminuer à mes propres yeux,
oublier que sur le penseur, l'amour doit rester une
tunique relâchée et qui ne serre point?

— Les absurdes que nous sommes! — fit-elle pour
dissiper les nuages qui se massaient sur son esprit.

— Chère Ève, lâchons les faucons de la pensée ;
qu'ils volent errants par la nue, et n'ayons aux
lèvres que nos baisers.

Il la prit dans ses bras.

— Encore mon écolière, et demain maîtresse,
laisse-toi enlever à la vie anxieuse des sentiments, et
docile à ma caresse qui veut descendre sur toi,
comme un rêve, n'effarouche d'aucune fièvre les
colombins acheminements de la chorie Érotide.
Obéis à ton Hymnode, adorée compagne de la
Gynandrie prochaine; aux profondeurs de l'être, mon
halieutique descendra découvrir l'embolisme absolu
de l'euthanésie momentanée et renaissante adorablement! Chorège de tes sens, fussent-ils aplestes, je sais
la divine Antispase, chrysopéenne des désirs. Sois
l'antiphonie soumise; et je m'enivrerai par anaclastie.

Il parlait pour parler, d'une voix murmurante, pressait les mots incompréhensibles pour frapper l'oreille de la princesse, sans parler à son esprit, afin de l'amener à une légère torpeur, propice à la subtilisation de sa tendresse.

Les amants semblaient dormir et soupirer; une onde vibratoire les parcourait de moment en moment et leur étreinte, qui parfois se crispait, ne se détendait pas. Cette première nuictée d'amour avait une sérénité singulière; le prodigieux Platonicien descendu aux sensations, en sauvait l'extériorité. Rien d'animal ne paraissait aux clartés lugubres de la lanterne rouge; ce calme dans la passion ennoblissait leur groupement; à force d'art Nebo avait chassé la bête de cet accouplement. Quand Paule parla, après l'heure d'un silence paradisiaque, d'une dévote voix :

— Tu as été aimé par un ange, Nebo, et pour moi tu t'es souvenu du secret du ciel.

Des larmes heureuses salaient d'animisme la salive de leurs baisers : leurs caresses lentes et comme respectueuses ne s'égaraient pas; ils se touchaient comme on touche des vases sacrés. Des exclamations de prière se balbutiaient; en ces nobles âmes la volupté s'élevait jusqu'à l'oraison :

— Mon Dieu, soyez béni, soyez exalté pour avoir donné un Archange à mon amour; toutes les croix je les porterai joyeusement pourvu que j'aie cette blanche poitrine de Nebo où m'appuyer!

Et le jeune homme lui-même pantelait d'émotion,

toutes les idées bouleversées, prêt à croire à l'amour, vaincu par les prières ferventes qui s'envolaient sous ses caresses, l'esprit déconcerté devant ce plaisir qui fumait d'un pieux encens, et du nom de Dieu mêlé au sien. Au matin, ces mots, rappel du cycle passionnel, lui étaient dits :

— L'initiation aboutit enfin ! aux yeux de la femme, tu existes seul, car tu as la Grâce et tu as la Force, O Mon Doux-Puissant !

Erotikon III

L'étonnement de Nebo

Midi le trouva sommeillant encore; les yeux mi-clos, il se souvenait délicieusement. Ses lèvres obliquèrent la moue d'un baiser vers la place vide de l'Aimée et l'étrangeté de ce symptôme l'éveilla tout à fait.

Était-ce bien lui, le puéril envoyeur de baisers au coussin vide? L'énamouré, mimant une caresse au réveil, lui qui s'endormait jadis avec une idée et se réveillait avec elle?

Son jugement édictait des épithètes déchéantes à ce nouvel état d'âme; il s'estimait en chute et diminué, il exultait cependant. Une joie indéfinissable lui baignait le cœur; l'attirance d'en bas l'emportait en un doux vertige : il n'avait cru que phraser, en s'écriant: « Laissons l'essor aux faucons de nos pensées et qu'ils errent dans la nue », ils avaient obéi, et il ne les sifflait pas, pour les rappeler.

Il y a donc une ivresse à se rapetir et une volupté à déchoir; l'orgueil n'explique donc pas tout de l'homme; un autre mobile le peut précipiter et celui-là plus terrible en sa stérilité? D'où vient la joie des abdications, les délices de la reddition, les charmes d'être tout à fait lâche devant le péché? Derrière le premier phénomène d'intensité, l'Amour n'a-t-il pas un goût de néant; et ceux que le spasme n'entraîne pas exclusivement, ne cherchent-il dans l'amplexion charnelle, que cette sensation de maladie voluptueuse, ce semblant d'agonie que joue le plaisir, cette similitude de convalescence qu'il laisse après lui?

Le repos joliment hébété qui enraye le travail cérébral; le doigt de la volupté se posant sur l'aiguille des pensées et l'immobilisant, cette momentanée communion avec l'ivresse vitale et inconsciente des courants cosmiques, sont-ce pas les suprêmes plaisirs florissant au corps de la femme? Le parfum laissé par l'Amour c'était un délicieux arrière-goût de mort.

Opsimathie qui l'humiliait; il n'avait jamais pressé ces cris qu'arrache la volupté, pour en exprimer une loi passionnelle, un déterminisme fécond.

— « Tu me fais mourir! — fais moi mourir — oui, tue-moi — Je suis morte, tu m'as tuée. » Le point culminant de l'orgasme amoureux était donc la vibration illusoire d'une projection du peresprit; la mort n'étant pas autre que la scission de l'organique et du fluidique : ce que le délire de la sensation appelle mourir est une secousse des liens fluidiques qui ne les brisent pas; pour la première fois, Nebo comprit l'Amour panchreste de l'humanité et sa Pan-

démie : il s'expliqua, de la même clarté, et la parole
de l'Église et la parole des poètes; l'une forcée par
la bassesse générale à des formules ochlocratiques ;
l'autre conviant l'exception à embrasser l'arbre du
bien et du mal.

L'amour, véritable comédie de la mort, exaspérant
la vie à la plus grande intensité et la précipitant jusqu'à un seuil d'agonie souriante, lui apparaissait la
logique mathèse de l'existence, le bond le plus prodigieux de l'être mortel d'un bout à l'autre de la cage
organique.

Sa méditation découvrait une autre parhélie, et
l'assertion de Mérodack justifiée déconcertait son
Platonisme. Jamais l'exaltation spirituelle, la vibration sentimentale ne lui avait donné la perception
de pénétrer et d'envahir l'Être Aimé et d'être pénétré
et envahi par lui.

Toujours, même aux extases, ils avaient été deux;
le baiser les unifia ensuite; mais vraiment ils ne
faisaient qu'un qu'en réalisant l'expression au physique.

L'embrassement nu faisait se toucher les âmes.

Ainsi, l'orgueilleux ¡triste reconnaissait dans la
volupté le moyen unique de s'ajouter une âme en
s'ajoutant un corps! Ainsi, descendu de l'idée, le
Mage lui-même passe sous le joug des sens et s'y
plaît. Jusqu'au seuil de la chambre rouge, semblable
à ce Théore que la Grèce envoyait aux solennités
de Delphes, il était demeuré supérieur à l'ivresse,

comme il convient à un thesmothète; sous la tente
de pourpre sombre, un nouvel Éros apparut, et vainqueur celui-là, le docilisait au flux de la volupté, qui
submergeait déjà cette radieuse volonté. Sa subtilité
même s'intéressait à la joie de la sensation; il se
considérait sur la voie de découvertes psychiques,
sophiste avec lui-même, alors qu'il découvrait
seulement cette faculté de l'étreinte sexuelle de re-
constituer momentanément l'androgyne primitif, en
une double sensation où se suivent, sœurs extasiantes, l'ivresse de la vie et l'ivresse de la mort.

Erotikon IV

La Buée d'Amour

Ce rythme de volupté que Paule avait appelé un
secret du ciel, pour la presque immobilité de sa pose
décente et sculpturale, ne resta pas leur habitude.
L'individualité, si puissante qu'elle veuille demeurer.
ne se marque qu'aux entrées en possession; les
corps ont-ils contracté le pli du plaisir, tout besoin
esthétique de choix dans l'allure disparaît et l'instinct
brutifie les plus hauts. Aux premières ivresses, le
ciel s'ouvre, et on crie des extatismes bleus et purs;
plus avant, c'est la terre qui semble s'ouvrir; on se
sent damné au plaisir et on y découvre des similitudes
infernales.

L'heureux et court moment où les baisers sourient
comme aux bouches du Vinci, s'efface à la venue
salace de la rugissante ardeur. Il y a lors, de la lutte
dans l'étreinte; les corps exaspérés se froissent avec
l'espoir d'une plus lumineuse étincelle de volupté, et
parfois revient au boudoir, le formidable couple
sauvage et primitif, meurtri, râlant et fou.

On était aux derniers jours d'été, thermalisés par
l'épaisse atmosphère de la chambre rouge; et telle

l'avidité féline de Paule, telle la déchéance de Nebo apprivoisé aux œuvres du lit, que défiant la torpeur de leur retiro, ils s'épuisaient d'étreintes.

Après plusieurs spectacles, le fils de sainte Monique éprouva le plaisir du cirque ; Nebo, le même refuseur du baiser, descendu aux joies charnelles, ne s'y possédait plus.

Un vertige plus formidable que la luxure les nouait l'un à l'autre : le vertige de l'inconnue vibration ; ils fouillaient leurs chairs, comme des chercheurs de trésors fouillent un champ, avec le fiévreux espoir d'entendre sonner l'or de la suprême et mortelle délice, sous le heurt de l'amplexion.

A cette incantation criminelle, la douleur répondait : mais la douleur n'existe pas plus dans la furie de l'assaut amoureux que dans l'assaut guerrier. La dispersion périphérique de la sensibilité, en leur cas, ne permettait pas une perception localisée.

Fous de leur corps, comme dit si bellement l'Église, ils l'eussent brisé pour en faire jaillir un frisson plus intense.

Vulgairement, on a donné le nom de Platon au sentimentalisme, celui de Vulcain au sensationisme.

Vraiment, le lit rouge semblait, à certaines heures, une forge où la chair battait la chair avec l'essoufflement et le grand râle des marteleurs ; alors, la tenture braiséante chauffait et, au-dessus d'eux, un halo de sueur presque effrayant s'élevait de leurs corps qui fumaient.

Erotikon V

Théophanie

Elle entra très doucement et se mit à genoux, s'accoudant sur les cuisses du jeune homme et repoussant sa caressse.

— Non! laisse-moi te voir; tu es beau; oh! dis, ne sois pas si beau!

— Adorable folle.

— Je ne suis pas folle et je t'adore, car tu es Dieu.

— Tais-toi, mon Ève; ton blasphème retomberait en foudre sur notre amour et le poudroierait.

— Je me tairai, si tu le veux; ce que tu as appelé un blasphème tu le liras dans mes yeux; le bonheur me vient de toi, comme la lumière de la terre lui vient du soleil. Dieu est grand seulement pour t'avoir fait, Dieu est bon seulement pour t'avoir donné à moi...

— Tu me peines, ma Paule; les paroles démentes disent la brièveté d'un sentiment; rien ne dure qui oublie le respect de Dieu; souviens-toi, ma Pauline, que je suis une sorte de Polyeucte plus lié encore par le mystère que par tes bras.

— Je devrais m'encolérer, Nebo, à ton discours;
à la clarté de l'androgynisme resté en moi, petite
flamme bleue toujours ignée et toujours bleue au
milieu de la fournaise rougeoyante de la volupté, je
t'avoue que cette impossibilité où je me sens de
t'envahir le cerveau, comme ma caresse t'envahit le
corps, est un taon pour mon cœur qui l'incite et le
fait bondir dans ma poitrine.

Tu serais moins enivrant si, au sortir de l'ivresse,
ta pensée radieuse ne reprenait son cours de lumière.
Artiste, tu as cérémonié notre amour; femme, j'y
suis plus religieuse que toi. L'Aimé devient une véritable hostie dans les grandes âmes féminines; hors
de moi, tu as ta grandeur, tes idées et le mystère.
Hors de toi, je ne suis qu'une princesse russe qui
s'ennuyait avant ta rencontre, qui souffre loin de toi,
et désespérerait, dès plusieurs jours de séparation. Je
ne suis que ton bonheur; tu es mon destin : les
parts... cher Archange, ne sont pas les mêmes; tu
sembles avoir tracé au-dessus de ton cœur une ligne
invisible, et contre moi : je trouble ta chère tête,
je ne la submerge pas sous le flot de ma tendresse :
Reste ainsi, ce qui te grandit m'est plus précieux que
ce qui me fait jouir. Que m'importerait de te voir
davantage m'aimer, si je t'admirais moins? Ce qui
ruine la passion, ce n'est pas sa douleur. Quand on
s'est donné un Dieu, la plus grande angoisse ne vient
pas à l'inexaucée; dans l'idée de divinité, il y a une
résignation au ciel sourd, à la piété sans récompense.

Mais voir le faux Dieu décroître, déchoir; poudroyer une poussière de vileté et de néant, voilà le suprême malheur. Le martyr pour l'être, idéal plutôt que l'amour de celui qui s'infériorise à chaque examen. Bienvenues les froideurs d'Oberon, mais jamais, oh! jamais, la méprise de Titania! Toi... toi... génie indéfectible, tu ne poseras jamais sur mon sein la tête d'âne de Bottom: et cette certitude ne me conseillerait pas de te rendre les honneurs divins... Je veux désormais te faire ma prière.

L'Amour n'est littérateur qu'en revenance, éloquent fantôme du passé, souvenir évocateur; au présent, sa sténographie fait sourire; la parole ne l'exprime pas : il est essentiellement mimique et modulatif.

L'agenouillement de Paule, l'intonation de sa voix rendaient enivrants ces propos si simples de vocables, si pauvres de syntaxe et d'images. Une seule actrice contemporaine, Sarah Bernhardt, a, quelques soirs, montré à un public applaudisseur mais inconscient ces attouchements inquiets, ce pianotage des doigts, cette palpitation arachnide de la main, cette adhérence d'un corps désireur s'appliquant au désiré qui est la caresse traînante et serpentine de la réalité.

Seule aussi, cette actrice a parfois l'accent monotone et bas de la vraie récitation amoureuse. L'exacte peinture ou représentation de l'Amour ne satisferait pas, on le veut presque méridional, gesticuleur; les metteurs en scène, absurdement multiplient les passades et font parcourir la rampe à deux amants

qui ne seraient véridiques qu'en un gironnement
étroit et continu. On ne se parle pas d'amour sans se
toucher et, dès qu'on se touche, on s'immobilise. Ce
besoin du contact, que la rencontre d'une main
satisfait, est une loi physique d'attraction. Un amoureux peut passer des heures à vivre la sensation du
coude à coude; mais il n'est pas vrai qu'on s'aime si,
à la moindre sécurité, le besoin irréfrénable ne se ma-
nifeste de toucher, fût-ce de sa botte, la pantoufle, du
dos de sa main, la robe de la Bien-Aimée.

Lorsqu'on s'est tout donné, et la possession consommée, cette attirance d'épiderme ne tire pas des
reins son impériosité; ces contacts sont de sentiment.

Si, à la fin d'une soirée où la prudence les a voulus
éloignés, les amants peuvent se toucher, fût-ce aux
soins du vestiaire, ils se quittent soulagés, et comme
décongestionnés; sinon, n'ayant pu échanger le fluide
qu'ils ont amassé l'un pour l'autre, ils s'en vont
malades de leur charge d'électricité personnelle.

Chaque fois qu'arrivait Paule, elle s'abattait violemment sur la poitrine de Nebo, ne se calmant rassérénée qu'après un attouchement où ils échangeaient
le fluide amoureux amassé depuis la dernière entrevue, et devenu pesant.

Ce que Paule exprimait sous des formes ressou-
venues de l'éducation catholique, et qui lui faisait
diviniser Nebo, c'était la faculté que possédait le
Mage, à un degré extraordinaire, de la décharger de
sa congestion fluidique, beaucoup plus complètement

qu'il est ordinaire. Renversé en spasmologie, ce qui créait une Théophanie pour la princesse n'était rien qu'une sensation d'allègement, de lest jeté, une perception de rafraîchissement descendant jusqu'à l'âme. On ignore que le travail imaginant d'une passion produit dans l'atmosphère individuelle une condensation lourde et douloureuse.

Nebo avait le privilège naturel d'absorber immédiatement tout cet agglomérat de matière radiante : elle avait donc la volupté de l'orgasme imaginatif, et celle de la dépression complète au moindre contact : marque physiologique de l'âme sœur, de l'être vraiment complémentaire.

Erotikon VI

Ce que cherchait Don Juan

Serait-ce vrai que l'économie créatrice a procédé par couple et que le bonheur dépend d'une rencontre sexuelle? Redoutable explication à l'inquiète poursuite d'on ne sait quelle femme, à travers les femmes à portée; dangereuse excuse pour les fornications, stupres, adultères et incestes commis, au nom de cette recherche.

L'homme à femmes, qui a passé sa vie à séduire, non à coucher, s'il voulait laisser un testament érotique, déclarerait la possibilité mixturale de celle qui l'eût fixé. Telle valait au lit seulement; telle autre seulement au flirt. En prenant les jambes de Georgette, le cœur de Blanche, l'esprit d'Isabelle, le ventre de Jeanne, son silence à Renée, à Berthe son babil, le regard de Corysandre et l'abnégation d'Angèle, le tout bien lié et décanté, répondrait à l'idéal personnel. Viveur ou Mage, l'homme qui rencontre la femme réalisatrice de tous ses désirs, qui rencontre sa femme, c'est-à-dire l'être parallèle et du corps et du cœur, dont les lèvres sont à hauteur de ses lèvres et la pensée mèmement orientée, celui-là ne résiste pas et ne saurait changer ; mais les occultistes vous disent que l'être qui a trouvé son complément, l'androgyne monté à l'absolu du bonheur, s'il n'est pas séparé par la vie, est scindé par la mort. A porter une semblable félicité, la terre se rébellionne et l'engloutit.

Pour concevoir les joies ineffables, innumérables aussi, d'un couple pareil, il faut dégager de toutes les heures fastes du passé leur esprit, l'alcaloïder en une seconde de temps et concevoir des jours, des mois, des ans, vécus à l'identité de cette seconde céleste, synthétique de toute joie conceptible.

Certes, le corps de Paule, Nebo ne l'eût pas autrement modelé, si Dieu lui eût permis de pétrir son Ève ; le cœur était beau, l'esprit assez ptérien pour continuer le Kaled jusque dans les nues. Mais l'orgueil avait lentement stratifié dans l'âme du Platonicien un écueil granitique que l'écume du plaisir argentait sans l'user, que les tempêtes de la passion battaient sans le submerger, récif d'entité, qui eût lassé le déferlement d'un océan d'amour. Nebo consentait à naviguer au large des sens ; son œil fixé sur l'horizon devenait dur et implacable, dès que la côte disparaissait et qu'autour de lui il ne voyait plus rien que le plein amour ; il s'attribuait un destin et ne permettait pas à une femme, du ciel même descendue, de s'asseoir au gouvernail de sa vie et de manœuvrer à l'encontre de son tracé d'Argonaute. Aller à la recherche de la noble toison, soutenu, consolé

par la maîtresse sororante et descendre de la trans-
cendance en touchant terre par les lèvres sur une
bouche aimée : oui, à cette réalisation du plus doux
rêvé ; non, à cette escale corinthienne où une femme
téméraire lui dirait : « La gravitation des sphères ne
vaut pas la pulsation de mon ventre ; ne regarde le
ciel que dans mes yeux ; les roses fleurissent seulement à mes seins, et ferme le livre, puisque ma robe
est ouverte ; l'entrelac de mes veines, voilà l'écriture
mystérieuse, et sous ma peau gisent tous les secrets. »

En un lit, fût-il de Procuste, il ne pouvait coucher son grand idéal ; en deçà et au delà de l'amour,
il aimait l'Absolu. Cette seule conception dans une
âme y projette des racines nerveuses qui étouffent
bientôt toute autre frondaison, et cependant le jeune
homme était conscient de sa trouvaille magnifique.
Son œil satisfait, sa lèvre extasiée, son corps empa-
radisé, il croyait momentanément à cette œuvre de
chair qui l'enivrait au point de le déprendre des
œuvres de l'esprit. Il n'avait pas besoin d'un seul
effort pour béatifier sa princesse ; comme leurs
membres se mêlaient harmonieusement, sans gaucherie ni hésitation d'étreinte, leurs âmes se mariaient
au même autel toujours allumé de la tendresse inta-
rissable. Ils se quittaient, las de voluptés, toujours
avides de la présence contemplative et caressante.
Un charme les affrontait immobilement, comme deux
sphinx sourieurs de la même énigme, au mot adorable. Ils communiaient totalement l'un à l'autre ;

l'un l'autre ils s'éblouissaient, amants solaires, au
point qu'elle ne songeait plus au péril d'opinion
qu'elle courait, ni à reparler mariage, tandis qu'il
passait les heures de son absence à évoquer les
douces heures mortes, à supputer les prochaines,
joyeux et grave, comme si ce bonheur n'eût pas été
coupable. Ce que cherchait Nebo, Don Juan ne le
connaissait pas; ce que cherchait Don Juan, Nebo
l'avait trouvé: sa Sosie, la Menechme adorable qui
lunarise les nuits et ensoleille les jours; mais le Platonicien, à la première oxydation de son vouloir, à la
première stupeur de l'entité, que résoudrait-il?

Erotikon VII

Les Poncifs du Plaisir

Il y a fort peu de civilisés qui pensent leur pensée ; il y en a bien moins encore qui vivent de sensations personnelles. On comprend les avantages ou la nécessité de ne pas violer les règles d'extériorité ; comment comprendre que le préjugé règne plus despotiquement, s'il est possible, dans l'intimité, dans la solitude ? En amour, le champ du libre choix et de l'allure personnelle, la plupart acceptent une façon de sentir qui est générale, au lieu de la leur. Même parmi les intellectuels, celui qui dirait : « J'ai eu cette femme, » sans l'avoir physiologiquement étreinte, aurait des démentis. La tyrannie de l'opinion est telle, trouve si peu de rébellion, que la notion du plaisir, loin de se diversifier avec les personnages divers, s'unifie niaisement et de fort subtils subissent la mode dans le jouir.

La plupart des hommes confondent la spasmologie avec la volupté, phénomène à marche animique ; ils croient niaisement pratiquer cette chose difficile et rare, l'érotisme, dans le congressus, purement organique ; et c'est pitié vraiment pour le penseur que le spectacle de presque tout le monde, pipé au jeu de la sensation, le seul du goût universel. Certes, la cursive amplexion d'une courtisane laisse quelques rares fois, un souvenir agréable, un peu plus vif qu'une souvenance de table, de vins ou de cigares exquis, mais de cet ordre : tandis que l'amour engendre des voluptés aussi diverses que les états d'âme ; une larme en verse plus que des reins brisés. Conséquentiel d'un frottement médical et de l'éloignement de l'Église, le jeune homme, pris au quartier Latin ou à Carpentras, ne se figure la volupté que sous la forme imbécilement chevauchante. Or, un homme de tempérament aristocratique plaquera d'autres accords sur la guitare sexuelle : rejeter celui-là, c'est peut-être lui donner une démesurée importance ; lui ôter le premier plan serait le fait d'un épicurien réfléchi, ou simplement d'un conscient de de lui-même.

La volupté est une irradiation extrêmement agréable d'un être sur l'autre ; or, rien d'intense n'étant possible un peu longtemps, il y a en deçà, de la volupté assez honnie, et au delà, de la volupté peut-être inconnue. Ce serait un terrible criterium de la vraie passion et cependant quel autre bien probant ; une volupté très différente de nature, mais égale en profondeur, avant, pendant et après, très longtemps après. Instinctivement, l'individu s'effraye à la patente impossibilité de rencontrer son complémen-

taire : lors, il tâche de se persuader, il se persuade
que le problème voluptueux se résout en orgasme,
au lieu que sa solution unique est une individualité
éloquemment parallèle.

Rien ne montre aussi honteusement l'absence de
l'idéal, dans l'âme générale, comme cette opinion qui
fait du spasme le but même et le sommet de la gravitation voluptueuse, alors que la Norme le désigne en
simple halte nerveuse. Amants ou viveurs qui pour-
suivent ce seul but, semblables à ceux qui n'aimeraient de la divine langue française que ses jurons,
sont des bêtes, et leur amour un fumier. Ces points
que la vie seule éclaire, quand on a la puissance de
regarder vivre, ces points inconnus au confesseur,
parce que le pénitent assez profond pour les voir les
tairait par la difficulté de les faire entendre, ces
points de l'idéal ou passionnel ou conjugal, le romancier seul peut en traiter avec quelque espoir de
faire réfléchir les intéressés, c'est-à-dire les êtres
nobles, d'assez de race pour enjamber quelquefois ce
parapet protestant qu'on nous montre comme la
large, vivante, enthousiaste vertu catholique, et
j'en demande pardon aux lymphatiques et aux luthé-
riens, mais si courte qu'elle soit, il y a une transfiguration de la chair, et l'anathème du théologien
sur l'illicite volupté se fût troublée, en entendant
Paule dire à Nebo :

— Bien-aimé, je ne sais plus si ma caresse, c'est
mon âme ou mon corps qui te la fait; agenouillée

devant toi, la lueur de tes yeux m'extasie le corps.
Entre tes bras, c'est mon âme qui s'épand sur ta
peau. A toucher ta main, je me pâme aussi divine-
ment qu'à l'étreinte dénudée; et quand je semble la
bacchante de la divine douceur, c'est bien plus mon
esprit et mon cœur qui se meuvent et qui voudraient
sortir de mon corps pour entrer au tien et s'y
anéantir.

Erotikon VIII

La dernière méditation

Il marchait, les bras croisés, dans son atelier, monologuant avec une fièvre qui hachait les mots :

— *E pur si move.* Et pourtant il m'enivre, le vertige enchanteur; un mois d'amour pareil embaumerait la vie... La vie, j'en savais les lois... j'en vis l'expérience. La pensée a-t-elle jamais comblé ce vide affreux qui m'épouvante, quand je me penche sur moi-même ! L'amour d'une femme me donne l'ineffable illusion de la plénitude... l'expansion passionnelle serait donc le dictame? Oui, mais au fond, la lie c'est la rupture... Durer cela, durer ces renaissantes joies, ce culte où je suis le Dieu et le sacrificateur.... et quel autel... toutes les beautés que l'art croit inventer ! Alchimiste dont la Chrysopée se borne à une seule projection, mais admirable, je pressens, je distingue un alliage, un reste de Mercure que la jalousie ou telle autre modalité passionnelle volatilisera, et ma pierre que je voudrais cubique pour édifier sur elle le monument de mon destin, ma pierre fusera comme la chaux, sous des pleurs amers !... Las, que ne puis-je croire à la pérennité du cœur?

Las, que ne puis-je oublier ma détestable science?...
Faust aux cheveux blonds, j'ai perdu la jeunesse d'esprit et mon expérience, d'un doigt glacé, viendra toujours arrêter douloureusement la pulsation de ma
jeune artère.

N'importe! l'aventure est divine, j'en serai le vail-
lant aventurier! La légende occulte des Argonautes
ne me montre-t-elle pas que Jason ne fut vainqueur
que par l'amour de Médée? La fille d'Eetés lui apprit
à accoupler les taureaux d'airain, à disperser l'armée
jaillie des dents du dragon; elle endormit le monstre,
gardien de la Toison, et le mage l'épousa!... Adorable
Paule, elle m'aime si dévotement qu'elle ne songe
qu'à jouir de moi et n'a pas reparlé de mariage!... Ici
j'illogise, comme chrétien; mais en interrogeant le
même mythe qui consacre la nécessité du dualisme
sexuel pour les grandes entreprises, mon ombrageuse
indépendance, plus redoutable que Creüse, n'éveillera-
t-elle pas la jalousie de ma Médée? ne s'en vengera-
t-elle pas en étouffant, sous ses caresses, les enfants
de ma pensée, toutes ces conceptions qui veillent et
croissent contre elle et son règne... Un bruit que j'ai
cru entendre, l'annonçant, vient d'abattre toute mon
appréhension; j'accepte cette défaite plus joyeuse
qu'aucune de mes victoires. Fût-ce un jour encore,
soyons heureux ce jour et faisons-la heureuse. Plus
je prévois la sinistre fatalité qui nous désunira, plus
je lui dois d'amour, avant cette grande douleur!

« Salut et hommage, Éros-Roi! »

Erotikon IX

Néoménie

L'imagination accepte qu'un docteur Faust, un Mage retour du mystère, abandonne la gnose pour l'œuvre de la vie instinctive et sentimentale. Nebo, jeune malgré l'âge de sa pensée, ressemblait à ces alchimistes qui, sur la voie de la pierre philosophale, découvrirent les grandes lois secondes et s'y consacrèrent. Paule était l'homoncula; il l'avait traitée par tous les réactifs nerveux et cérébraux, et au lieu de l'androgyne, son athanor éclatant en mille pièces, avait donné naissance à la plus rare des amantes; il aima d'abord par pis aller; bientôt, de tout son être.

La coupe où la volupté lui était offerte était d'un métal si pur, d'une ciselure si miraculeuse, que cela lui parut encore un grand œuvre de la saisir et d'y boire, sans vaciller.

Devenu lascif et langoureux, le corps avide et le cœur plein, Nebo gardait un doute sur la durée de cette ivresse. A certaines émotions, l'éternité de leur amour lui apparaissait évidente; le sang redevenu froid, il concevait que cela devait finir, et trop tôt,

pour tous les deux! Certes, il s'éblouissait à la beauté
de Paule, à sa flamme; et il ne songeait pas à se mé-
nager, trouvant la matière assez belle pour l'œuvrer,
et vivant des joies que nulle peine ne paierait trop.
Cet être qui, depuis longtemps, se dépensait en spéculations transcendantes, théore de la vie, redevenait
vivant, avec la joie d'un navigateur qui a vécu entre
les deux immensités bleues des nuits et des jours de
grand rêve et qui touche terre avec enivrement.

Vers son paroxysme, la Passion enlise l'idée mère
d'une vie et fomente la conception opposée. Comme
un velours éclatant donne par apposition l'aspect de
bure aux plus beaux draps, la volupté laidit et dé-
précie toutes les autres formes expansives. A l'ari-
dité des vieux textes, fruits d'une saveur évaporée,
quand enfin, se fend leur rugueuse écorce; à la dé-
préciation de soi-même par réfraction de l'idéal con-
templé; à la fatigue sans joie des nuits courbées sur
l'arcane, Nebo comparait la fertilité de ce jeune cœur
plein de caresses renouvelées par l'ardeur, cette
satisfaction du mâle qui fait demander grâce à la
femelle brisée de plaisir, cette fatigue si douce
en son illusion euthanésienne des lascivités longues!
L'imaginatif multiplie ses plaisirs par sa rêverie; et
quoique temporaires, aux lendemains funestes, les
heures que vivaient les deux amants ressemblaient
tellement à ce qu'on nomme le bonheur, qu'ils s'y
méprirent. Qu'on cherche les ivresses égales aux
leurs en violences, à peine citables: la marche triom-

phale d'un Alexandre; le moment où un bandit corse
est sacré; une montée de Pétrarque vivant au Capi-
tole; la première bénédiction d'un pape *urbi et orbi*;
la découverte d'une cause seconde ou la conscience
d'un poème éternel. Hormis ces vibrations exception-
nelles et qui soldent l'angoisse de toute une vie, la
terre ne pouvait porter plus de joie qu'ils n'en faisaient, en mêlant leur nudité.

On doute de son œuvre, de son expérience, de son
destin : l'amour a une positivité si évidente, ses trésors se moyennant si manifestement, qu'on ne s'y
croit jamais dupe.

Du même effet, il nous emparadise en esprit :
quelle pensée amuse mieux un long chemin ou emplit mieux le vide des heures que celle qu'on est
aimé; en âme, quel sentiment enivre autant que celui
d'être l'enivreur suprème; en corps, quelle sensation
égale la possession? L'amour satisfait tous les vices
et donne aux amants l'illusion de toutes les vertus.

Pour l'orgueil, être dieu d'une humanité, synthé-
tisée en une seule femme, émane le plus pur oliban.
L'amour boit les sueurs et les salives; l'amour mord
et suce, s'il ne mange; l'envie seule lui est inconnue;
il a la Foi : comment ne pas croire à Dieu, quand
on se divinise? il a l'Espérance : c'est-à-dire le désir
de continuer outre-tombe les baisers de l'heure; il a
la Charité : soulager une souffrance, c'est en chasser
de l'esprit le souvenir souvent obsesseur. Et puis, et

surtout le lit, où l'amour fait son autel et célèbre ses rites, le lit, suprême isoloir.

Les préoccupations de la vie, les rancœurs, tout le cortège furieux des harpies est impuissant à y poursuivre le couple passionné : en ouvrant leurs bras, ils écartent toute peine; en les refermant et lorsqu'ils se brassent, ils se sentent démarrés du terrestre, en projection vers les étoiles.

Aux voluptés très parfaites, s'élabore le mirage d'un état ascensionnel; jamais en amour, après les bestialités les plus basses, une nausée ne crispe la lèvre pourprée de morsures; la dépression de l'orgasme, qui est la fin du plaisir en débauche, n'est qu'une diversité de sensation érotique dans la passion, cette magicienne qui met au bouc de la luxure la bari et les grandes ailes du symbolisme assyrien.

La volupté demeure littéralement perpétuelle entre deux êtres parallèles sous leur triple rapport, et Paule, cherchant la rose au jardin de leurs jouissances, dit :

— La grande délice, je la sens quand je dors dans tes bras.

Ainsi le plaisir se poursuit dans le sommeil, comme la sensation se continue malgré l'absence.

— Les nuits que je suis forcée d'insomnier à l'hôtel Vologda, me crois-tu seule? Ton baiser que j'appelle, je finis par le sentir; j'évoque ton contact, et il a lieu au point de me jeter hors de moi-même et je me parais folle.

Nebo s'informant de l'heure exacte où cette illusion s'était produite, s'avouait avoir été assailli de désir à ce moment, vaguement participateur à l'incubation suscitée par la princesse. Leur jumeauté fluidique devenait prodigieuse; au même instant qu'il se heurtait dans l'obscurité douloureusement à la hanche, la princesse laissait tomber une tasse de thé et portait la main à son flanc. Le Menechmat était consommé au point que le tempérament de la princesse, fort et jeune, s'imposait au Platonicien devenu aussi avide d'étreinte, aussi inlassable de caresses.

Jamais ils ne riaient; aucune eutrapélie; aucune pudeur; toujours graves et nus, solennels de caresses, quand ils n'étaient pas fous et ivres de leur chair. Paule était vraiment princesse en érotisme : sans coquetterie, jamais mutine, toujours extasiée! semblable à une mystique de luxure. Nebo haïssait la polissonnerie et le grivois du geste, la plaisanterie mêlée aux caresses : il officiait la lascivité, en attouchements réfléchis, précis et francs. Dans les langueurs, un grain de beauté bizarrement placé attirait-il son œil, il le considérait souriant, sans rien de ces exclamations vulgaires qui sont coutumières.

Ils pleuraient parfois délicieusement.

— En cette minute, mon Nebo, si ton regard se vidait d'amour, si ta main repoussait la mienne, je serais tuée, je mourrais sous l'impression, je le sens!

Un jour se feuilletait un recueil fac-simile par Braun, des plus beaux dessins du Vinci.

— Vivants, ces Joconde et ces Saint Jean s'aimeraient comme nous nous aimons! Oh! je n'entends pas la force du sentiment, mais son expression, sa manière! Ne trouves-tu que nous avons ce sourire jouissant et lucide à la fois? je te le trouve, du moins.

Et Nebo la couvrait de baisers, heureux comme un insensé de s'entendre dire qu'ils aimaient comme un fils et une fille du divin Léonard aimeraient : c'est-à-dire d'une allure de sphinx à chimère et de sainte à archange, avec une douceur d'éternité dans la résorption du désir inapaisable.

Erotikon X

La Perfection des Caresses

Au sortir d'une volupté :

— Nebo, écoute un propos à la Diotime; nos caresses sont absolument parfaites; nous ne pourrons plus que nous égaler; ni en douceur, ni en violence, l'au-delà n'existe. Tu n'es plus Nebo, je ne suis plus la princesse; notre amplexion crée un nouvel être qui nous contient, je te sens m'envahir, je me sens te submerger comme deux vagues qui s'affrontent et se brisent l'une dans l'autre.

En effet, leur volupté arrivait à une phase musicale, ils s'aimaient harmonieusement : un unisson constant leur doublait les joies; aucune dissonance en leur radieux accouplement; et, quand l'ivresse cessée, ils se contemplaient, une admiration les éblouissait de se voir si nobles et de tant de style.

— Qu'espérais-tu, mon aimé, en me montrant la grande horreur; et ton puissant esprit t'abandonna-t-il pas le jour où tu conçus de fermer l'Hespéride, en suscitant au seuil des monstres et dragons plus repoussants de banalités, que si redoutablement ils eussent vomi des flammes?

— La passion — répondait Nebo, — est la cathédrale profanée : ne te croyant pas digne d'un autel où tu as transfiguré la chair, pour te barrer le chœur, je t'ai attardée aux chapiteaux, aux stylobates, que le moyen-âge si grand symboliste a souvent consacrés au bas-relief hideux du péché. Ces représentations, à niveau de l'œil ou écrasées sous les arcs de retombée, ne figurent-elles pas le trouillement auguste par lequel l'Église épanche de nos âmes les humeurs infernales et instinctives? J'espérais décourager ta jeunesse et ta beauté; la constance de ton cœur a dépassé la tenue de mon vouloir; tu es montée sur l'autel; tu es montée sur le trône, et j'ai officié, j'officie.

— Officiant admirable! une mélancolie jette sa gaze noire sur la fierté que je sens d'être l'enclume rebondissante où tu forges cette volupté, notre gloire. C'est l'ancien Nebo, le grand physicien, qui préside aux amplexions, tu mets de la science dans notre amour, de l'expérience à m'embrasser. Je n'ai pas été celle, dont la chaude haleine embrume le passé et ramène son amant à la virginité d'impression d'une vie nouvelle. Tu n'as rien oublié, Nebo; mon pied foule ton savoir; exaucée, je me sens menacée; le piédestal peut s'entrouvrir, engloutissant ma joie. Je règne en ton âme; mais son peuplement étrange, s'il se dressait contre la souveraine? Je sais, mon bien-aimé, quels

égards je dois, moi, la jeune entrônée, aux vieilles
idées qui gouvernaient avant moi : un terrible sénat
de conceptions me juge incessamment. Oh! il ne
m'effraye pas, je puis deux dénudations encore,
après celle de Phryné; mon âme n'a pas un sentiment qui se détourne de toi, ni mon esprit une pensée inadoratrice, et toujours, accusée, je serais
absoute. Mais ma féminité rêvait de t'enliser si
bien sous ma passion que, ingénu renouvelé, tu bal-
buties la volupté avec moi, au lieu, Paganini d'amour,
de te souvenir de toute l'érotie de ta vie et de me
pâmer avec des caresses transfigurées sur moi, su-
blimées pour moi, mais apprises, raisonnées,
essayées sur d'autres : je suis la lyre enchantée,
mon Nebo, mais tu me touches en grand artiste, au
lieu d'un ânonnement imparfait à mes sens, **préfé-
rable à ma gloire.**

EROTIKON XI

Le Rational d'Éros

Régulièrement, l'énamouré remplit de ses discours les heures précédant la possession et les premières qui suivent, tandis que la parole de la femme
ne devient nombreuse qu'au silence jouisseur de
l'homme. Obtenir, devise mâle; conserver, rubrique
féminine. A l'embarquement pour Cythère, le galant,
grand diseur prolixe en son invitation au voyage;
dès l'installation cythéréenne, la pèlerine fécondée
. spirituellement a quelque chose à dire et le dit parfois admirablement. L'Église en déclarant faute mortelle la fornication, l'Idéalité, cette seconde église,
médiate entre le ciel et le siècle, en n'indulgenciant
que le beau péché, toutes deux sont conscientes de
la gravité du congressus.

Deux regards ne se peuvent rencontrer sans mo-
difier, fût-ce la durée d'une seconde et la valeur d'un
ciron, la diathèse des individus : et l'on pourrait
croire que la rencontre et la stase périphérique de
deux organismes ne décoche pas des résultantes
métaphysiques? Une considération présentée aux

orgueilleux suffirait, ce semble, à les faire renoncer
aux encanaillements lubriques. Car on n'échange pas
seulement de la sueur et des trépidations, on laisse
quelque chose de sa personnalité, et on emporte
quelque chose de la vileté de la femme. Des positivistes intelligents ont aperçu que le moral de la
nourrice influait sur celui de l'enfant jusqu'à montrer
cet influx, coulé avec le lait, aux actes de la vie; et
les mêmes positivistes ne choisissent nullement en
luxure. S'accoupler avec un être qu'on méprise, qu'on
juge indigne, cela étonnerait fort un méditatif : ici,
comme en tout, l'intérêt du salut et celui de la santé,
le prêtre et l'artiste, avec de très éloignées pré-
misses, arriveraient à concevoir mêmement que le
péché et la laideur répondent aux mêmes questions.

Paule voulait montrer à Nebo un entendement
digne de le comprendre, et s'efforçait à rationnaliser
leur amour.

— Parfois tu te dérobes à mon emprise, et ton
esprit inquiet s'interroge : « pourtant, si elle était le
port, si je me démontrais qu'elle me verse le plus
noble vin, ne lui dédierais-je pas mes pensées
comme je lui dédie mes lèvres. » Je suis mieux que
le port, je suis la nef que tu gouverneras à ton gré,
vers toutes les Colchides de ta fantaisie. Aucune
ambition sociale ne te pousse; et s'il t'en survenait
quelqu'une j'y serais un aide, et non impédiment,
puisque mon rêve, si la réalité splendide que tu me
fais laissait place au rêve, serait de te voir aimé et

admiré, trop heureuse qu'un grand nombre communiât avec moi, même imparfaitement, sous tes espèces! tu veux la vie à l'écart; à côté de tous les mystères douloureux qui t'occupent, accepte mon mystère joyeux. Ton impérieux orgueil respirera le perpétuel oliban de ma servilité. Tu as un cœur, tu as un corps, mon cœur et mon corps y satisferont : c'est là un double calme que je te promets, une double sécurité. Ton esprit tout entier planera vers les régions hautes et, gracieuse odalisque, quand tu redescendras de tes spéculations d'au delà, je te défatiguerai avec ma tendresse. Peut-être même, mon beau génie, grandirai-je à ton contact, au point de servir aux grand'messes de l'idée que tu dis, à l'office occulte que tu célèbres; l'enfant de chœur se haussera jusqu'au diaconat. Persévère, ô mon Iason, et tu trouveras, aussi ardente que la volupté, une pensée ptérienne, sœur de la tienne, sous ma toison d'or.

ΕΡΟΤΙΚΟΝ XII

La Chambre ardente

Ce n'est pas rêverie, quand un sensitif dans une église vide ressent, si la prière imprègne l'air comme à Notre-Dame-des-Victoires ou bien si l'atmosphère n'y contient rien de pieux comme à la Trinité. Ce n'est pas rêverie, quand un sensitif hume l'odeur de la rue au Parlement républicain, ou la sécheresse d'âme en un temple protestant. Les expériences de Reichenback sur les atmosphères morales ont été poussées par les Templiers actuels jusqu'à cette formule : les sentiments évaporent un arome particulier et magnétisent les lieux où s'ils se manifestent, jusqu'à réfracter, au bout d'un temps, un phénomène obsessif analogue aux hantises légendaires d'un endroit. Le boudoir de Trianon, musqué par Joséphine, a gardé son parfum : une passion s'imprègne mêmement aux étoffes et aux murs ; pourquoi en chaque notice de très ancienne église, se lit : « La chapelle fut fondée sur l'emplacement d'un temple, » si ce n'est que les pontifes et clercs de la primitive église étaient initiés, et pour obtenir une plus hâtive

piété, consacraient au vrai Dieu la place déjà ai-
mantée de foi, et magnétisée de dévotion par les
païens? Qui sait même, si la diablerie n'a pas été un
moyen bref de politique psychique pour déconsi-
dérer tous ces faux dieux, formes cosmiques héroïses,
qu'il eut été lent et difficile de chasser du cerveau
des païens, récemment convertis. Si longtemps la
plèbe latine pensa à Dieu au pluriel, que les pre-
miers Pères, visant au péril de leur temps et laissant
à leurs successeurs le soin de briser cet arc dou-
bleau de la foi débile, ont dit : « vos dieux étaient
des diables, » parce qu'à les nier, ils auraient trop
heurté la routine des bas esprits.

La chambre rouge, aux lourdes tentures, s'emplis-
sait parfois de torpeur et semblait braisoyer aux
reflets du lit saccagé, tandis que la luxure des amants
se cabrait, criante et farouche.

Dans l'hébétude de la dépression, encore parcourus
d'ondes nerveuses, gisants et haletants, leurs yeux
alourdis s'ouvraient à demi, et s'offusquaient de cet
horizon de pourpre assombrie : trop las pour s'é-
treindre, trop jouissants pour se déprendre, ils s'hal-
lucinaient.

Il leur semblait tantôt voir les plaques chauffées
au rouge sombre dites par Poë, dans le *Pendule*,
tantôt un plissement de la tenture qui les enfermait
dans un entonnoir de velours où l'asphyxie allait
venir. Bientôt ce rougeoiment sollicitait le sang de
leurs veines; un sortilège les enveloppait, irrésistible

de griserie, ils remuaient alors leurs membres four-
millants d'immobilité, ils s'étiraient avec des craque-
ments de jointure, en des mouvements courbes et
lents de serpents engourdis. Comme pour fuir le feu
de la tenture, et le menaçant linceul de ses plis, ils
se reposaient au giron ; et de nouveaux désirs, mala-
difs et crispés, les affrontaient.

« — Si jamais nous devions revenir au sororat, il
faudrait brûler cette tenture, elle est plus forte que
nous, complice de nos ivresses, elle s'allume quand
nous cessons de brûler : ce paradis est-il donc une
chambre ardente ? »

Erotikon XIII

Diathèse

Heureux comme au jour de la première communion : cette expression catholique, car hors du catholicisme, cet éther unique où l'âme se puisse enivrer
d'une immensité proportionnée à sa nature, il n'y a
que prose, — signifie pour qui l'a vécue la première
heure idéale de la vie. Les jésuites qui n'ont ni le
bras si long, puisqu'ils ont laissé échapper les con-
sciences masculines et qu'ils sont réduits à influencer
des femmes, lesquelles n'ont pas assez de charmes
pour agir péremptoirement sur les mâles potentats,
— ni si large, puisque aucun écrivain non émasculé,
n'a pu s'entendre avec eux, en but de polémique
religieuse, — sont du moins des psychologues rares ;
et dans leur collège, le jour de la première communion, ils étudient l'élève plus attentivement et y
trouvent, paraît-il, une précursion souvent vraie de
l'avenir sentimental. Or, ce bonheur du premier com-
muniant tient à la sensation expansive qu'on n'a pas
analysée : la projection fluidique de la foi allège
l'adolescent, tandis qu'il se sent en rapports nou-

vellement subtils avec la nature. Une bénignité sort
de lui et baise une autre pareille bénignité qui sort
des choses; ce jour est le seul de trêve dans la vie:
on se sent baigné de paix et d'amour et on irradie
de l'amour et de la paix : on sent la présence réelle
dans son âme; une clairvoyance extraordinaire apparaît, on vit enfin quelques heures de saint François
d'Assise.

Certes, un abîme sépare l'extase divine de l'extase
amoureuse. La première résulte d'une ascension de
nos tentacules animiques à l'éther supérieur, tandis
que la seconde se produit à l'irradiation d'une autre
créature. Cependant une partie des accidents phé-
noméniques s'identifient.

En amour, la souffrance c'est la congestion; la
caresse qui vient après une heure d'exaltation vous
décharge et partant vous épanouit : or, l'abus des
charnalités, quoique dangereux, diminue notre lest;
et à travers les nuages que la volupté épaissit
toujours sur le cerveau, des aperceptions d'une prodigieuse acuité déchirent la brume du voluptueux.
Avec l'éréthisme corporel, concomite une sensibilité
mentale inouïe; on se pâme à un frôlement, on défaille
pour un mot. Dans une possession aussi âpre et
diabolique eût dit un medieviste, que celle du Platonicien et de la princesse, celui-ci semblait tenir la vie
de Paule en son vouloir, elle, la vie de Nebo. Perpétuellement ils échangeaient leur fluide qui se mêlait à la longue, de façon à s'appareiller. Joueurs

qui s'opposaient toujours la même carte, ils se dé-personnalisaient.

Dans l'étreinte, l'androgyne se reconstituait et leur corps astral devenait unique pour tous deux. Cette homogénéité de tout ce qui est modifiable, fusible ou modalisable de l'être, au jeu de la passion, mettait à leurs joies un point d'orgue magnifique et les ondes voluptueuses les tordaient jusqu'à la démence. Cette culminance de la passion n'a lieu que rarement, entre personnages d'exception, secondés par des circonstances débonnaires; elle semblait s'éterniser pour eux :

— Ah! mon Nebo, si vraiment il faut payer ses plaisirs en douleurs égales un jour, je tremble — une volupté si pénétrante.

— Oui, à la moindre surdose, le spasme couperait le câble organique; du mutuel tremplin de nos cœurs, nos âmes jailliraient dans la mort, — disait Nebo rêveur.

Erotikon XIV

La Mort d'Amour

L'automne était venue, ce magnifique et si péné-
trant crépuscule de l'année, qui a fait écrire à une
mondaine de ce temps : « Si je fais jamais une belle
folie, ce sera en ce moment de la nature où elle
semble dire : « hâtez-vous, le sablier s'épuise, et les
rouges lèvres vont pâlir : baisez ».

Leur amour se colorait de teintes plus chaudes,
comme le paysage même; et leurs ardeurs plus
sourdes, plus recueillies, avaient de très longues te-
nues. Aux veilles délirantes, aux insomnies nerveuses, ils préféraient le sommeil de leur harassement : une décomposition de la volupté les amenait
au seuil de la névrose hystériforme : des douleurs
exquises les questionnaient, des visions paraissaient;
ils sentaient des parfums illusoires, et l'oreille bour-
donner de voix invisibles. Le halo d'amour devenait
une buée miasmique où les bacilles de la démence,
les animalcules du ramollissement allaient éclore.
Nebo n'était plus qu'un amant flottant au gré lascif
de sa maîtresse : il ne s'alarmait pas même à des

phénomènes précurseurs des bilocations; ce pilote, jadis vigilant, ne prévoyait pas l'emprise prochaine des forces astrales, conséquence des projections nerveuses. A ce terrible jeu d'échanger, pour ainsi dire, leur peresprit et d'habiter animiquement l'un le corps de l'autre, à ce Venusberg suprême, ils souriaient, l'œil perdu de rêve, tandis que le vertige de la mort montait les envelopper; d'une main toujours plus brûlante, ils cueillaient les fleurs prodigieuses qui ne poussent que sur le bord extrême de l'abîme; et pour un Mérodack, ils eussent semblé deux somnambules enlacés et promenant leurs baisers sur le parapet des tours de Notre-Dame.

Sans lever le voile de ces néfastes plaisirs, vampires des sociétés orientales, leur volupté commencée dans la veille se continuait dans le repos; et il n'y a pas de terme pour exprimer l'évanouissement de l'être qui dort; une syncope foudroyant un sommeil. Ils connurent ainsi de criminelles joies; sans presque sans douter, Nebo abominablement mit au service de l'ardente princesse le secret de l'extase volontaire. Il assuma de lourdes expiations, en abaissant la Magie à dépasser les bornes de la volupté normale : et telle sa perdition, qu'il ne sentait pas sa vie devenir l'enjeu des formidabilités de la chambre rouge. Elle exultait *femina super Bestiam*, avec la belle naïveté de l'instinct elle enganguait en son admirable chair cet esprit, pour le mieux garder. Autant l'idée que le plaisir le plierait à elle, que le plaisir lui-même l'incitaient au vertige des sens.

Un soir qu'ils dormaient de leur sommeil lascif
ils se sentirent mourir si délicieusement que plusieurs heures après, revenus à la lucidité, Nebo pro-
féra :

— Je croyais finir et je le souhaitais! A toi Paule!
A Cœur Perdu !

Elle murmura extasiée :

— Mon Verbe s'est fait chair, ces mots en sont la
pensée et les trois étoiles, *A Cœur Perdu.*

Nebo ne protesta pas à cette parole sacrilège; il
laissa proférer la terrible formule de saint Jean qui
ébranle, chaque fois qu'elle est dite, toute la série
spirituelle. Le Platonicien avait perdu le respect de
l'idée; le catholique, la notion du sacré; il était l'a-
mant dans sa plénitude d'absurdité : Circé allait
paraître !

LIVRE V

L'EMPRISE

DE LA FEMME

Elle mit d'abord les mains sur son cœur, il saigna. Elle mit ensuite les pieds sur son cœur, il cria. Enfin, elle toucha la tête et la bari tomba.

Lui, alors, disparut de devant les yeux despotiques; en partant, il fit le désert au cœur de la Sacrilège. D'angoisse, le cœur de la Sacrilège sécha, et ne battit plus qu'un appel à la Mort. — qui ne vint pas.

Les Proses lyriques (inédit).
J. P.

L'EMPRISE
DE LA FEMME

CIRCÉON

Circé! Le mythe la dit fille d'Hécate et du Soleil, c'est-à-dire douée d'une cérébralité qui la rend plus redoutable; la mauvaise influence de la lune chez une solarienne la voue aux grands méfaits passionnels! Son mari mort sous elle, mort non d'accident ou de maladie, mais d'elle : les loups et les lions dont elle avait fait ses chiens et ses chats, symbolisent le mauvais désir de la femme à domestiquer les plus nobles et les plus féroces mâles.

Cette plante à racine noire, à fleur blanche, le moly qu'Hermès avait donné à Ulysse n'est-elle pas l'emblème de la sauvegarde passionnelle?

Le roi d'Ithaque, le prototype de l'initié, ne supplie pas Médée de lever le sort jeté sur ses compagnons, il la menace, et la magicienne obéit, subitement éprise

de son vainqueur. Un an, l'Ithacien savoure les joies
défendues mais splendides de l'île d'Oléa ; il la quitte
sans qu'elle veuille mal à l'infidèle. Nebo s'attribuait
le savoir d'Ulysse ; et naïvement il avait cru — on le
croit toujours de la femme qu'on aime — que Paule
ne serait jamais perfide ou néfaste, et jetant le moly
talismanique, et déposant le glaive du dominateur,
il avait fermé l'esprit et les yeux, aveuglé d'amour
qui se laissait conduire par une folle d'amour !

Circé ! Toute femme le devient, au moment qui
suit son indubitable triomphe. Son infériorité de
nature apparaît à son mode de despotisme : cet être
qui traverse Paris bourbeux sans se crotter, dont
les gestes d'oiseaux sont si adroits et délicats, qui
manie les fleurs sans les froisser, alourdit son talon
pour marcher sur les cœurs : pour régner elle abaisse
telle sa conscience de petitesse, que la même grandeur qui a décidé son choix, lui pèse à l'écraser ; elle
ne se sent bien aimée que si elle a rapeti son amant.
Sa revanche d'orgueil est terrible ; elle réprime comme
un dominicain d'Espagne. Quoique déplaisant pour
le père Monsabré, le dernier apologiste des sauva-
geries de son ordre, le seul pendant à l'emprise féminine, c'est le Saint-Office. L'inquisiteur disait : « Je
suis la vérité, et tu la verras mieux aux flammes de
ton bûcher. » La femme dit : « Je suis l'idéal et je t'é-
lève en t'abaissant. »

La femme, comme l'inquisiteur, croit à sa mission :
tous deux ont une lésion encéphalique, tous deux

sont fous et dangereux; il faut comme Ulysse garder son glaive, en leur compagnie.

Quoi de plus terrible qu'un être convaincu du Nimroudisme, et Madame Nimroud, croit vouloir le bien de son compagnon de péché, en voulant son abdication.

Hors de l'androgynéité, sexe plus rare qu'un chef-d'œuvre, toute maîtresse porte à sa ceinture les ciseaux de Mademoiselle; l'extrême de l'amour et de la haine ont presque une même manifestation, et on tonsure son roi et on le cloîtrerait, pour l'un des deux motifs. L'irrésistible besoin de certitude, qui crie en l'âme humaine, ne se satisfait pour la femme que par une métamorphose d'aigles en canards et de tigres en poneys.

La cage, vaste et dorée, il est vrai, voilà la liberté que la passionnée attribuerait.

— Je voudrais t'emporter loin, loin, que personne ne te vît, ou bien que tu fusses tout petit pour te mettre dans ma poche et t'avoir toujours là, sur moi...

La première fois qu'il entendit cette cantilène, Nebo la fit répéter, n'y voulant pas croire; elle vit une telle expression de colère aux traits de son amant qu'elle douta de sa possession; et lors, sans se l'a-vouer — les femmes ne s'avouent jamais rien, et ainsi jouissent à leurs propres yeux d'un perpétuel état de grâce — elle poussa leur volupté hors des marges, l'excentrique vint diversifier, et l'anormal aggraver leur fanatisme de sensations.

Déjà, d'imperceptibles dissonances nerveuses, de discordantes paroles sonnaient à Nebo la proche décadence de son amour.

La passion, dans l'amplitude du mot, est un excès d'amour, un abus de volupté : l'orgie de deux êtres attablés l'un à l'autre, et ensemble vautrés. Excéder, c'est s'acheminer à cesser; abuser, c'est se rendre impossible l'usage au demain; et l'orgie continuée devient la maladie ou l'abrutissement. A de rares éclairs lucides, le Platonicien pensait : « Ce serait l'heure de se quitter; au sommet du Vénusberg, nous ne pouvons demeurer ni redescendre par le versant aux fleurs merveilleuses de la montée; l'autre, hérissé de broussailles épineuses où sifflent les vipères, est un précipice où nous tomberons chaque jour d'un pas douloureux, laissant aux ronces du sang et tout le noble souvenir d'une amplexion olympienne. Ce serait l'heure de se quitter; elle n'en a pas l'idée, ni moi la force; et toute la rude pente de la nausée nous allons la rouler ensemble, avec des battements de haine au cœur. »

Eût-il retrouvé assez de virtualité pour s'évader de la passion, Nebo serait resté encore, par sophisme d'équité. Les tentatives contre ce qu'il appelait son entité, ils les voyait se tramer aux caresses mêmes de la princesse; il voulait cependant attendre leur éclat pour se dérober aux effets. Du reste, son orgueil seulement, douloureusement courbé sous le beau genou de Paule, pouvait produire une détente assez forte pour qu'il se libérât ; comme un plongeur a besoin de toucher le fond avant de remonter, l'énamouré ne revient à l'air libre que par le choc de son coulement à fond.

Paule, ivre de triomphe, ne sentait pas l'esprit de Nebo se lever contre elle et qu'en lui, tôt ou tard, l'esprit l'emporterait sur l'âme.

Même au plus obscur de la pensée du Platonicien, luciolait l'inavouée satisfaction de voir l'ardente jeune fille elle-même rompre les liens qui le retenaient en les serrant trop autour de son ombrageuse volonté. Satisfaction nécessaire à la conception de charité de Nebo, il fallait qu'elle devînt coupable pour qu'il s'absolve de l'abandonner, il fallait que le vin de cet amour s'acidulât pour que le courage lui vînt de s'en sevrer.

On n'a jamais d'autre force que la faiblesse des tentations ; et si le plaisir restait plaisir, l'humanité deviendrait une jouisserie imbécilée : l'amer, un assolement et un incitant organique par l'analogie, le devient aussi pour l'âme. On n'a pas observé que l'homme serait rationnel, en demeurant fidèle à ce qui ne déçoit pas ; et si quelques-uns ont rencontré des voluptés perpétuelles, leur cas de peccation doit être réservé. En effet, la durabilité de nos impressions dénoncerait la présence d'une relation avec l'Absolu.

Telles sont les voies mystiques, esthétiques et abnégatives ; l'entêtement en ces voies est toujours lumineux, tandis que la passion n'est pas un chemin

aboutissant; la passion n'est qu'une tempête : ceux
qui en ont été secoués, en sortent meilleurs, quand
ils en sortent; mais si, sous l'orgasme actuel, on
s'entraîne à croire que les éclairs peuvent être la
seule lampe d'une existence, et la nef résister à une
tempête incessée, l'expérience générale, la voix de
l'art et celle de la mort clament trop haut le météo-
risme du phénomène passionnel, aurore boréale resplendissante qui, pour aucun privilégié, ne prendra
la régularité de cours de l'éternel et calme soleil.

On peut vivre d'amour, en divisant à l'infini son
expansion, c'est-à-dire en multipliant les amitiés
sexuelles autour de soi : point convergent, on absorbe
tous ces rayonnements qui s'équilibrent et vous défendent les uns des autres, car l'émission fluidique
de l'âme est encore jalouse : mais hors de l'amitié
sexuelle, savamment menée, et très difficilement
conservée et multipliée à la fois, on ne vit ni d'amour
ni d'idéal, on ne vit que de lâcheté.

Vivre socialement, c'est vivre en couard : notre
civilisation latine n'admet pas le coup de force; et, à
proprement parler, personne ne redoute personne,
hors de la gendarmerie et de l'armée. Une seule et
même force dessert les amours et les haines, l'opinion; et son mouvement est très peu dirigeable, étant
incohérent. Deux rivales ne déchireront pas leurs
robes, elles se calomnieront; deux banquiers ne
solderont aucun sbire, mais un nouvelliste qui
sèmera le vague bruit de la ruine prochaine. L'écri-

ture et la parole mènent le monde; actuellement elles le mènent au néant. Cependant le froid théore des abominations contemporaines ne méconnaîtra pas une idéalité singulière de nos mœurs, quoique ses racines montent de l'enfer. Don Juan séduira la mère, les filles, la cameriste, quand don Juan sera présenté régulièrement dans la maison.

Ce qui ruine la fortune de l'homme supérieur, de l'intellectuel surtout, c'est la presbytie qui ne lui laisse pas voir les plates-bandes de la convention; en le trouvant ignorant ou dédaigneux du maçonnisme mondain, on se dit qu'il est dangereux, puisqu'il n'accepte pas les règles de sécurité générale ou bien qu'il est inapte aux grandes, par son impéritie aux petites; jamais une jeune femme ne croira à l'esprit de l'homme qui aura marché sur sa robe; et c'eût été un grand bien pour l'humanité, que certains génies eussent appris la pavane; ils ont manqué d'aisance ou d'hypocrisie, et du coup, été stérilisés.

. L'erreur qui a empêché le plus de grandes choses d'intérêt général fut de croire pensante l'humanité, prise dans son ensemble ou considérée occidentalement. On croit que sa maîtresse, son professeur, son curé, son juge, son colonel pensent: pas plus celle qui fait le lit que celle qui y trône, l'enseignant un peu moins que le potache, le curé au degré de son bedeau, le juge comme un gendarme, le colonel comme un conscrit. Car, j'entends par penser, la recherche des. relations possibles d'un phénomène ou d'un concept avec l'Absolu.

La pensée commence à l'abstrait, pas avant. Faire fortune comme un Rothschild, gouverner comme un Bismarck ou ravager comme Bonaparte, sont des œuvres dignes des *Paysans* de Balzac, c'est de la cautèle, du grand chemin, de la boucherie : penser, c'est chercher Dieu, à travers les causes secondes.

Si l'amassement d'or Rotschildien aboutissait à la reconstruction du Temple; si Bismarck, au lieu d'incarner Satan, neutralisait l'Alsace-Lorraine, en pays indépendant; si un général, avant de tirer son épée, se demandait comment un pays a le droit de cracher sa mitraille sur Jésus-Christ vivant en la chair des faibles, et de se permettre collectivement, comme peuple, ce qu'il punit de mort chez l'individu; alors ces trois personnages seraient des penseurs : ils ne sont rien que des faits transitoires, et d'un parfait rien devant le dédain de la métaphysique.

Quelle sotte licence l'écrivain a-t-il laissée à tous les valets de Nimroud d'usurper une tiare qu'ils souillent d'ordures et de sang?

Le devoir de l'intellectuel est de retenir la gloire à tout politicien qui marche hors de la théocratie évangélique; de ne laurer jamais les basses œuvres de la foule, qu'elle vote un parlement dérisoire, ou qu'elle trucide un peuple. De ces agitements de millions d'êtres que citent les annales, il ne reste, centurions féroces et ministres diaboliques, que le tableau que

tracera un obscur élu de l'Esprit ; après avoir fait
cligner l'œil de feu du soleil par ses cinq cent mille
lances, un peuple meurt et n'est plus éclairé que par
la lampe fumeuse de ce penseur, qui daignera jeter
l'immortalité de son esprit sur le néant de vingt
armées et de cent républiques.

Devant l'épopte, il y a un Crucifix : à cette toise il
mesure les hommes et les événements et ainsi
découvre la grandeur de Chateaubriand et la bassesse
de Bonaparte.

La même mensuration lui dévoile le peu de noblesse
égarée dans l'Amour fougueux.

En ignition sentimentale, comme au physique,
l'incendie est une œuvre de douleur et de ruine ; la
lampe fidèle et le foyer constant, les joyeuses et
fastes flavescences.

Si une épithète seule était à choisir pour ce grand
Polyonime, il faudrait dire douceur. Certes, les pur-
sang de l'humanité, les fauves, rêvent de rugissantes
étreintes, salées de larmes, rougies de sang ; cela est
d'un grand effet et beau comme une gueule de lion ;
mais ce n'est que léonin, c'est-à-dire bestial et contraire au Verbe de N. S.

Mordre et se faire mordre par un mâle dans un
craquement des membres et du cubicule : bouffée de
brutisme, ivresse de pourceau.

Aimer, c'est être infiniment doux, ineffablement
doux ; et ceux qui ont besoin que l'amour leur casse
les reins ne sont que des militaires sanguins dominés

par Mars, splendides étalons humains, mais exemplaires inférieurs et vilains, devant les subtils
esprits dont la volupté même, cérébrale et pure,
plane et se joue dans l'éther de dualité androgyne.

Circéon II

La Caresse Riazane

La princesse raisonnait assez bien, en pensant que le développement de la lasciveté chez un continent était un sûr moyen de se l'attacher par l'habitude du plaisir ; et ce calcul de toutes les femmes était encore plus juste vis-à-vis de Nebo. A cet artifice, elle compromit grandement la noblesse de leurs voluptés ; elle ne prévit pas qu'en se dépouillant de leur grand style, les caresses, quelque intensité qu'elles prissent, diminuaient optiquement, et un artiste a l'œil plus exigeant peut-être que les autres sens. Elle laissa voir, du même coup, sur quel fondement elle entendait élever son empire, seconde faute devant un esprit si orgueilleux, et dont l'entrée en bestialité était si récente et l'acoquinement lubrique incomplet, remédiable.

Se figurant que Nebo employait des charmes particuliers pour l'enchanter, elle voulut, elle aussi, jouer à la magie amoureuse ; elle fut ardente, servile et rien de plus.

Une pensée qui montait aux lèvres et qu'elle avait peine à ravaler, une pensée obsédante que celle du passé physique de Nebo ; la colère battait ses tempes

et ses poignets, à l'évocation d'une autre étreinte
que la sienne ayant eu lieu autour de ce corps adoré.

— Je voudrais, ô mon Nebo, inventer une caresse
qu'aucune femme n'ait jamais faite à aucun homme;
une caresse suave comme l'évaporation de la rosée
et pénétrante comme une prairie, après l'orage d'été;
une caresse où la vierge donnât la main à la courtisane, quintessence d'ingénuité et 'de dépravation;
je voudrais innover un plaisir par toi et pour toi et
je me révolte en pensée contre ces bornes de la
volupté si précises et que l'amour ne transporte pas.

— Désir grandiose, je t'aime de le nourrir, il est
faux cependant, ma princesse; ce n'est pas ceci ou
cela de l'approche physique qui ouvre les ailes de
l'être. Ne cherche pas la démence; en la trouvant, tu
me perdrais. Soyons lents, soyons calmes, pour
nous aimer longtemps; plus de fièvre, c'est moins de
durée, ne l'oublie pas. Ton rôle est simplifié, chère
amante; ton heur a voulu que tu aimasses un être
stable, toujours semblable à lui-même et qui ne
variera pas; ne varie pas non plus et notre sentiment, comme un lac profond, verdira sous le bleu-
tement céleste jusqu'au crépuscule de nos corps, jusqu'à l'enténèbrement de nos âmes.

— N'importe, je voudrais trouver la caresse Pauline, la caresse Riazane.

— Une vanité toute spéciale se mêle à l'amour,
dans son obstination, si cette caresse n'a que le but
de m'emparadiser.

— Et quel autre? s'écria-t-elle.

— Eh bien, écoute-moi! Un staccato plus ou moins imprévu n'est qu'une bizarrerie en musique, une excentricité en plaisir. Connais la sensation qui ne lasse jamais celui qui l'éprouve; apprends la caresse la plus difficile à continuer : le respect de ton amant. Je sais que cette énonciation te paraît trop simple, elle contient cependant l'art suprême de rendre les hommes constants. La femme qu'on ne quitte jamais, Paule, c'est la femme qui ne vous retient pas; l'irrésistible n'est pas celle qui nous communique une grande idée d'elle-même, mais celle-là qui nous donne une suprême idée de nous. Femme qui aimes ne t'enquiert de rien autre que d'être le plus complaisant des miroirs aux diverses fatuités dont ton amant est fait. Flatte-le de sa virtualité; cache-lui ses défaillances; pâme-toi à tout ce qu'il dit, à tout ce qu'il fait et ne t'inquiète pas du reste. Donne-lui l'impression d'un amour tellement aveugle que tu croirais à ses mensonges; si humble, que tu pardonnerais à ses inconstances; si dévoué que tu ne prends de lui que ce qu'il donne. Voilà le grand secret, sers-t'en contre moi et ce sera le gage de la perpétuelle victoire, la caresse Pauline, la caresse Riazane!

Circéon III

Jalousie rétrospective

A un moment de doux répit :

— Pour que je voie, mon beau Seigneur, à te complaire plus exactement, dis-moi ce que les autres femmes ont déçu de ton rêve et ce que j'en réalise.

— Je te répéterai mon premier madrigal : comme un soleil tu attires mon âme, et toutes les étoiles et la langoureuse lune elle-même disparaissent ternes et effacées par ton resplendissement.

— J'aimerais tant savoir ce qui d'ordinaire t'a détaché.

— On m'attachait, ou du moins on l'essayait et justement ce point est le seul impardonnable à mes yeux. L'infidélité, le départ; en quelques jours, j'avais oublié l'une et je remerciais de l'autre.

— Tu n'aimais pas, alors?

— Je n'aimais pas profondément; mais j'aimais ici un corps; là, une âme.

— Ce n'étaient pas tes complémentaires, Nebo.

— A ce temps, je ne voyais pas aussi loin; je n'avais que l'amour du beau moral, je ne m'élevais pas jusqu'aux notions platoniciennes.

— Combien as-tu embrassé de femmes, Nebo?
vingt? trente? cinquante? cent?

— Demande-moi combien j'ai respiré de fleurs
quand j'ai vécu ma vie aromale et buissonnière?
Demande-moi combien j'ai fait de rêves avant de
rien réaliser? Demande-moi combien j'ai admiré de
paysages; en combien d'églises j'ai prié et les coupes
que j'ai vidées; demande-moi combien j'ai lu de
volumes?...

— Ne pas savoir le nombre des femmes embras-
sées... Vraiment, le sexe met une différence singulière
en ce chapitre : si je ne savais pas le nombre des
amants, je serais une prostituée cependant.

— Chère, la femme paraît plus idéale que l'homme
parce qu'elle n'a, hors de la mysticité, qu'un unique
canevas à poétiquement broder : une femme ne vaut
que par celui qui l'aime; choisit-elle bassement, tout
est dit. Je serais un leno, en rentrant à l'hôtel Vologda, tout à l'heure, comment vous dessouilleriez-
vous, en quelque sorte? Supposez que vous êtes une
fille; en vous quittant je passerai des heures à mé-
diter un vieux texte, et cette méditation, à mes propres
yeux, compense ma déchéance qui a précédé : quand
l'homme a méfait de son corps et de son cœur, il lui
reste son cerveau dont l'élévation combat et sauve;
il ne reste à la femme mal accouplée que le repentir
ou la récidive.

— Belle théorie d'homme, et vulgaire.

— Ce n'est pas une théorie, c'est un déterminisme,

ma raisonneuse ; je ne défends ni ne légitime, j'expose...
et mieux vaudrait nous taire, que continuer un chapitre où nous blesserons, moi, votre jalousie ; vous,
ma vieille coutume de ne pas admettre qu'on me juge,
dès qu'on m'aime.

— Nous ne nous blesserons pas, je t'assure... As-
tu gardé des souvenirs de femmes... des lettres d'a-
mour ?

— Oui, — dit franchement Nebo.

— Oh ! tu me les montreras.

— Non, chère, tu lacérerais ces reliques, et il ne
faut pas, au nom du vrai Dieu, insulter les divinités,
même fausses ; profaner même les sentiments profanes, qui furent vrais.

— Reliques, profanation, je rêve ?

— Tu ne rêves pas : je me respecte dans le souvenir de celles qui m'ont aimé.

— Je sais pourquoi tu ne veux pas montrer ces
lettres, elles sont sans orthographe.

Nebo haussa les épaules, elle reprit :

— Est-ce vrai que Mme de *** t'a aimé ? est-ce vrai
que vous avez failli être surpris ? A-t-elle été oui ou
non ta maîtresse ?

— Princesse, je suis un galant homme ; et, sais-tu
ce que c'est qu'un galant homme ? C'est celui qui
garde le secret de l'alcôve, comme le prêtre un secret
de confession. Je t'aime de tout mon être, et cependant je ne te répondrai rien, ni sur les humbles sans
orthographe, parce que ces humbles ont été les dé-

votes de mon orgueil: je serais bas en te laissant rire
de leur gaucherie d'amour; ni sur les femmes ayant
nom : mon âme ensevelit ce qui y meurt et ne permet
pas même à la reine d'y profaner les tombes où repose
la cendre des flammes mortes, qui brûlèrent devant moi.

Quand j'ai bu à une source, en partant, je n'y
jette pas de pierre pour la troubler ; ta jalousie
rétrospective envaserait le clair filet du souvenir.

Elle cria :

— Ainsi, calmement, tu formules ta religion des
fleurs séchées, des gants racornis, des photographies avec « à toi » et des paquets liés en bleu pour
les brunes, en rose pour les blondes! Ainsi, il y a des
revenantes dans ta pensée, et, Don Juan par rémi-
niscence, tu évoques dans mes bras la chorie décorative de tes anciennes maîtresses! Et tu te prétends
doux et charitable, parce que ta cruauté sourit et que
tu fais mal, sans emportement.

— Tu as bien du mérite à n'en pas dire plus long,
ma Paule; et je te sais gré de ce bel effort.

— Ce qu'il faut que je t'aime pour ne pas hurler
à de pareils discours, pour ne pas te...

— Ne prononce pas — interrompit Nebo — je t'en
voudrais...

— Toi, m'en vouloir? Oh! tu me rendras folle...

— Non, sage. Viens m'embrasser.

Sanglotante, elle se jeta dans ses bras où, longtemps, il la berça avec tendresse, comme il eût endormi le chagrin d'une sœur.

Circéon IV

Le Manuscrit du Rabbi Iehou ben Guilëad

Ce soir-là, en entrant, un Nebo déplaisant lui apparut.

La tenue négligée, les fruits d'un repas sommaire à côté de lui, le jeune homme, courbé sur un palimpseste, le déchiffrait à la loupe.

Elle vit que, depuis plusieurs heures, au lieu de penser à elle, il s'absorbait dans ce manuscrit, et de la colère l'envahit à ces mots :

— Chère âme, accorde-moi une heure pour finir cette lecture : je n'ai cet inestimable parchemin en communication que jusqu'à demain, et tu es trop androgyne pour ne pas comprendre...

— Que je te dérange; c'est la première fois, Nebo... c'est bien.., je m'en vais...

— Tu n'admets pas, quand nous avons presque la nuit à nous, que je nous vole une heure pour l'élévation de mon esprit. Il y a longtemps que je n'ai repensé : je me déshabituerais des hautes spéculations.

— Dis-moi donc que je t'abrutis.

— Tu me peines, à cette heure.

— Et toi, crois-tu qu'il m'amuse de ne pas l'emporter sur un fatras vieillot?

— Il faut avoir la rage de la rivalité, pour en faire avec la lecture d'un moment.

— Tout ce qui me barre ton giron, fût-ce une minute, m'est ennemi.

— Eh bien! Prends garde à ton humeur, ma princesse.

Elle passa dans la chambre, s'y déshabilla et se mit au lit, attendant une grande heure.

Enfin, elle toussa, et appela très doucement :

— Nebo, tu ne viens pas?

— Un instant encore, chère âme, — disait le Platonicien qui se replongea dans sa lecture.

La princesse se tut : « si elle pouvait s'endormir, » pensait-il. Bientôt, il l'entendit pleurer, se leva, et la baisotant, la câlinant, il l'apaisa et revint au palimpseste.

Aucun bruit ne troublant son étude, Nebo oublia Paule, il marmotta, s'exclama en lançant à haute voix ses blâmes ou son enthousiasme : un mot l'embarrassait, il alla chercher un dictionnaire dans la pièce voisine; quand il revint, le parchemin avait disparu de la table.

— Ne cherche pas — cria la princesse, — il est sous mes reins; viens le lire à travers moi ou je le coupe en miettes, — elle faisait heurter les branches de ciseaux.

Une lutte était grotesque, il prévoyait sa défaite : il entra donc au lit, par ordre, et disant :

— Paule, il est indigne de toi de gagner à carte

forcée; acceptes-tu toutes les conséquences de cet irrespect?

— Je les accepte.

— Soit! — dit Nebo; et un peu de haine, dès lors, se mêla à son amour.

Circéon V

La Promenade des Amants

— Sortóns! veux-tu? Faisons prendre l'air du soir à notre amour toujours cloîtré; allons au bois, — disait Paule, un soir de doux clair de lune.

Il est rare qu'un homme ait le courage de ses pressentiments; si souvent il blâme les versatilités et les parce que obscurs de la femme qu'il ne résout pas aisément à leur emploi. Nebo consentit à regret, persuadé que triste serait la rentrée.

Cependant, la sensation était charmante de rouler vers l'Arc-de-triomphe, en voiture découverte, ayant au visage le fraîchissement d'un vent presque vif, au flanc la chaude caresse de la femme aimée qui s'insère au contour de votre corps.

Ils rêvaient, lui, tristement à un prochain heurt qui les lancerait meurtris en sens opposé; elle, gaie, trouvant dans la vitesse du parcours, une illusion de la vie qu'elle se promettait, toute isolée avec Nebo et l'emportant du monde et le déprenant même de la science. Tandis que les esprits tiraient leurs vols si contrairement, leurs corps se caressaient du flanc; et unis de sensation, ils ne l'étaient plus d'âme. Sin-

gulier morcellement de l'expansion qui explique la
même bige du plaisir physique et de l'ennui moral :
le Platonicien s'avouait que son désir présent eût été
de la posséder, puis de la quitter et de rêver seul au
Bois. Déjà le poids moral de l'amour le fatiguait.

Elle avait voulu l'emporter sur la pensée : de
cette audace elle devait périr : l'intellectuel ne sait
pas vivre dans un giron, il y vient, y fait merveille ;
une attraction supérieure l'attire aussi vers l'intangible giron du mystère ; la femme qui n'accepte pas
dans la maison d'amour, la maîtresse idée, un jour
s'éveille seule. On se figure le savant très ignorant
de la passionnalité, comme si la première gnose
était autre que la connaissance sentimentale : cette
idée éclate aux chefs-d'œuvre même, parce qu'il faut
de grands contrastes pour le public. Le théâtre n'a
pour lui que l'intensité d'impression, il est vivant,
mais la complexité lui est défendue ; et *Hamlet*, inconnu et représenté comme œuvre contemporaine,
serait sifflé. Le public applique une logique d'épicier
à la psychologie héroïque, et n'admet rien moins
qu'une petite cause à un grand effet par inconscience
des antécédences sentimentales ; une étincelle suffit à
une grande explosion, dès qu'elle jaillit vers un agglomérat pyrotique.

A l'orée du bois, une grande fille un peu grise, agitant son mouchoir comme un thyrse, chantait d'une
voix de contralto, précédant un groupe de noceurs.

L'artiste vit-il dans l'allure de cette donzelle un rien

curieux de bacchante antique? pensa-t-il à un Cy-
théron, devant cette nymphomane? il se retourna
pour la mieux dévisager.

La main de Paule s'abattit sur son bras et, s'y cris-
pant, le meurtrit. ·

— Vous avez, princesse, la main d'un policier; le
fait d'avoir étreint ne donne pas le droit d'empoigner
ainsi.

— Regarder une femme, se retourner pour la
mieux voir, quand vous êtes avec moi, c'est m'insulter.

— Prétendez-vous me mettre des œillères, et me
faire détourner séminaristiquement les yeux à toute
passante, parce que vous m'avez bénignement re-
gardé? Je ne vous appartiens pas, Paule.

— Tu ne m'appartiens pas! je t'aurai donné ma
beauté, ma virginité, mon âme; je me serai fait ta
chose, et vous...

— Et nous ne sortirons jamais plus ensemble...
Cocher, tournez... et rue Galvani...

— Et tu crois que tu en seras quitte ainsi,
monstre.

— Je crois que je vais vous interdire ma porte ce
soir, et vous envoyer coucher chez vous, mon enfant...

— Tu feras cela? — s'écria-t-elle furieuse.

Et comme le regard de Nebo était sur elle, elle se
mit à pleurer; sa colère s'écoula en larmes. Elle savait, comme toute Ève, que cette pluie des yeux qui

coûte si peu à verser, exsudation mi-nerveuse et
soulageante, mi-forcée et vaniteuse par le succès,
amollit et noie la décision masculine; le rôle de victime et la mimique de la souffrance restent le jeu
vainqueur de toute partie sentimentale.

Circéon VI

Falsification

Il n'y avait plus communion des âmes; mais les corps s'appelaient et ne se lassaient pas.

Paule avait conscience que ses fringales de volupté dépassaient l'ordinaire régime passionnel et s'étonnait un peu que le frêle et androgyne Nebo fît front à ses désirs, avec tant de mâleté. Elle attribuait à sa glorieuse beauté ce fait de son amant qui dépassait sa force, et se vouait à l'amour sans mesure ni restriction de santé.

Cet étonnement devint un soupçon, puis un grief, enfin, l'objet de la plus indescriptible querelle, la plus curieuse aussi.

Ce que la princesse entendait par ces mots :

— « Tu ne m'aimes pas comme je t'aime, » était une absurdité très spécieuse et inspécifiable.

— Psyché de la sensation, prends garde — dit Nébo ;. la lampe que tu promènes dans la grouillante obscurité de l'éréthisme fera fuir Eros de la chambre rouge, et parti, il ne saurait revenir. Ne cherche pas, mon amante, le secret de l'harmonie au grand orgue de luxure, enivre-toi de toutes ses voix, laisse-toi

charmer. Tu ne ferais rien de la plus profonde étude
des lutheries amoureuses, rien que t'en interdire à
jamais les fugues emparadisantes.

Mais, des restes d'ignorance faussant certaines
lumières du périple, entêtaient la princesse en son
reproche.

Et ce fut une troisième harpé coupant les lianes
d'amour qui les enlaçaient.

La princesse ne voulait pas qu'il se distrayât d'elle,
luttait contre la lecture et l'étude : charnellement
elle exigea l'immodération, y cherchant une affirma-
tion de son pouvoir qu'elle pressentait chanceler.

— Ma déesse, — reprochait doucement le jeune
homme, en instaurant votre rituel, je n'y ai pas
inscrit grande liesse journalière avec vesperales. Tous
les grands prêtres n'ont pas l'étoffe d'un martyr,
même sur la claie que vous êtes, ô ma fauve iole!

Ses reproches, il les soupirait mollement, pour la
régularité de leur évolution, conscient de leur inu-
tilité, attendant que la princesse eût rempli la coupe
d'amertume pour se reconnaître le droit de la ren-
verser. Nulle illusion ne lui laissait l'espoir de l'as-
souplir, de la rationaliser, et il ne se résignait pas
au bûcher, où sa Déjanire le consumait, assez fort
pour arracher la tunique fatale que met l'habitude
du plaisir. Déjà son esprit lucide planait, accusateur,
sur la princesse; son cœur se durcissait à chaque
exigeance; crotoniate, dont le corps seul restait pris.

Circéon VII

Le Serment du Templier

A travers la tenture, le domestiqne appelait.

— Êtes-vous fou, Benoît, d'insister?

— Monsieur, c'est une lettre verte.

— Verte? — s'écria Nebo, et s'arrachant des bras de Paule, il s'élança pour ramasser la missive glissée sous la porte.

Fébrile, il l'ouvrit, la lut avidement et resta grave.

La princesse, stupéfaite d'abord, bientôt s'offensa de cette façon brusque de déserter son étreinte pour une lettre, fut-elle plus verte qu'un Daubigny.

— Pardonne-moi, — dit-il, — ceci c'est le devoir.

— Tu as un devoir autre que m'aimer, tu as un devoir hors de moi.

Déchevelée, elle se dressait féline entre les draps de pourpre.

— J'ai le devoir d'aimer Dieu, c'est-à-dire de cultiver l'immortalité florale de mon esprit; hors de toi, j'ai des frères spirituels auxquels je dois de l'aide; et c'est de l'aide qu'on me demande.

— Montre-moi cette lette étrange.

Il se haussa sur ses pieds nus et l'alluma à la lanterne de soie.

— J'ai juré le secret, et je tiens mon serment.

— Tu ne m'as rien juré, jamais.

— Les serments de l'amour ne valent que contre qui les obtient; nul ne les fait que devant la torture sentimentale.

— La torture sentimentale? — interrogea la princesse.

— Quand une femme pleure jusqu'à satisfaction de son désir, quand elle retire la volupté coutumière, si on n'obéit pas, quand elle agace le nerveux, trouble l'absorbé, apitoye le tendre, la torture interroge et la lassitude répond.

— ... Et quelle aide te demande-t-on?

— Oh! une aide presque scientifique.

— Et pour quand?

— Pour tout à l'heure... à minuit.

— A minuit, j'ai besoin de ta présence, moi! J'ignore où tu vas, en somme, et si ta confrérie occulte n'est pas un mythe...

— Souviens-toi de la vente de charité.

— Et cette confrérie s'appelle?

— Elle n'a pas de nom, non plus d'existence officielle, elle fait suite à l'ordre du Temple.

— Tu es Templier, et tu te croirais coupable de manquer à tes serments.

— Coupable comme un général qui refuserait d'aller au feu, quand il y voit son régiment.

— Rien au monde, pas même ma prière ne te ferait parjurer?

— Pas même ta prière!

— Eh bien! mon commandeur, je te trouve grand de me résister ainsi et je m'incline... Mais il n'est pas onze heures; viens me donner encore quelques baisers.

Nebo ne croyait pas qu'elle pût mentir. Reconnaissant il se jeta dans ses bras; il y resta longtemps.

Une demie sonna.

— Est-ce loin, où tu vas?

— Non, et une voiture m'attend Place Péreire.

— Alors, mon Bien-Aimé, donne-moi encore trois minutes.

Les trois minutes durèrent; et, sous la volonté de Paule servie par l'érotisme, aidée de l'état de fatigue où il était, il s'endormit profondément. Quand il s'éveilla il était seul, il courut dans la chambre voisine; l'aube lavait déjà de blancheur la nuit bleue : il pleura.

Il pleura de honte; lui, le mage très calme et très puissant, tout oublier aux bras d'une femme, même ses serments occultes.

Il pleura aussi de désillusion; la princesse devenait fausse et mentait impudemment, au profit de son égoïsme amoureux. Il sentit son cœur se fermer à Paule; de cet instant il n'aima plus.

Avec un poignard il fit une croix sur la porte de la chambre rouge où quatre étaient déjà marquées.

— Au septenaire, ma libération, — dit-il, — et que ce soit tôt, Dieu juste, Œlohim équitable.

Circéon VIII

Silence de nuictée

— « Je répare cette nuit le mal que vous m'avez
laissé commettre avant-hier, » lut la princesse en
revenant la suivante fois. Anxieuse, elle eut peur de
ce qu'elle avait fait, mais cet esprit de persévérance
dans l'absurdité, ce vertige qui pousse les passionnés
à leur perte, lui soufflèrent, au lieu d'un repentir, un
nouveau guerroyement. Elle ne croyait pas que Nebo
passât la nuit dehors, ni même qu'il eût rien à réparer, il allait rentrer ; s'il ne la trouvait plus, il croirait
l'avoir punie : et sa résolution était slave de dompter
son amant, quitte à redevenir bonne princesse, après
le triomphe. Car elle avait la plus ferme résolution
de devenir aimable quand elle aurait discipliné cet in-
disciplinable métaphysicien.

Se ressouvenant de récentes paroles : « Quand une
femme pleure jusqu'à satisfaction, quand elle retire
la volupté coutumière, qu'elle agace le nerveux,
trouble l'absurbe, apitoye le tendre, elle est obéie par
lassitude. »

Que je le lasse donc puisque je ne peux autrement le plier.

Elle se coucha, éteignit toute lumière, inquisiteuse

redoutable, et qui eût effrayé le jeune homme s'il eût prévu ce qui l'attendait dans la chambre rouge, où de la douleur allait vibrer, après tant de plaisir. Nebo rentra tardivement; elle l'entendit longtemps errer dans la maison; enfin tenant un volume d'une main, il souleva la tenture pour traverser le boudoir et gagner sa chambre.

Il tressaillit en la voyant demi nue, en sommeil simulé.

Elle ouvrit les yeux et les referma sans une parole. Nebo réfléchit : un vague désir se levait dans sa chair; une moins vague persuasion lui montrait impossible d'aller dormir ou étudier dans sa chambre, la laissant bouder. Incapable de s'en aller ni de la faire partir, il se coucha à côté d'elle. L'analyste en lui s'étonna de la faculté féminine de se froidir le corps; ses sollicitations et son approche reçurent l'accueil physiquement glacé d'une statue qu'on accoterait.

Par un appel violent à sa volonté il s'endormit; Paule n'avait pas prévu l'opposition du sommeil à son silence; et rageusement elle pleura pour le réveiller.

Être couché avec une femme dont les sanglots secouent le lit, nul n'y résiste! Il la prit dans ses bras; elle ne se calma pas.

— Jure-moi... dit-elle enfin.

— Rien! — cria-t-il d'une voix terrible, — que ma haine, si tu jongles encore.

Brusquement, aussi heureuse d'être matée qu'elle se

promettait de joie à l'humilier, elle l'enlaça avec amour.

Or, Nebo détestait ces échanges d'aigreurs finissant en pleurs pour aboutir à l'amplexion. La bourgeoisie de la scène et du rapatriage physique l'écœurait comme le bas vaudeville de l'amour vulgaire.

Au partir :

— Promets-moi de ne jamais trouver mauvais que je vienne sans t'avertir.

— Non, — dit Nebo, — je ne veux pas que tu envahisses ma vie ni que tu effarouches mon recueillement.

— Ainsi, jamais je ne jouirai pleinement de toi, Nebo?

— Si, pour jouir de moi, il te faut m'absorber, je te dis un non formel, Paule.

— Tu ne m'aimes plus.

— Je t'aime, mais, ma princesse, vous faites tant d'effort pour qu'on vous désaime. Il est encore temps, mon beau cœur, de t'y mieux prendre : tu veux mon amour; cela ne se prend pas, cela se reçoit; et ce que tu voles m'empêche de te rien donner.

— Je te donne tout, je te prends tout, n'est-ce pas logique, chrétien, conjugal? Que signifient ces réserves que tu fais, ces barrières que tu m'opposes? Vivons à deux, ne sommes-nous pas... presque comme...

— Nous ne sommes pas en ménage, mais en amour, et si j'ai refusé les droits du mariage, ce n'est pas pour en subir les prétendus devoirs, par vous hyperbolisés.

Circéon IX

Sommation de Mariage

— Écoute, mon Bien-Aimé, — disait la princesse, si je suis parfois exigeante, injuste, fantasque, tu dois me le pardonner; aussi bien sans ton obstination, je serais la plus docile du monde.

— Je souhaiterais comprendre un peu, — fit Nebo.

— Quoi de plus compréhensible? ne m'as-tu pas dit, au temps où aucun malentendu...

— En ce temps, votre chair...

— Souviens-toi, Nebo, de ce que tu lui dois à cette chair, ne la blasphème pas; en ce temps-là, tu m'as dit la certitude, joyau suprême de l'amour. L'ai-je?

— Brisons là; je te vois venir couronnée d'orangers, bedeau bedonnant...

— Railler un sacrement.

— Bon apôtre! Vous faut-il un seul mot évitant tous les autres : on n'épouse pas la maîtresse qui vous rend malheureux.

— Je te rends malheureux! — s'écria-t-elle.

— Je n'admets pas, Paule, les manifestations de la jalousie; une question : si tu me surprenais en infidélité?

— Je te tuerais.

— Tu as si bien dit cela, ma chère, que tu peux t'assurer, de n'être jamais ma femme et de n'être plus longtemps ma maîtresse.

— Tu veux donc me tromper?

— Je ne veux pas admettre qu'une femme, même en parole, dispose de ma vie.

— Peut-être que j'hésiterais.....

— Je n'hésiterai pas, moi, Princesse, à vous abattre comme une louve, au geste seul de l'assassinat.

— Tu vois, tu deviens féroce.

— Je deviens défensif.

— Se défendre contre qui vous aime! O Nebo! comprends donc que, pour te tuer, il faudrait que je t'aimasse démesurément.

Il la regarda avec stupéfaction de tant de bonne foi dans l'accent de cette insanité.

— Soit que je me suicide après, soit que je me laisse justicier, je sacrifie ma vie, et me voilà quitte envers toi.

— Chère, au cours du périple, quand nous étions frère et sœur, je vous aurais dit : « folle », en souhaitant votre amour à mon ennemi, si je faisais à un être vivant l'honneur de le haïr. Aujourd'hui, où nous sommes amants, je vous somme de vider votre esprit de ces démences; vous quitterez ces idées ou je vous quitterai.

Elle bondit.

— Tu veux donc me tromper sans péril, tu es lâche!

— La fidélité m'est plus facile et aisée que son moindre contraire; et j'ai sur moi un signe qui me défend, je joue un rôlet en la latine comédie qui se dénoue à cette heure. Mais ma personnalité hautaine n'accepte pas l'amour de Lynch; quand j'ai aimé, l'idée que la volage était très heureuse me consolait de l'avoir perdue; même au péché je reste miséricordieux.

— De pareils sentiments sont hors nature et hors de ma portée.

— Ils sont héroïques, seulement; le héros, c'est-à-dire l'être supérieur, souffre moins des trahisons, parce qu'il se nourrit alors de sa propre substance; il porte même dans la passion un esprit sacerdotal de charité.

— Appliquez donc, héros sentimental, votre charité à mon inquiétude. Épouse-moi, bon Nebo, et tu verras...

— La charité se limite à la souffrance supportable: je pardonne seulement à la femme qui s'en va.

— Si tu ne devais plus me revoir qu'après la cérémonie?

— Je ne vous reverrais jamais.

— Je t'ai donc bien déplu, bien blessé?

— Tu as été femme, et l'amour de la femme vaut une haine pour les effets : vois plutôt!

A t'épouser, je ne pourrais ni vivre mondainement,

tu souffrirais; ni ruralement, tu m'absorberais. La seule perspective plausible eût été de promener l'élégante fantaisie de l'Embarquement pour Cythère, autour du monde : dix ans de périple pittoresque et sentimental.

— Eh bien! ce serait une joie.

— Tu oublies que je me suis retourné l'autre soir pour mieux voir une fille qui passait. Quand passeraient les Bayadères, les Nubiennes, les Japonaises, je me retournerais encore, non de concupiscence, mais je me retournerais. Tu te tais, car tu sens que ta fauve jalousie je ne la subirais pas. T'engager mon corps et mon cœur, oh! sans restriction. Renoncer à la curiosité de mes yeux, au subtil et perpétuel vaguement de mon esprit, non pas! Amant, minuit venu; le jour, je ne veux être que le frère et tu ne peux te résoudre à la sororité.

Tu pleures — et toujours ce sera une agression, des larmes, et puis le mutuel pardon avec spasme.

Vraiment, je croyais m'embarquer avec vous pour d'autres œuvres plus nobles.

— Et si je devenais enceinte?

— Vous ne le deviendrez pas.

— Je le deviendrai, malgré toi; et nous verrons alors, si la mère ne donnera pas quelque autorité à l'amante.

— Épouvantable princesse, je fuis le mariage et vous évoquez la famille : pauvre amour que le nôtre! et il y aurait lieu de rire, me donner pour guidon une brassière flottant à la pertuisane d'un bedeau.

CIRCÉON X

La Terreur de Nebo

Toutes les laideurs passionnelles dont il avait été le cicérone, il les vivait, les lâchetés aussi.

A cette période, l'amour devient un duel à l'américaine, féroce et traître.

L'habitude de la luxure ne retenait pas seule le Platonicien ; en son équité, il n'estimait pas la mesure comble. Sa supériorité éclatait encore en sa déchéance ; assuré que Paule ne désespérât pas, il eut déjà fui. A l'idée de sa souffrance il n'osait plus briser ce lien que chaque jour alourdissait.

Perpétuelle, une préoccupation le hantait ; la menace, « je le deviendrai malgré toi », sifflait à ses oreilles comme une voix euménide, et à se garer d'un événement qui le mettait en rupture avec sa conscience ou avec sa destinée, il se déprit de la chair. La sensation s'empoisonna de précaution, il souffrit toutes les angoisses.

Le moment même du plaisir, devenu celui de la lutte, le calcul et la traîtrise, pendant le spasme, l'atrocisèrent.

Cette alternative incessante de querelles et de baisers, ces caresses qui caressaient un but, ces amants qui transformaient la chambre rouge en champ clos, et y luttaient pour leur destin, avoué contraire, expiaient durement les joies antérieures, et la saison heureuse ensemble vécue, si lointaine maintenant.

En ce duel, où le baiser devenait une escrime ignominieuse, ils s'avilirent également : elle, osant, lui, subissant; et s'estimer moins, pour les nobles âmes, c'est désaimer.

Certes, Nebo se haussait au-dessus des commandements de la morale, dont il eût ri s'il l'avait trouvée plaisante; mais, s'il se reconnaissait exempt de la sujétion nécessaire au troupeau, il obéissait aux Normes divines; et cette obéissance l'eût forcé à épouser la mère de son fils; loin de répugner à la paternité, il aurait souhaité un enfant, s'il avait pu en conscience rejeter la mère, cette ennemie de sa pensée, cette irrespectueuse de son cerveau, cette absorbante princesse dont la jalousie ameutée sur un soupçon, la rendait redoutable jusqu'au crime.

Le grand avilissement sexuel n'est pas à la vente et à l'achat d'une sensation; la haleuse et la prostituée, en somme, louent leur corps et vivent de fatigue et de sueur; la nausée nonpareille se cache au lit des amants, surtout au lit conjugal; lâcheté ou devoir, calcul ou soumission, femme légitime ou concubine, celle qui subit l'amplexion d'un homme qui la révulse et lui rend sa caresse, celle-là connaît cet irrésistible dégoût de l'obligation du plaisir, et les résignées de cette claie sont martyres d'autant pitoyables qu'au bout du vomissement ne fleurit aucune palme

Circéon XI

Le Coffret de Santal

Depuis que Nebo, sans lui cacher qu'il gardait d'anciennes lettres d'amour, avait refusé de les lui laisser voir, chaque fois qu'elle pouvait fureter un moment, elle en poursuivait la recherche.

Une après-midi où la santé déjà vacillante, il avait succombé à un lourd somnolement, elle découvrit, en ouvrant par hasard une armoire, une grande boîte de santal; sur le couvercle, le signe de Vénus était incrusté en cuivre.

« Voilà », pensa-t-elle, « le reliquaire de ses vieilles amours; » elle força la serrure légère avec la lame d'un poignard.

Une sourde exclamation s'enrauqua dans sa gorge.

Divisé en cases égales de columbarium, on eût dit la miniature d'une catacombe en dressant la boîte, qui portait à l'intérieur : *Expériences sexuelles démontrant l'inanité de la passion; ci-gisent trente et quelques amours, dont le meilleur m'eût perdu.*

Il y avait une case vide; Paule frissonna à la pensée de cette fosse odorante où pouvaient dormir ses lettres, son gant et ses fleurs, dernière ensevelie en ce cimetière sentimental.

Les cubicules contenaient, avec les billets d'amour, des photographies, de petits bijoux.

D'une main méchante, elle éparpilla loin d'elle les objets et, nerveusement, parcourut les missives. Elle tomba d'abord sur la fosse commune; des photographies souvent jolies et qu'elle déchira, des mots de caprice tout charnel : « A cette nuit, divin veilleur, « je te baise sur ton corail ». — « A quand baiser ton « cou si blanc ». — « Viens, ne fût-ce que me donner « ta main ». — « Tu es beau, mais trop égoïste; va au diable! » — A peu près toutes louaient la beauté de Nebo d'une louange qui ne s'écrit d'ordinaire qu'à la femme et qu'elle ne fait presque jamais à l'aimé.

A l'évocation de toutes ces rivales posthumes, elle renversa la boîte et piétina sur le tas. Puis, sa curiosité repointa dans sa colère au hasard, elle parcourut, lacérant à mesure : « J'ai été folle ce soir, mon ami, et folle d'une folie que je ne regrette pas et que j'appelle encore. En une minute, j'ai senti tout ce qu'il peut y avoir de délices dans la vie, et dans cette minute je vous ai plus donné de moi que toutes les femmes que vous avez pu connaître dans dix années. Mon cœur s'est ouvert à toutes les extases, mon âme s'est réverbérée dans mes yeux et vous vous êtes abîmé avec moi dans un océan de volupté et d'amour ». C'était écrit sur un papier à la couronne fermée.

De la même écriture, à un an de date :

— « Que vous êtes bon! Que je t'aime! Nebo, mon

frère! Je viens de lire vos lignes; mon corps, mon âme vibrent à l'unisson. Je maudis tout ce qui nous sépare, tout ce qui voile l'irradiance de notre union. — Je suis à toi jusque dans l'éternité. »

Elle éventra un paquet où étaient beaucoup de télégrammes et lut : « Comme le Christ d'un mot de sa voix divine, votre parole apaise les troubles de mon cœur. Vous faites en moi l'ombre et la lumière. »

Une autre : « Ferme les yeux pour ne pas voir le spectre de notre pauvre amour défunt.

« Tu m'avais élevée bien haut, jusqu'à toi, cher et grand génie, et moi, la femme, qu'ai-je fait? Je suis restée l'Ève éternelle qui n'a pas su résister au serpent, image de la séduction. Jusqu'ici, elle m'a hantée, poursuivie et je suis tombée irrémédiablement. Mais, dans ma déchéance, je garde assez de grandeur pour ne pas t'apporter des lèvres qui mentent, des yeux qui sourient à une pensée secrète.

« Oui, androgyne, je suis pensée virilisée, avec au cœur, la petitesse des choses humaines. La volonté divine t'a créé, je crois, pour d'autres joies que celles de la femme, elles te sont interdites peut-être.

« Reste solitaire, enfermé dans la majesté de la pensée, et verrouille ton cœur. Tu avais raison, la passion est funeste et ne traîne après elle que catastrophe. »

Longtemps, elle vécut le passé de son Nebo, reconstituant sa physionomie, à l'aide des répétitions que présentaient les amantes diverses : « Je viens à toi, comme Madeleine aux pieds du Christ. Tu as, toi aussi, cette superbe miséricorde qui absout et qui relève... Tes mains chères et sacerdotales s'appuyeront sur mon cœur, et l'apaisement, comme une bénédiction sainte, rafraîchira ma brûlante blessure. » La plupart lui voyaient un côté religieux et louaient son onction et sa bonté câline.

Les autres avouaient leur imperfection à le suivre sur sa hauteur, et un curieux billet lui sauta aux yeux : « Oui, ton œil ne connaît pas la distance, ni ton oreille; au travers du mur le plus épais, tu vois : savant, sois satisfait; j'avoue, je t'ai trompé et deux heures après j'avais la dépêche me donnant le détail de ma faute. Je t'admire, mais je te dis adieu; et garde ce conseil : quand on est trop fort, on cache sa force; une femme se décourage devant de pareilles surnaturalités. Tu es un monstre, Nebo, descendu du ciel, et non vomi par l'enfer, très grand, très noble; tu l'es trop : souviens-toi que la femme aime mieux le monstre du mal que le Leviathan du bien, et fais-toi plus petit et laisse-toi mentir si tu veux jouir de la femme; ou ne lui demande que ce qui sera toujours en moi à ta disposition du plaisir parfois et de l'amitié constamment. »

Auréolé de ces passions et ces amourettes, Nebo lui semblait plus précieux encore; toutes ces rivales augmentaient son amour. Oubliant que Nebo l'entendrait, elle piétina rageusement le monceau, et elle devait être fort belle en ce trouillement jaloux. Soudain son regard rencontra la glace, elle cria; elle y avait vu Nebo livide et redoutable. Craintivement, elle se pelotonna à une extrémité de la pièce, grelottante d'effroi.

Un grand moment, Nebo se força au calme : sans regarder la princesse il mit un genou en terre.

— Pardonnez-moi, âmes qui m'avez été douces, cœurs qui avez porté mon image, lèvres que j'ai baisées, seins que j'ai caressés, pardonnez-moi l'outrage de cette heure.

« Pieusement, je vous avais ensevelies, ô mes mortes, et dans ma solitude, parfois je vous évoquais : plus rien ne me reste de vous; une main impie a violé votre sépulture; pardonnez-moi. »

De chaudes larmes tombaient de ses yeux.

— Pauvres femmes, qui m'avez préféré au devoir, qui m'avez sacrifié votre réputation, ô vous! qui avez eu plus de foi à ma parole qu'à la parole de Dieu, mes saintes femmes! que ces larmes apaisent vos ombres, doux cortège, dont j'aimais la rêveuse invisibilité. Le Nebo d'amour ne survivra pas à votre dispersion; que ma sentimentalité meure avec la profanation de ces vestiges de mon âme! Amantes et sœurs, la vie fluidique seule nous affrontera encore. »

Se détournant vers la princesse, d'un geste il lui montra la porte.

Elle se jeta à genoux.

— Paule, je puis te pardonner : car, *elles* ne te pardonneront pas.

Circéon XII

Le Modèle

Une accalmie suivit la scène du coffret; Paule repentante et subitement adoucie redevint l'incomparable maîtresse de l'Érotikon. Elle avait vu de si près la rupture!

Malgré ce changement, Nebo pressentait la catastrophe finale, et souffrait d'autant plus qu'il se sentait repris au cœur d'un renouveau sentimental.

Une semaine s'écoula qui eût été heureuse sans les appréhensions que tous deux se cachaient. Pour ne se rien reprocher, il se conduisit comme s'il n'avait pas eu conscience de l'issue déplorable et proche; il profita de la docilité nouvelle de la princesse pour l'accoutumer à ne venir qu'en avertissant et même à respecter son étude un moment, s'il étudiait.

Une claire après-midi d'un froid joli et guilleret, il croisa avenue de Messine une jeune fille, dont le type l'arrêta : c'était une beauté absurde, brune jusqu'au ton bistre chaud, et frêle comme une illustration ossianique; la syphilide d'un lac écossais sous les colorations d'une bohémienne d'Espagne; des yeux dévorant le visage, une bouche ridicule de petitesse, des attaches irréelles d'étroitesse, une réalité qui semblait le caprice d'un génie follement subtil.

Il l'aborda courtoisement, se dit peintre et lui demanda de venir poser.

La jeune fille le contempla longuement et dit oui; ils s'acheminèrent; et pendant le trajet Nebo apprit qu'elle était née à Syracuse, d'un lord Irlandais et d'une Sicilienne, et tenait l'emploi de camériste auprès d'une comtesse anglaise, habitant l'avenue Marceau : arrivée chez le Platonicien, elle s'écria :

— Vraiment, c'est bien mystérieux ce pouvoir que vous avez d'être obéi; tout autre m'eût fait courir en me proposant d'être son modèle; pourquoi est-ce que je me sens incapable de vous refuser rien?

— Parce que vous êtes un bon petit cœur et que vous ne voudriez pas priver l'art peut-être d'un chef-d'œuvre.

Déshabillée, sa gracilité brune émerveilla l'artiste; jamais il n'avait vu tant d'émaciation sans maigreur; « Vous avez un corps si spirituel qu'il semble un travestissement du paradis. »

Avec ardeur, il gouachait depuis une heure quand Paule surgit, pantelante d'apercevoir une femme nue chez son amant.

— Entrez, chère, — dit le Platonicien, et venez voir mon aquarelle.

Paule, se contenant à peine, jeta un regard violent sur la jeune fille et passa vers Nebo, qui disait :

— Voulez-vous reprendre la pose, chère enfant?

Celle-ci cherchait ses vêtements :

— Non, pas devant madame.

La princesse éclata :

— Vous voulez être seule avec lui, n'est-ce pas ?

— Paule, je vous défends d'insulter une enfant dont je suis l'obligé, puisqu'elle a bien voulu poser pour moi.

— Je vais te la respecter, ton enfant, ta chère enfant...

Et la princesse marcha vers la Syracusaine qui se réfugia derrière Nebo.

Enfin, la Princesse aperçut le ridicule bourgeoisisme de son attitude et s'assit crispée, battant des mesures batailleuses de ses doigts gantés sur ses bras.

— Merci, — dit Nebo à la jeune fille revêtue en hâte, et pardonnez-moi le petit ennui auquel je vous ai exposée.

— Voulez-vous me donner la main ? — demanda le modèle.

Nebo la lui tendit, elle la baisa goulûment.

La princesse s'élança :

— Ah ! c'est trop fort.

Nebo lui barra le passage ; elle le saisit au collet et le froissa. Avec une violence qui était rare en lui, il se dégagea, et du ton sec d'une décision :

— Si la princesse Paule Riazan ose encore une agression, une seule, Nebo disparaît pour toujours. J'aurai averti, et ce qui aura lieu sera votre libre choix et bon plaisir !

CIRCÉON XIII

Le dernier Corps à Corps

Nebo relisait une lettre avec étonnement, quand la princesse entra, gamine, pour le surprendre : en sursaut retourné, il froissa le papier du geste de le cacher. La princesse ne fit qu'un bond sur lui et sa parole siffla :

— Cette lettre?

— Je n'admets ni ce bond, ni ce ton, ni cette demande, cependant je vais vous la lire, sinon vous la donner :

MONSIEUR,

Je n'ose pas venir; j'en aurais bien envie; pendant que je posais l'autre jour, je vous regardais; depuis, je vous vois continuellement, en idée. La belle dame que vous aimez et qui a l'air si méchant et si jaloux, l'emporte de tout sur moi; mais je prétends à si peu. Je vous dis seulement que je suis à votre disposition soit pour poser, soit... pour tout ce qu'il vous plaira.

Si un jour une fantaisie d'un moment vous venait, en regardant le dessin que vous avez fait de moi, oh! vite écrivez-moi, et je volerai. Ce serait le plus beau jour de ma vie. Pourquoi hésiter? Je l'avoue, je vous aime, et prie l'Amour qu'il vous donne un tout petit caprice en ma faveur. Je n'ai pas droit à plus; mais cela, je le vaux peut-être. A vous d'en juger.

Je vous embrasse les mains comme j'ai fait en partant.

Votre servante,

Bianca MOCCI.

La princesse ricana :

— Voilà, pour le coffret de santal, un recommencement de la collection; mais communiquez-la-moi, je vous la rendrai.

— Je ne tiens pas à la garder, mais je tiens à ce que vous ne la voyiez pas.

— Je la verrai; car il y a une adresse pour la réponse et ma cravache la fera.

— Vous ne la verrez pas, il n'y aura pas de réponse et ma canne, au besoin, vous fera lâcher la cravache, Bradamante!

Nebo déchira la lettre et en jeta les morceaux; Paule les ramassa.

— Pourvu que je trouve l'adresse, — fit-elle.

Soudain elle aperçut un morceau resté dans la main fermée du Platonicien, et crut que celui-là portait l'indication.

— Ouvre ta main et donne, ou je l'ouvre moi-même et je prends.

— Si je l'ouvre, je suis lâche, et on ne pardonne pas à celle qui vous avilit; si tu l'ouvres, tu auras commis un abus de force et de force physique, je te condamne.

— Donne, ou je prends.

— Je ne donnerai.

— Nebo! — et approchant son visage furieux de celui de son amant, ses bras en l'air se crispaient.

— Vous semblez la tête de Méduse, de Léonard.

Brusquement elle lui tordit le poignet, Nebo s'exclama de douleur.

Elle lâcha prise, un peu honteuse, lisant du mépris dans les yeux de son amant, puis lui jeta ses bras autour du corps le soulevant pour le jeter à terre; ils luttèrent. Nebo glissa, elle lui mit son genou sur la poitrine. Alors, il jeta dédaigneusement le morceau de papier; Paule, lâchant prise, l'alla ramasser; il était blanc.

Rien n'exprimerait la confusion de la princesse: en se retournant, elle vit luire un poignard à la main du Bien-Aimé.

Toute l'incohérente horreur de la situation lui apparut.

— Écoute, mon Nebo, pour marquer mon repentir, je sors et t'épargne mes ennuyeuses larmes; j'attendrai ton pardon pour revenir, sois généreux; oh! va, je vais bien expier, et elle s'enfuit.

Quand Nebo entendit rouler le fiacre qui emmenait la princesse, il sonna, et sur un télégramme dont l'adresse était écrite d'avance, il mit un seul mot :

SOTER

ÉPILOGUE

I

MERODACK-SOTER

Debout, les bras croisés sur la poitrine, Merodack entendait la seconde confession de Nebo.

Le mage confesseur ne voulut pas se souvenir qu'il avait été prophète ; tout autre eût dit d'abord : « je vous l'avais prédit ». Conscient des suprêmes délicatesses, il ne paraissait pas se souvenir du premier colloque et de sa parole : « je suis destiné à prononcer l'oraison funèbre de cet amour ». Après avoir réfléchi un moment, il sonna le domestique.

— La prestesse, c'est tout l'art des changements. Envoie chercher une voiture, un indicateur, et monte dans le rapide de n'importe où ; le reste, je le ferai.

— Cher Merodack, ton dévouement, quel abus j'ose en faire ; je te laisse tout le labeur de mes folies à réparer.

— Réparerais-tu pas les miennes? Ne t'étonne donc, frère aimé, que nos cœurs se vaillent.

— Oui, mais nos réciprocités où sont-elles? jamais je ne pourrai te rendre l'humiliant service.

— Tais-toi, Nebo, je dois te complimenter; oui, le mot ne raille pas, tu es trempé formidablement, car tu ne laisses ici que tes sens, tu as sauvé ton esprit et ton âme.

— Admirable psychologue, qui trouve à parler à mon orgueil quand je suis abjectement vaincu.

— Spirituellement, tu es sauf; animiquement, il te restera une tendance incroyable à sentimentaliser. Charnellement, tu es très malade : tu as pris l'habitude de la volupté; si tu te mets brusquement à la continence, ton imagination volera vers la princesse; il te faut un peu de fornication graduée en diminuant toujours. Cette ordonnance n'est pas de mon goût; mais après avoir joué la vie d'une vierge, nous serions inconséquents de nous arrêter à quelques vilenies lubriques en plus ou en moins. Enfin, je n'ai plus d'inquiétude sur toi et j'en avais en venant; je te répète mon admiration pour ta force de cérébralité qui te dégage jusqu'au nombril; à mi-corps, tu es encore l'initié avec un remords salutaire et une angoisse de charité.

— Fais qu'elle ne meure pas !

— Je réponds de sa vie.

— Fais qu'elle ne devienne pas folle.

— Je réponds de sa raison.

— Fais qu'elle me désaime et ne désespère pas.

— Je ne réponds plus.

— Ah! quelle souffrance va être la sienne.

— Les somnambules souffrent-elles, quand le magnétiseur est un fils d'Hermès?

— Mais il y a toujours un réveil.

— J'espère que le flot de Léthé noiera le passé, l'inondera jusque dans la veille.

— Tu n'as pas mesuré la profondeur, ni ne soupçonnes la force des racines d'une telle passion.

— J'aurai le loisir de cette mensuration; vite, vêts-toi pendant que je commence l'œuvre exorciste. Ah! où est la chambre de vos luxures?

— Au premier, après le cabinet florentin.

Merodack alluma les trépieds de la chambre rouge et y jeta à profusion les résines sacrées; et tandis que la fumée purificatrice montait, il arracha les tentures de pourpre, avec un poignard lacéra les draps de soie rouge; détruisant, avec les gestes calmes d'un ouvrier appliqué à ses pièces, tout le décor de passion de son adelphe.

— Je t'en supplie, — s'écria Nebo, survenant, — attends que je sois parti; il y a de mon âme éparse ici, et tu me déchires en lacérant ces voiles de mon pauvre amour.

Il éclata en sanglots, Mérodack le serra contre sa poitrine, l'embrassant.

— Pauvre frère, courage; ne pleure pas sur elle, je la sauverai même de la douleur, si Dieu permet à l'épopte d'y arriver, et ne regrette rien; la volupté, tu la trouveras partout, et quand tu auras besoin de t'appuyer sur un cœur fidèle, tu viendras sur le mien.

— Ah! mon Mérodack, tes yeux sont pleins de larmes, murmura Nebo.

— Je n'ai pas de maîtresse pour qui les verser; à qui seraient-elles mes larmes, sinon au plus aimé de mes frères?

On entendit la voiture s'arrêter.

— Jure-moi, sur ton salut éternel, que la foudre tombant à chacun de tes pas ne t'arrêterait pas, avant que tu sois à mille kilomètres.

— Je te le jure, bien-aimé Mérodack.

— Je ne viens pas te mettre en wagon; nous sommes des mages et ne faiblissons plus après un serment. Je m'installe ici; j'y attends la princesse et je la guéris.

— Benoît, — appela Nebo, — vous obéirez à Mérodack comme à moi-même.

— Monsieur ne m'emmène pas? j'ai l'habitude du service de monsieur... et le vieux serviteur s'émut.

— Mon pauvre Benoît, j'ai besoin de vos services ici, mais je vous appellerai où je vais, bientôt. Merci de ce que vous me témoignez, Benoît; — il tendit la main au domestique qui la baisa, et descendit, soutenu par Mérodack, qui lui entourait la taille.

— Je ne mérite ni le nom de Mage, ni ton amitié, Mérodack.

— Tiens ton serment et tu seras Mage, et Mérodack si heureux qu'il deviendra ton obligé. Allons, frérot, adieu; embrasse-moi encore.

Vois-tu, mon frère très chéri, l'esprit seul aime bien et toujours.

— Ton cœur est plus doux qu'un cœur de femme. Sois béni, Mérodack-Soter.

II

Mérodack, quand le fiacre eut tourné la rue, **rentra** et d'une voix brève :

— Benoît, il nous faut, à l'instant, détruire **tout ce** qui serait une trace de la princesse : guidez-moi pour faire reprendre à la maison entière, l'aspect **exact** qu'elle avait la première fois que M᛬ᵉ de Riazan y vint.

La science imita la passion : comme la **princesse** avait lacéré les reliques du coffret de santal, **Méro-** dack mit en morceaux tout ce qui pouvait **être** imprégné du fluide passionnel : tentures, matelas, chemises de soie, tout cela devint dans le jardinet un monceau de chiffons ; il l'arrosa de compositions chimiques qui dévoraient la couleur et loquetaient les lambeaux. Entrant dans l'atelier, il ne put retenir un cri d'admiration, en voyant le trône, l'autel de fleurs et la mise en scène magnifique encore ; sous la poussière, éblouissait encore la parure de l'idole.

— Quel artiste ce Nebo ! je comprends qu'il doute que je fasse l'oubli sur de pareils souvenirs.

Aidé de Benoît, il passa à la chaux toute la muraille, démolit le trône, abolit l'autel.

Après plusieurs heures d'un travail épuisant, Benoit déclara que nul vestige de la princesse n'apparaissait.

Le Mage, ayant prié pour son frère, se coucha. Au lendemain, quoique averti de la parole Riazane, qu'elle se punissait en attendant un rappel, Mérodack, convaincu de la voir paraître, ne sortit pas.

Vers deux heures de l'après-midi, à travers le vitrail du cabinet, il la vit ouvrir la porte de fer.

— Elle est bien belle, — murmura-t-il.

Hâtivement elle monta et fut stupéfaite de se trouver en face d'un inconnu.

— Qui êtes-vous? Où est Nebo? — dit-elle avec le serrement de cœur des malheurs qu'on va apprendre.

— Je suis le meilleur ami de Nebo et je voudrais bien savoir où il est, princesse.

— Ah! mon Dieu, lui serait-il arrivé malheur? Mais non, s'il est absent, c'est pour me punir.

— Vous êtes donc coupable?

Elle s'affaissa sur une chaise.

— Oh! oui, — fit-elle d'une exclamation profonde.

Puis, brusquement :

— Au fait, je n'ai pas à me confesser, pourquoi êtes-vous ici?

— Pour la raison où vous y êtes : sollicitude.

— Que craignez vous? que pensez-vous, dites? Mais dites-donc? si vous saviez ce que je souffre?

— Il n'y a pas lieu de s'alarmer, vous savez qu'il est commandeur de Typheret et Malchut, dans le nouvel ordre du Temple.

— Oui, non; qu'est-ce que cela me fait?

— Cela fait qu'un devoir mystérieux le retient peut-être et que je suis chagrin de penser que mon aide lui manque.

— Votre aide? Et la mienne donc? Vous êtes son ami? vous êtes Mérodack? Eh bien, moi je donnerais ma vie pour lui, très simplement.

— Il faudrait moins que cela, pour nous tranquilliser tous deux.

— Est-ce en mon pouvoir?

— C'est en votre pouvoir.

— Dites? oh! dites vite; Monsieur Mérodack.

— Eh bien! amie de Nebo, vous n'ignorez pas qu'un magicien, en endormant quelqu'un, peut savoir ce que tel personnage est devenu, où il est, s'il est en péril?

— Oui, oui, j'ai idée de cela.

— Voulez-vous que je vous endorme?

— Mais, je ne vous connais pas, et si...

— Princesse Paule Riazan, regardez-moi et dites si votre impression est de la confiance.

— Oui, de confiance, oui, subite et absolue.

— Restez assise, appuyée au dossier; permettez-moi de vous mettre mes mains au front.

— Pour Nebo, tout ce que vous voudrez.

— Ayez donc le désir de vous endormir comme j'en ai le vouloir.

En quelques minutes, la princesse dormit d'un sommeil souriant et calme.

Merodack sonna Benoît.

— La princesse est perdue, — s'écria le domestique.

— La princesse est sauvée, vite, une voiture.

Le vieux serviteur restait béant d'épouvante, en voyant Paule descendre l'escalier avec le pas d'un automate et monter dans le fiacre et s'y asseoir.

— Sur le siège, vous, Benoît.

Et au cocher :

— Hôtel Vologda.

Arrivé :

— Benoît, — dit Mérodack, — allez chercher Petrowna.

Quand la gouvernante vint à la portière :

— Je suis le frère de Nebo ; votre maîtresse souffrait, je l'ai endormie ; voyez-la, elle respire et a l'air heureuse ; ne vous effrayez pas de sa démarche roide, elle va vous suivre, déshabillez-la, couchez-la, pendant que je verrai la duchesse. »

Le cocher renvoyé sans qu'il se fût aperçu de l'état étrange de la femme qu'il avait conduite, Mérodack, forçant la consigne du valet de chambre, entra chez la duchesse qui siestait.

— Pardonnez-moi cette intrusion, il s'agit de Paule.

— Hein ! quoi ? un inconnu sans être annoncé pendant que je repose et qui dit « Paule » tout court.

— Vous savez, duchesse, — continua Mérodack en s'asseyant avec un calme qui hérissa la douairière, — que votre nièce aimait Nebo, que Nebo ne voulait pas se marier. Il vient de partir pour très longtemps et pour très loin; la raison, peut-être la vie de la princesse étaient en danger; je l'ai endormie, je m'installe chez vous et je n'en sors que lorsque je pourrai vous dire: duchesse Vologda, votre nièce vous est rendue.

— Ma nièce est endormie et cela la sauve et vous, vous consacrez à son salut, je ne comprends pas!

— C'est simple, pourtant, votre nièce eût été frappée au cœur du départ de Nebo; en la frappant de sommeil, je lui ai épargné le coup: maintenant, je vais faire que, d'ici dix jours de catalepsie apparente, elle s'éveille ayant tout oublié.

— Tout cela est fou à crier à la garde; cependant, je me connais en hommes et je vous crois, tout absurde que vous soyez.

— Nebo m'avait dit que vous étiez supérieure.

— Vous me répondez de ma nièce?

— J'en réponds, si vous me laissez plein pouvoir.

— Qu'entendez-vous par là?

— Le secret.

— Attendez, vous êtes de la bande qui a si curieusement manœuvré à une vente de charité?

— Je suis leur chef.

— Et vous vous appelez?

— Mérodack.

— Monsieur Mérodack, non, Monsieur ne vous va pas... Mérodack tout court, je dirai comme vous disiez Paule; aidez-moi à me traîner jusqu'à ma belle nièce au Bois Dormant.

L'INCENDIE (I)

Si Mérodack avait su la tàche qu'il acceptait, il eût hésité. Vingt jours durant, il n'osa la réveiller; à trente reprises, il purifia le peresprit de la princesse, dispersa toute la coagulation de fluide passionnel. Enfin le vingt et unième jour, après lui avoir suggestionné qu'elle avait été malade et qu'il était médecin, il la réveilla.

O merveille! aucune préoccupation de son ancien amour ne parut aux premières heures, crédule à ce qui lui était dit.

— Il me semble, docteur, que j'ai un voile sur la pensée; oui, quelque chose de grave m'est caché par un pouvoir supérieur et ce quelque chose me pousse à sortir... il faut que j'aille quelque part... je ne sais où... mais j'irais tout droit... voulez-vous être le cavalier de ma première sortie?

— Oui, si vous êtes une convalescente docile et si

(I) Le chapitre qui contenait le traitement psycopathique détaillé a été supprimé, comme exotériquement dangereux.

J. P.

vous m'écoutez, au cas où je jugerai opportun de
rentrer.

A peine sur le trottoir :

— Pas par là, par ici, docteur.

Elle prit le chemin de la rue Galvani.

— Quelle étrange idée, princesse.

— Oh! ce n'est pas une idée, c'est une attraction,
qui me prend aux entrailles; il y a quelque chose de
moi, là où je tends. C'est bien difficile à exprimer; il
me semble que je n'ai possession que de la moitié
de ma personnalité, l'autre moitié est là où je vous
mène.

— Étrange, mais demain je vous suivrai où vous
voudrez, il faut rentrer, maintenant.

— Oh! docteur, je vous en prie... si vous saviez
comme je suis attirée... j'en souffre.

— Demain, princesse.

— Si vous saviez le mal que vous me faites en
refusant.

— Demain, nous irons au diable s'il le faut, parole
de médecin.

Une voiture passait, il l'y fit monter presque de
force, la reconduisit, ordonna qu'elle ne pût sortir et
courut rue Galvani :

— Benoît, il faut déménager, d'ici à ce soir, tout
ce qui a quelque valeur; vous le ferez conduire chez
moi, rue Notre-Dame-des-Champs, et puis vous re-
joindrez votre maître.

A minuit du même jour, tout était transporté et

Benoît en route : Mérodack faisait une dernière ins-
pection minutieuse de tout l'hôtel. Puis il alla au la-
boratoire, mixtura longuement et parcourut la maison, un seau d'une main, un grand pinceau de l'autre,
badigeonnant les murs. Enfin, un peu avant l'aube,
il alluma une courte mèche sur le rebord d'un réci-
pient et referma toutes les portes.

A voix basse, il dit :

— Seigneur, que le feu consume les cendres mêmes
de l'amour qui eut lieu ici — et il fit le signe de la croix
sur le petit hôtel, où une lueur insolite brillait déjà à
une fenêtre.

Au moment où Mérodack quittait la rue Galvani,
Paule réveilla Petrowna en sursaut par les cris :

— Au feu! je vois des flammes, elles me brûlent!

L'émoi passé, elle crut à un cauchemar.

Obsédée mystérieusement, elle s'habilla, et vers
huit heures du matin, elle s'évada, filant droit comme
une flèche jusqu'au petit hôtel. Là, une foule devant
un tas de cendres fumantes.

— Ce n'est pas un incendie ordinaire, disait un
officier de pompier; il y a de la chimie là-dedans :
une vengeance sans doute!

Paule, sans songer qu'on la remarquait, ròda,
déroutée par ce sinistre, et rentra hébétée; Mérodack l'attendait.

— Eh bien! qu'est-ce qui vous attirait?

— Je ne sais plus, — et un voile d'idiotie descendit
sur ses beaux traits.

— Mon Dieu! — pria mentalement Mérodack, — faites qu'elle soit sauvée!

L'ayant endormie il lui rendit le souvenir, mit une lettre de Nebo, faussant le passé dans la mesure possible, sur ses genoux et d'un geste la réveilla et disparut; on ne le revit pas d'un grand mois à l'hôtel Vologda.

Pendant ce mois, il agissait à distance, graduant la récupération mentale du passé.

Triste à jamais, la princesse était une âme brisée, mais avec le courage de vivre et l'espoir de reconquérir un jour son Paradis Perdu, de revoir le Bien-Aimé, par la résignation même de sa douleur et les mérites de fière et noble attitude de son veuvage.

IV

Un jour, on annonça le Mage.

— *Il* m'envoie, — dit-il simplement. Puis :

— Lui seul était conscient, lui seul est responsable. Votre douleur attire sur lui du malheur : lui pardonnez-vous ?

— *Il* revient ? — et toute son âme interrogeait dans ses yeux.

— *Il* ne revient pas : *Il* vous demande si vous voulez qu'il souffre de vous faire souffrir.

— Je veux qu'il soit heureux, dussé-je en mourir ; je lui pardonne, je le bénis : portez-lui cette parole de paix.

Elle résorba ses larmes, et ne profita pas de l'attendrissement du mandataire pour faire une seule question indiscrète.

— Voulez-vous, Mérodack, vous qui m'avez sauvée du désespoir, et qui êtes deux fois grand, vous commandez aux âmes et restez tendre ; voulez-vous répondre à une question qui m'est personnelle, mais dont la réponse est d'ordre scientifique, de votre science, à vous ?

Ne voulant que mériter, sans agir pour obtenir rien, ne puis-je pas, par la seule force de mon âme,

faire œuvre de magie; ne puis-je pas donner de ma
vie, de ma force, de ma jeunesse à un être absent?

— Vous le pouvez, princesse.

— S'il était malade, je peux lui envoyer un rayon
de santé.

— Vous le pouvez.

— Promettez-moi de m'avertir, si quelque chose
de moi jaillissant pouvait lui servir.

— Promesse bien douce à vous faire.

Brusquement, il lui prit les mains :

— Vous êtes ma sœur; je souffre en vous. Écoutez
moi :

— Vous avez gâché l'étoffe du bonheur; cependant,
je veux vous dire ce que ferait, en votre lieu, Mademoiselle Mérodack.

— O miséricordieux médecin des âmes, songes-tu
à ce que tu viens de me montrer? c'est le secret du
ciel que tu m'offres.

— Écoute, ma sœur; tu as été jalouse, exclusive,
violente; les princesses commencent toutes ainsi :
est venue la douleur, qui t'a trempée; aujourd'hui
tu ne menacerais plus de cisailler un palimpseste, tu
ne prendrais plus Nebo au collet. Tu es loin de lui,
matériellement; moralement, tu as fait un pas immense vers ce qu'il rêve. Silencieuse, recueillie, demandant à la piété de porter ta navrance, applique-toi
à devenir la femme qu'il te disait d'être, quand tu
ne l'écoutais pas. Deviens telle que tu sois son rêve
vivant; et tu conquiers la puissance d'une fatalité.

Crois-moi, la science des vieillards n'étouffe pas en moi le sang des jeunes hommes, je vois aussi clair au cœur qu'aux Normes. Lorsque tu seras la Paule complète, tu seras la Paule heureuse; ne demande pas de date, un an, beaucoup moins, beaucoup plus, je l'ignore; ton bonheur dépend de ta perfection : ne te décourage pas, tu ferais pleurer Mérodack, et il n'a pas le droit de s'obscurcir les yeux, l'humble Mage.

— Donnez-moi votre bénédiction.

Elle s'agenouilla.

— Relève-toi, sœur plus haute que moi, puisque tu es plus souffrante; aucune onction ne m'a conféré le droit de bénir.

— Vos œuvres de miséricorde sont d'un saint.

— Non, ma douce princesse; je ne suis que l'amant chrétien des belles âmes : je t'aime pour ta douleur, comme j'aime Nebo pour son génie.

— Eh bien! c'est moi qui te bénis, doux thaumaturge, mage plus grand qu'un prêtre.

Sois béni, toi qui sauvas Nebo de mon égoïsme et de ma démence! Sois béni, toi qui sauvas la princesse du suicide ou de la folie! Sois béni, céleste génie qui accouples dans les âmes, la charité et le bonheur! Tes belles mains qui m'ont ôté Nebo, tes belles mains me le rendront, quand je l'aurai mérité!

MÉRODACK-SOTER!

Paris, 1886-87.

Achevé d'imprimer

le vingt et un novembre mil huit cent quatre-vingt-sept

PAR CH. UNSINGER

83, rue du Bac,

POUR

G. EDINGER, ÉDITEUR,

34, rue de la Montagne-Sainte-Geneviève, 34,

A PARIS